Über Peter Huchel
Herausgegeben
von Hans Mayer

Suhrkamp Verlag

edition suhrkamp 647
Erste Auflage 1973
© Suhrkamp Verlag, Frankfurt am Main 1973. Die Zusammenstellung
erfolgte für die edition suhrkamp. Printed in Germany. Alle Rechte vorbehal-
ten, insbesondere das der Übersetzung, des öffentlichen Vortrags und der Über-
tragung durch Rundfunk und Fernsehen, auch einzelner Teile. Satz, in
Linotype Garamond, Druck und Bindung bei Georg Wagner, Nördlingen.
Gesamtausstattung Willy Fleckhaus.

3518 00 6479

Inhalt

Zur Einführung

Ein Sammelband »Über Peter Huchel« kann Mißverständnisse beseitigen, was nötig ist, auch wenn die Mißverständnisse von ziemlich viel gutem Willen begleitet werden. Wer Peter Huchel sei, der Mann und der Dichter, das glaubt man nachgerade zu wissen. Vor allem ein Naturlyriker: was immer sich einer darunter vorstellen mag. Naturlyriker aber sind – bekanntlich – unpolitische Leute, und haben es darum schwer. So auch dieser hier. Immer wieder geriet er – bekanntlich – zwischen die Fronten. Er war ein Stiller im Lande, das sich als Drittes Reich gerierte. Später schrieb er ein Gedicht über Lenin, und mußte demnach so etwas wie ein Roter gewesen sein. Anschließend wandelte er sich – bekanntlich – in einen Mann des Widerstandes. Aber man ließ ihn schließlich ziehen: zuerst nach Italien, dann nach Süddeutschland.

Nichts davon stimmt. Oder noch schlimmer: in jeder dieser scheinbar so dezidierten Aussagen gibt es Momente von Wahrheit, doch eben bloß Momente oder Partikel, denen so viele entgegengesetzte Tendenzen im Leben und Werk von Peter Huchel entgegenstehen, daß alles dadurch wieder unwahr wird, und unscharf.

Warum man Huchels Dichtung mit dem Klischee einer »Naturlyrik« gröblich mißversteht, wird in vielen Beiträgen des vorliegenden Bandes eindringlich demonstriert. Huchels Lyrik ist niemals menschenlos, sondern gewinnt ihre Spannungen stets aus einer auch in der Form streng respektierten Subjekt-Objekt-Beziehung. Noch weniger hat man es mit Regionallyrik zu tun eines Mannes aus der Mark Brandenburg. Diese Dichtung hat und atmet Welt. Sie ist undenkbar ohne das Erlebnis südlicher Landschaften und Menschen. Vor allem ist Huchels Poesie, wodurch sie sich schroff von aller faden Landschaftsmalerei unterscheiden muß, in jeden Augenblick gleichzeitig Auseinandersetzung mit geschichtlichen Vorgängen, Kunstwerken und literarischen Formen der Vergangenheit: antiken, romanischen, klassischdeutschen. Es ist derselbe Mann, der solche Verse schrieb und die Zeitschrift »Sinn und Form« als

Kompendium moderner Auseinandersetzung über Literatur, Geschichte und Philosophie redigierte.

Dies alles wird durch die Beiträge dieser ersten Anthologie erkennbar. Im einzelnen bleiben Widersprüche auch dort, wo das Klischee ausdrücklich fehlt. Ein Gedicht etwa wie jenes vom »Garten des Theophrast« wird in verschiedenen Beiträgen unseres Bandes in divergierender Weise gedeutet: ohne daß man einem Interpreten nachweisen könnte, er habe unrecht.

Solche Gedichte lassen die Interpretation zunächst scheinbar bereitwillig zu. Plötzlich aber scheinen sie alles wieder abzuschütteln und unberührt oder unerreichbar dazustehen: in ihrer poetischen Evidenz. Das wird jeder erfahren, der sich ernsthaft mit diesem Dichter einläßt und seinen Arbeiten.

Der Band »Über Peter Huchel« mußte, entsprechend dem Lebensablauf und Werkverlauf, dreiteilig sein. Zunächst die Versuche einer Deutung des Gesamtwerks und besonders einzelner Arbeiten. Dann Dokumentationen, an denen Wandlungen der Stellung Huchels im öffentlichen Leben, also nicht bloß in der literarischen Öffentlichkeit, abzulesen waren. Schließlich Zeilen von Dichtern an Peter Huchel in Versen und Prosa. Daran wird deutlich, was ihn mit den anderen verbindet, auch wieder von ihnen trennt. Peter Huchel hat selbst – und gern – eine poetische Quintessenz gewagt: über Hans Henny Jahnn etwa oder Ernst Bloch. Auch ihm widerfährt es immer wieder, daß seine Dichtung produktiv wird im Werk anderer Schriftsteller, mehr und mehr auch von Autoren einer jüngeren und jungen Generation.

H. M.

I. Interpretationen

Herbert Roch
Peter Huchel: »Gedichte«

Als Zeugnisse für die Lebendigkeit des deutschen Gedichtes in einer Epoche, die sich das Große zwar vornimmt, über das Mittelmäßige jedoch selten hinausgelangt, werden die hundert Seiten dieser Gedichtsammlung stets von besonderer Bedeutung sein.

Es gibt kein mittelmäßiges Gedicht in diesem Bande. Die Auswahl ist nach strengen künstlerischen Gesichtspunkten getroffen; und nicht durch Überfülle, sondern durch inneren Reichtum und die Geschlossenheit des einzelnen Gedichtes wirkt das Buch. Jedem einzelnen dieser Gedichte liegt ein tiefes und ursprüngliches Gefühl für das Menschliche und Kreatürliche zugrunde, und so echt wie die Dinge empfunden sind, auf so bewunderungswürdige Weise gelangen sie zur Darstellung; sie empfangen das Leben noch einmal, und alles: Klang, Rhythmus, Metrum, Metapher, wirkt mit, sie in ihrer großen bedrängenden Realität zu fassen. Es ist Verzauberung und Entzauberung zugleich.

In den einzelnen Strophen ist das Ganze enthalten, und alle Gedichte zusammen bilden ein großes Gedicht, ein Gedicht von der Welt, in dem alles anklingt, was uns an ihr freut und womit sie uns quält, unsere Hoffnungen nährt und unsere Pläne vereitelt. Es sind fast ausschließlich einfache und schlichte Urmotive, von denen diese Dichtungen ausgehen, Kindheitserinnerungen, Landschaftserlebnisse, Krieg und Zusammenbruch, aber gerade in der Beschränkung der Thematik, die nur das wirklich Erlebte einbezieht, zeigt sich die Kunst des Dichters. Man erleidet und genießt diese Gedichte, wie man bedeutende Schicksalstage erleidet und genießt. Sie enthalten kein in Reime gegossenes Parteiprogramm, keine Anweisungen zum seligen oder unseligen Leben, sondern sind selbst Leben und Dasein und Natur.

Es sind große realistische Gedichte, wie man sie selten in solcher Vollendung zu lesen bekommt: nirgends ein Mißklang, nirgends bloße formalistische Spielereien, hergeholte Worte, verschrobene Metaphern, dunkle Symbole und was sonst noch alles aus den Reimschmiedewerkstätten des Dilet-

tantismus stammt. Nichts von alledem bei Huchel. Aber auch
die Kaffeekränzchenwärme dichtender Tanten nicht oder der
Lärm lyrischer Geräuschkulissenverfasser. Sondern: die alte
Welt in neuen Bildern. Und das ist vielleicht die kürzeste
Formel, auf die sich der Inhalt dieses Gedichtbuches bringen
läßt. Denn jeder Dichter, sofern er diesen Namen verdient,
schafft die Welt neu und läßt uns die unwiederbringliche Ein-
maligkeit der Dinge mit der gleichen Intensität erleben wie ihren
inneren Zusammenhang mit dem Ganzen. Er macht ihre indivi-
duelle Physiognomie sichtbar und zeigt uns das Urphänomen,
das ihnen zugrunde liegt. So steht ein besonderer Herbst im Gedicht für tausend andere Herbste, und nur wo dieses wunderbare
Gleichgewicht zwischen Vergänglichkeit und Dauerhaftigkeit
sich einstellt, darf von großer Kunst gesprochen werden.

Peter Huchel ist einer von den wenigen zeitgenössischen Lyrikern, denen dies gelingt. In seinen Gedichten ist die Welt in
ihrer ganzen tragischen Zerrissenheit unmittelbar gegenwärtig. Ohne das abgenutzte und abgegriffene Vokabular der
sozialen Lyrik zu gebrauchen, spiegelt sich in seinen Gedichten die gesellschaftliche Situation des heutigen Menschen, und
was er über Deutschland und seine Verhängnisse, über Krieg,
Rückzug und Heimkehr auszusagen weiß, ist zwingend. Und
erschütternd ist die Frage, ob der Dichter den Ölbaum, das
Wasser, die Kraft des Halmes preisen dürfe – »eh nicht der
Mensch den Menschen erlöst«? Das ist die Frage, die heute
eine ganze Welt bewegt, und wenn Huchel darauf keine
programmatische Antwort gibt, so hat er sie mit seinen Dichtungen schon längst überzeugend gegeben – als ein Mensch,
der den Krieg und die Mächte der Vernichtung verabscheut
und das Leben wie einen alten Birnbaum liebt.

Selten ist der Herbst, ist die Fruchtbarkeit der Erde schöner
gepriesen worden als durch ihn. Aber so lange der Mensch sich
seine Herbste selbst verdirbt, hat der Dichter das Recht zu
tiefer, freudloser Melancholie, und seine Einsamkeit wird nie
ein Ende haben, wenn nicht aus Unsinn endlich Vernunft und
aus Plage Wohltat wird. Huchels Gedichte bestärken uns in
dieser Hoffnung. Sie sind eingebettet in den großen Strom der
humanistischen deutschen Dichtung, von Vorbildern nicht
frei, aber keineswegs abhängig: Schöpfungen eines Dichters. *(1949)*

Herbert G. Göpfert
Peter Huchel: »Des Krieges Ruhm«

»Ich sah des Krieges Ruhm.
Als wärs des Todes Säbelkorb,
durchklirrt von Schnee, am Straßenrand
lag eines Pferds Gerippe.
Nur eine Krähe scharrte dort im Schnee nach Aas,
wo Wind die Knochen nagte, Rost das Eisen fraß.«

Ich stieß auf dieses Gedicht Ende der vierziger Jahre, als ich
nach Kriegs- und Gefangenschaftszeit versuchte, mir ein Bild
von der inzwischen erschienenen Lyrik zu machen. Damals
war es noch selbstverständlich, daß man sich auch drüben, in
der »Ostzone«, umsah. Seitdem ist mir das Gedicht geblieben.
Die kurze Strophe erscheint so erschütternd eindeutig, daß
man nur zögernd versucht, etwas dazu zu sagen. Aber vielleicht erscheint sie wie manches vollkommen Gelungene man-
chem zu eindeutig und verbirgt ihre Tiefe?
Auf dem Rückzug ein Bild – viel entsetzlichere, schauerliche-
re, vorher nicht vorstellbare hat man gesehen –, im Winter ein
Pferdekadaver an der Straße. Das ist seit Tausenden von
Jahren so, ein Bild in jedem Krieg. Aber gerade dieses Bild
bleibt, schlägt ein, und zwar so stark, daß in der Strophe
zuerst nicht das Bild, sondern die Metapher steht: »Des Todes
Säbelkorb« – eine kühne Metapher, aber mit einem alten
Vorstellungsgehalt: »Säbelkorb«. Doch noch mehr, diese
Metapher wird gedeutet, und diese Deutung steht am Anfang:
»des Krieges Ruhm«. Das ist ungewöhnlich, gilt als unkünstle-
risch, eine Metapher müsse durch sich selbst wirken, so sagt
man. Aber hier muß es so sein. Lapidar wird das Thema
gesetzt, und dann kommt das Bild, das uralte Bild, das schon
Millionen seit Urzeiten gesehen haben, aber das nun in einen
hineingefallen ist, so daß er es fassen muß, obgleich er viel
Fürchterlicheres gesehen hat, mit Worten fassen, er hat nichts
anderes als Worte. »Ich sah des Krieges Ruhm« – nun seht her,
ich zeig' euch, wie er aussah, dieser Ruhm. Das ist er: eines

Pferds Gerippe, des Todes Säbelkorb, und nun weiter: die Krähen, die nach Aas suchen, der nagende Wind, der fressende Rost. Auch da wieder alte Bilder, der Wind, der Rost, schon in der Barockzeit findet man sie, alte Bilder für eine alte Sache. Alte Bilder für eine immer wieder neue Sache. Aber was heißt Barock: neue Bilder, neu gesehene und gesagte Bilder, ein heutiges Gedicht: so dicht, so hart, keine nicht unbedingt nötige Silbe darin, es ist geprägt wie ein Siegel, ist fest, klar, wahr.

Ich brachte dieses Gedicht in einer lyrischen Sammlung, die ich vor Jahren veröffentlichte, und wurde daraufhin von einem ehemaligen Parteianhänger – ich kannte ihn – in einer Zeitung angegriffen: das sei Hohn auf die Gefallenen, Verächtlichmachung der toten Kameraden und dergleichen. Wirklich? Wirklich? Hat dieser unbelehrbare Heroe denn nicht gespürt, daß hinter dem Wort: »des Krieges Ruhm« sich eine abgrundtiefe Trauer verbirgt, daß die Ironie dieses Wortes bitterste Klage ist, daß ungesagt viel mehr dahinter steht, der Tod, das Leiden, das vergebliche Opfer der Soldaten, der Frauen, der Kinder? Denn deshalb ist dieses Gedicht so wahr, weil seine Härte ohne jede Tendenz ist, ohne Nebenabsichten aus diesem oder jenem Lager heraus.

(1960)

Hellmuth Karasek
Peter Huchel

»Seltsam, daß gerade die Lyriker, diese angeblich doch zeit-
fremdesten Poeten, in Gleichnis und Bild so viel Gültigeres
über unsere Gegenwart aussagen als die Romanciers in dick-
leibigen Büchern.« Zu dieser Feststellung kommt Walter Jens
in seiner *Deutschen Literatur der Gegenwart* bei der Interpretation von Huchels *Chausseen Chausseen,* und er fährt fort:
»Sollte die brachylogisch-zeichenhafte Struktur der modernen
Verknappungstendenz besser entsprechen als der auf Ausfüh-
rungen verwiesene Roman? Die Chiffre als legitimer Spiegel
dieser geisterhaft-flüchtigen, im Übergang und rapiden Wechsel
begriffenen Zeit?«
Peter Huchels Gedichte sind fast ausnahmslos Spiegel des
Flüchtigen und der Vergänglichkeit. Von der *Herkunft,* die
den Band der *Gedichte* eröffnet, bis zu dem *Traum im Tellereisen,* den Huchel im letzten, unter seiner Verantwortung
erschienenen Heft der Zeitschrift *Sinn und Form* veröffentlichte, stemmen sich seine Verse dem Verfall entgegen, indem
sie ihn benennen.

»Die Stimme wird zu Sand
Und wirbelt hoch und stützt den Himmel
Mit einer Säule, die zerstäubt.«

Besser als in diesen Zeilen (aus dem Gedicht *An taube Ohren
der Geschlechter*) lassen sich die paradoxen Spannungen, aus
denen Huchels Lyrik lebt, kaum kennzeichnen. Sie sind
geschrieben, obwohl sie mit tauben Ohren rechnen. Auch
Huchels Gedichte bauen nicht mehr auf eine »Gemeinde«,
kaum auf ein Gegenüber; sie sind – um Enzensbergers Rubrik
aufzunehmen – »gedichte für die gedichte nicht lesen«; sie
leben aus der Distanz: der zum Leser und der zu den Worten.

»Gedenke derer,
Die einst Gespräche wie Bäume gepflanzt.«

Es ist, als suchten Huchels Verse immer wieder das Wort als letzte Markierung vor dem Verstummen.

Traum im Tellereisen

»Gefangen bist du, Traum.
Dein Knöchel brennt,
Zerschlagen im Tellereisen.

Wind blättert
Ein Stück Rinde auf.
Eröffnet ist
Das Testament gestürzter Tannen,
Geschrieben
In regengrauer Geduld
Unauslöschlich
Ihr letztes Vermächtnis –
Das Schweigen.

Der Hagel meißelt
Die Grabschrift auf die schwarze Glätte
Der Wasserlache.«

Die letzte Strophe, die zunächst anmutet wie eine Variation der Keatsschen Grabinschrift, ist keineswegs eine literarische Reminiszenz. Huchels Gedicht lebt aus den schroffen Antithesen. Unauslöschlich ist nur, was sich stumm vor der Welt versiegelt. Unvergessen, wie mit dem Meißel eingeschlagen, bleibt nur, was ins Wasser geschrieben wurde. Huchels Gedichte »handeln« von der Unzerstörbarkeit des Zerstörbaren, von der Unvergänglichkeit des Vergänglichsten. Sie sind Vers gewordener Widerspruch, der sich nur in der Form löst. Huchel bannt eine zerscherbte, zerscherbende Welt in unverletzbare Formen; er überredet das Schweigen, überführt das stumm Vergängliche ins Wort, das die Dauer chiffriert, indem es sie verleugnet.
Flüchtigkeit, die sich in Form rettet – daß dies die Aufgabe seines Gedichts ist, hat Huchel oft genug selbst formuliert: »Quellwasser, auf den Boden geschüttet, hat nur geringen Glanz, in ein Glas gegossen, ist es voll Licht.« So fängt er die

Wirklichkeit in den Gläsern seiner Gedichte ein, in einer Form, die das Stumpfe aufleuchten läßt. Form ist für ihn nicht nur das souveräne Wechselspiel des Reims, den er riskiert (vor der Herz-Schmerz-Banalität ebenso gesichert wie vor den gesuchten Extravaganzen des Reimlexikons). Form ist auch nicht nur der reiche strophische Vorrat, zu dem sich seine Verse zusammenschließen, als hätte es eine Krise des Gedichts nie gegeben, Form ist vor allem der »metallene Glanz« seiner Gedichte, von dem er spricht, wenn er seinen doktrinären Parteikritikern vorwirft: »Sie versuchen gleichsam mit einem Büchsenöffner den metallenen Glanz eines September-Gedichts aufzureißen, um den aktuellen Inhalt zu finden. Genau so könnte man versuchen, mit einer Sense den Abend-himmel aufzureißen.« Dieser »Glanz« der Huchelschen Gedichte ist ihre flüchtigste, verletzlichste Eigenschaft. Er taucht seine Verse in wechselndes Licht, bannt vorüberhu-schende Reflexe:

»Wenn mittags das weiße Feuer
Der Verse über den Urnen tanzt«.

In Momenten verschränken sich Dauer und Vergänglichkeit. Augenblicke werden gesammelt, aber sie weiten, sie dehnen sich in die reißende Zeit. Das Abenteuer der Huchelschen Lyrik ist die Zeit, wie in der *Landschaft hinter Warschau,* wo aus einer Momentaufnahme ein Tag vom Morgen in die Nacht stürzt als ein bedrängendes, jagendes Davoneilen, gegen das sich die letzten Zeilen stellen wie ein Damm, auf dessen Schwäche Huchel vertraut. In den flüchtigen Spuren findet das Gedicht die Chiffren dessen, was sich dem Strom der Vergänglichkeit entzieht.

»Spitzhackig schlägt der März
Das Eis des Himmels auf.
Es stürzt das Licht aus rissigem Spalt,
Niederbrandend
Auf Telegrafendrähte und kahle Chausseen.
Am Mittag nistet es weiß im Röhricht,
Ein großer Vogel.
Spreizt er die Zehen, glänzt hell

Die Schwimmhaut aus dünnem Nebel.
Schnell wird es dunkel.
Flacher als ein Hundegaumen
Ist dann der Himmel gewölbt.
Ein Hügel raucht,
Als säßen dort noch immer
Die Jäger am nassen Winterfeuer.
Wohin sie gingen?
Die Spur des Hasen im Schnee
Erzählte es einst.«

Walter Jens hat auf den »sense of past« aufmerksam gemacht, der den Augenblicken der Huchelschen Gedichte Kontrast gibt.

»Alle leben noch im Haus:
Freunde, wer ist tot?«

heißt es in der *Herkunft*. Wendische Hirten, Mägde, der Knabenteich, polnische Landarbeiter, die toten Träume, die als Fische auf dem Grund ziehen – immer ist die Gegenwart der Verse von dem durchzogen, was war. Huchels Gedicht verfügt über die Zeiten; die Zeiten verfügen über die Gegenwart. Wo Huchels Gedicht »Jetzt« sagt, sagt es immer auch »Einst«. Aber Huchel erschwindelt keine Wiederkehr der Mythen. Wo sie beschworen werden, verbleiben sie in der Negation, wie im *Weihnachtslied*. Sie sind erstarrt, haben ihren Sinn ausgegossen; sie vermitteln nicht, sie befremden:

»Agaven heben die Lanzen,
Drücken den Essigschwamm
An den dürstenden Mund des Himmels.«

Huchel setzt das Hölderlinsche »Und wohl geschieden«, er überredet keine Vergangenheit zur Gegenwart. Die Mythen sind stumm, blind geworden. Huchel erzählt von ihnen, wie von Abgelebtem, im Präteritum – »hier ging Theophrast«. Er erinnert an Stimmen, von denen er weiß, daß sie endgültig verstummt sind:

»Die Erde schenkt uns keine Zeit
Über den Tod hinaus.
Ins Gewebe der Nacht genäht
Versinken die Stimmen
Unauffindbar.«

Das Etikett »Naturlyrik«, das man für Huchel bereithält, ist mißverständlich. Gewiß gelten viele seiner Gedichte den Jahreszeiten, Monaten und Landschaften, der »wilden Kastanie«, der »Sibylle des Sommers«, »Verona« und dem »Löwenzahn«. Aber statt des beschwörenden Raunens, bei dem Merlin mit dem Zauberstab alles zu einer seligen Einheit zusammenschließt, bleibt bei Huchel die Natur in einer elegischen Distanz. Huchels »Naturgedichte« sind sozusagen nach dem Erwachen geschrieben, sie können mit Rosmarin und Suppenkraut keine Kinderträume malen. Das Naturparadies Huchels ist ein verlorenes Paradies:

»Es glänzt, armer Zyklop,
Dein ausgepfähltes Aug.
Du siehst nicht mehr
Das Schwanken der Lampe
Unter dem Karren.«

Eine ähnliche Metapher für die Blindheit, mit der die Vergangenheit geschlagen ist, findet sich in dem Gedicht *Chiesa del Soccorso. Forio:*

»Salzige Brandung,
Bist du das letzte
Erstarrte Bild,
Das aus den Augen der Toten
Die Fische fraßen mit sanftem Maul?«

Huchels Dichtung berührt sich hier weniger mit der Naturlyrik Wilhelm Lehmanns als mit den Meeresgedichten Albertis, Nerudas, mit Brechts *Ballade vom ertrunkenen Mädchen.*

Huchels Gedichte reflektierten zunächst – man darf das nur nicht als versifizierte Autobiographie mißverstehen – seine

Kindheit und Jugend im Dorf Alt-Langerwisch in der Mark Brandenburg. Als die Nazis auch in der Literatur ihr tausendjähriges Reich zu gründen suchten, glaubten sie, in Huchel einen Blut-und-Boden-Barden gewinnen zu können. Huchel verhinderte damals das Erscheinen des Gedichtbandes *Der Knabenteich*. Diese Gedichte sind nichts weniger als pseudoromantische Verbrämungen ländlicher Schlichtheit und Einfalt, wie sie damals der Dichtung als Aufgabe zugeschrieben wurden. Sucht man nach Vergleichbarem, so lassen sie am ehesten an die Gedichte Sergej Jessenins denken, die Huchel ins Französische übersetzt hat. Wie in Jessenins Gedichten – etwa in *Keine Halme mehr* – leben die Verse Huchels aus der Distanz, die benennt, indem sie negiert. Ihr elegischer Grundzug, das ständig angeschlagene »Nicht mehr« wird jedoch nie romantisch betrauert, sondern konstatiert.

Daß sich Huchels Gedicht die Natur zum Thema macht, ist keineswegs eine Art von Eskapismus. Die »Modernität« seiner Verse ist deshalb auch nicht darauf angewiesen, sich mit Neonlicht oder Autolärm modisch zu drapieren. Sie ist tiefer begründet als im zeitgenössischen Vokabular, sie ist keine Angelegenheit des Stoffs, sondern des Bewußtseins. Huchels Gedichte sprechen von einem Sturz in die Fremdheit. Sie riskieren Poesie als Abschied von der Poesie:

»Dann schnitt der Pflug
Durch Asche, Bein und Schutt.
Und der es aufschrieb, gab die Klage
An taube Ohren der Geschlechter.«

Obwohl es auf den ersten Blick so scheinen könnte, als schirmte sich das Gedicht bei Huchel gegen die Politik ab, ist sein Weg nicht der der inneren Emigration. Ein »Gespräch über Bäume« erschien ihm nicht als gangbarer Ausweg, sondern als Verbrechen. Die *Zwölf Nächte* sind, wie Brechts Gedichte, keine in Verse gefaßten Klagen, sondern lyrische Diagnosen eines politischen Zustands. Später, an den erforderlichen Hymnen zum »Aufbau des Sozialismus« scheiterte Huchel wie an einem Pflichtstoff. Hofdichtung gedeiht auch an proletarischen Höfen nicht. Das *Gesetz*, das die Bodenreform zum Inhalt hat, wurde nur teilweise veröffentlicht.

Huchels Lyrik ist dort stärker »politisch«, wo sie den wörtlichen Pakt vermeidet. Sie ist es, weil sie dann ihrem Wesen nach mit der Herrschaft uneins ist und sich gegen die offiziellen Forderungen sperrt. Ihre Brisanz war ein Thema des diesjährigen *SED*-Parteitages. Gedichte wie die Huchels lassen sich schwer tolerieren, weil sie die Sicherheiten der Schlagworte zertrümmern, den proklamierten Optimismus Lügen strafen. Im *Winterpsalm* heißt es:

»Wohin du stürzt, o Seele,
Nicht weiß es die Nacht. Denn da ist nichts
Als vieler Wesen stumme Angst.
Der Zeuge tritt hervor. Es ist das Licht.«

Daß Huchel nicht, wie die Parteilinie es will, die Nacht schon als vergangen ansieht, darüber gibt eine an Ernst Bloch gerichtete Verszeile Auskunft: »Er ahnt, was noch die Nacht verschweigt (...)«

(1963)

Walter Jens
Wo die Dunkelheit endet

Sehr weit von uns entfernt, in Wilhelmshorst bei Potsdam, lebt zusammen mit seinem Sohn ein einsamer Mann – ein großer Schriftsteller, der sich einer schmerzlichen Berühmtheit erfreut: Zwar sieht er den Rauch der Feuer, die man gerade jetzt zwischen Konstanz und Kiel zu seinen Ehren entzündet, aber die Flammen sind nutzlos, sie wärmen ihn nicht. Fontanes Mark ist zum Ghetto geworden; die kleine Redaktionsstube, von der man in Prag und Warschau auch heute noch mit Reverenz und Wehmut spricht, steht leer (ein Wilhelm Girnus redigiert jetzt *Sinn und Form*, die Zeitschrift, die bis zum vergangenen Winter so etwas wie das geheime Journal der Nation war); die Mitarbeiter von einst, Mayer und Bloch, leben im Westen; Brecht ist tot; Ernst Fischer wird verlacht, und Peter Huchel sieht sich ausgerechnet in jenem Augenblick so verlassen wie niemals zuvor, da ein zweiter Gedichtband den imaginären Kreis seiner Freunde von Tag zu Tag weiter vergrößert. Zehntausend Leser, aber kein Gespräch von Zaun zu Zaun; ein Ruhm, der in seiner Abstraktheit beinahe an Nachruhm erinnert: ein Musilscher *Nachlaß zu Lebzeiten* fast... Die Zeichen sind düster, und es wäre falsch, so zu tun, als ergäben die vor uns liegenden achtundvierzig Gedichte einen Band wie jeden anderen auch – *Chausseen Chausseen*.

»War es das Zeichen?« »Die Öde wird Geschichte. / Termiten schreiben sie / Mit ihren Zangen / In den Sand« – die Frage zu Beginn und die Sentenz am Schluß: Zeichen und Psalm, Erkundung und Zeugnis, das Sichvergewissern und der Kreuzschlag bilden die Pole, zwischen denen die Gedichte, fünffach gegliedert, sich spannen. Es beginnt sehr verhalten, der Anfang ist unscheinbar, die Impression bescheiden, aber konkret und von großer Anschaulichkeit.

»Baumkahler Hügel,
Noch einmal flog

Am Abend die Wildentenkette
Durch wäßrige Herbstluft.«

Vertraute Naturlyrik, könnte man meinen, eine Variation von Huchels frühen Gedichten; Hügel, Herbstluft und Wildenten- kette: eine Bildererzählung, ein episch-zeilenweises Weiterta- sten von Station zu Station. Aber der Anschein trügt, die Worte »noch einmal« geben der Zustandsbeschreibung zeitli- che Tiefe, zersprengen das räumliche Muster, setzen (dank der Doppeldeutigkeit von »wieder« und »ein letztes Mal«) die Phantasie in Bewegung. Zur ersten Dimension gesellt sich die zweite; der Text verweist auf den Kontext; das Beschriebene schrumpft plötzlich vor der Übermacht des Auszufüllenden zusammen; das Offene überwiegt das Fixierte. Zwei winzige Vokabeln genügen, um der Herbstlokalität ein Air von schwebender Vieldeutigkeit zu verleihen; der Satz wird zur Frage (»War es das Zeichen?«), das erzählende Subjekt ver- läßt seinen olympischen Standort und gewinnt – als Element unter Elementen: hineingenommen ins Gedicht – eine neue Kontur.
Huchel ist es nicht um lyrische Impressionen, sondern um die Beschreibung eines Verständigungs-Prozesses zu tun; Häuser, Wiesen und Kähne sind Spiegel, in denen das nach einem Fixpunkt suchende Ich sich erkennen möchte. Die Schlüssel- fragen *Wo bin ich?* und *Wo bist du?* ergänzen einander. Es geht um die Entdeckung eines neuen Koordinatensystems; anders als in Huchels frühen Gedichten ist das lyrische Ich viel mehr *sich vergewissernd* als von vornherein *gewiß*, ist die Landschaft eher rätselhaft und chiffrenartig als *vertraut*.
Betroffenheit, Ohnmacht und Zweifel bestimmen die Zeilen, Zuversicht wechselt mit banger Erwägung. Ein Vergleich der Fassungen erweist die Zunahme der Unsicherheit: Fragezei- chen bestimmen das Bild. (Man vergleiche Fassung 1: »Doch hinter dem See fand ich am Pfahl die Tafel – war es das Zeichen? – kaum zu entziffern«, mit Fassung 2: »Wer schrieb die warnende Schrift, kaum zu entziffern? Ich fand sie am Pfahl, dicht hinter dem See. War es das Zeichen?«) Nicht das Finden, sondern der Fund; nicht der Leser, sondern der Schreiber ist wichtig!
Saxa loquuntur: so klein Huchels Vokabular auch ist – die

wenigen Zentralchiffren, »Nacht« und »Mond« und »Dämmerung«, »Schatten« und »Silber«, beklopft er derart intensiv, daß die saturnischen Attribute am Ende beinahe eine dämonische Vielfalt, einen magischen Reichtum der Aspekte gewinnen: »Auge der Nacht« heißt der Mond, aber auch »weißer Stein« oder »der eine Garbe weißen Strohs auf Eis und Steine warf«. Die lunarische Natur ist weder idyllisch noch trostreich: Sie hat zu viele Tote, zu viele erschlagene Tiere und zu viele Ophelia-Bilder des Wahnsinns gesehen, um nicht ihrerseits tückisch zu werden: »es stellen die Schatten im Unterholz ihr Fangnetz auf.«

Was aber auf der Seite der Natur als »frierende Stimme des Wassers« oder als »Fußspur der Not« erscheint, heißt im menschlichen Bezirk Klage, Trauer und Tod, und es ist kein Zufall, daß Huchel gerade im *Verona*-Gedicht die letzte Zeile zerbricht und den Vers »und in der Mitte der Dinge die Trauer« nach dem Wort »Dinge« abteilt: die Trauer soll, groß, für sich selbst stehen – sie allein gibt den Gedichten das Pathos und den hohen lyrischen Ernst, den Klang der Elegie und jenen Ton der Schwermut, der sich vor allem dort einstellt, wo die Kriegsrealität, »frostiger Lehm«, »Asche und Schlamm«, auf zarte Gegenbilder stößt: wo der Engel der Frühe aus der Dämmerung steigt und die Stalingrad-Leere sich mit der Bethlehem-Szenerie konfrontiert sieht, wo chinesische Tuschzeichnungen den Visionen des russischen Feldzugs begegnen und hinter der verwüsteten Landschaft das reine Gold des Oktoberhimmels erscheint.

Als Meister vieler Formen wechselt Huchel mühelos vom Hymnus zur Ballade, von der gelassen reihenden Legende (*Münze aus Bir el Abbas*) zum epigrammatischen Spruch, von der synoptischen Evokation (»Siebensaitig tönt die Kithara im Sirren der Telegrafendrähte«) zum streng gebauten Manifest, vom Bericht zur Elegie. Die Sprache ist karg, aber variationsreich; plastische Termini, »Hundegaumen« und »Pflugbaum«, geben den Versen Halt, markieren die Position und schaffen eine Atmosphäre der verläßlichen Nachprüfbarkeit. Auch die Grammatik folgt klassischen Mustern: selten, daß eine rhetorische Floskel den Text gewichtig durch Interpunktion noch herausstellt, der Beschreibung etwas vom barocken Glanz des Hohen Stils verleiht: »Das Licht (...) Ein großer

Vogel. Spreizt er die Zehen, glänzt hell die Schwimmhaut aus dünnem Nebel.«

Was für die Wortwahl und Syntax zutrifft, gilt auch für die Metaphorik und den metrischen Bau: Die Vergleiche, biblische und antike Verweise, sind klar und durchschaubar; die Verse, meist aus freien Rhythmen bestehend, zeigen weder die Starrheit der frühen *Chavy-Chase*-Muster, noch kaprizieren sie sich auf ein allzu gewaltsames Zerbrechen des einmal gewählten Metrums: Das musikalisch-strenge Parlando gestattet rhythmische Observanz so gut wie ein heiteres Gegen-den-Strom-Schwimmen. (Nur die zweite Zeile in der zweiten Strophe der Ernst Bloch zugeeigneten *Widmung* mutet mich ein wenig seltsam an: ein einzelner, recht verloren wirkender Fünfheber unter einer Phalanx von zehn Vierhebern – nein, ich sehe keinen Sinn in dieser frostigen Isolation...)

Pedanterie? Philologisterei? Nun, es gibt Strophen (und Huchels Verse gehören dazu), die von solcher Vollkommenheit sind, daß man ihrem Geheimnis nur durch eine sehr exakte, bewährten rhetorischen Praktiken folgende Verzettelung des Wortmaterials, der Metren und Metaphern beikommen kann – es sei denn, der Autor habe die Machart seiner Verse außerdem noch durch bestimmte, an der Textgeschichte ablesbare Änderungen »verraten« – und das, gottlob, ist bei Huchel der Fall.

Ein Vergleich zwischen der *Sinn und Form*-Fassung und der Fassung der Buchausgabe setzt uns instand, Absicht, Stilwillen und Konzeption der Gedichte mit erfreulicher Anschaulichkeit erhellen zu können.

Die Änderungen, so sehr sie sich im einzelnen auch unterscheiden, verraten alle eine bestimmte Tendenz: Auf Verknappung und abstrakte Raffung zielend, dienen sie samt und sonders dazu, das gar zu Deutliche zu umgehen und Formeln zu erfinden, die als Chiffren für komplizierte Sachverhalte fungieren. Dieser Absicht dienen vor allem die Adjektiv-Streichungen (»Im Schweigen des Schnees, / Schlief [lauernd] blind / Das Kreuzotterndickicht.« – »Neben dem Wasserrad die [wirtliche] Hütte«); ferner die Eliminierung aller explikativen Elemente (»Es stand im Herdbuch, [in ihrem Kalender]«); die kühnen Abbreviaturen und Auslassungen des *ver-*

bum finitum (»Über den Bergen die Marmorbrüche weißer Wolken, vom Wind behauen« statt »Er blickt zum Himmel und sieht die Marmorbrüche schimmernder Wolken«); endlich – und vor allem! – die Aufgabe des vergleichenden *wie* zugunsten einer strengen Identifikation: »nackt und blutig lag die Erde, (wie) der Leib des Herrn«; »Und Nebel floß, / (wie) Weiße Schafsmilch, / Über den Rand des Dachs.«

Dem gleichen Streben nach Zuspitzung und Verknappung folgen aber auch die syntaktischen Präzisionen (»der Pflugbaum aus flimmernden Sternen« statt des umständlich-prätentiöseren »der flimmernde Pflugbaum der Sterne«), folgen, in den Gedichten *Chiesa del Soccorso* und *Ferme Thomasset*, die hinzugefügten, den Text kontrastreich verfremdenden Schluß-Pointen. Ob epigrammatische Zuspitzung oder Abbreviatur, ob Streichung oder Kontraktion – immer geht es Huchel darum, das Gedicht noch anschaulicher, noch bildlich sentenziöser, noch exemplarischer zu machen.

Kein Wunder also, daß der Wille zur Formel, zur Synthese und zum Konzentrat gerade die rein erzählenden, episch-gemächlichen Elemente innerhalb eines lyrischen Kontextes vernichtet – und diese Eliminierung des Narrativen geht nun freilich manchmal nahe an den Rand des Sinns.

Dafür zwei Beispiele aus dem Gedicht *Hinter den weißen Netzen des Mittags,* das die Strandung des Odysseus am Phäakenland und die Begegnung mit Nausikaa schildert. Zum ersten: der Satz aus der frühen Fassung »Als ich erwachte, lag ich am Strand« wird in der Buchausgabe durch »Zwischen Himmel und Klippe die Drift der schreienden Vögel. Ich lag am Strand« ersetzt. (Wie im Gedicht *Zeichen* soll die Situation der Vergewisserung also durch die *nachträgliche* Einführung des »Ich« erhellt werden.) Kein Zweifel, daß die Verknappung in diesem Fall die Strophe bereichert, ja, daß erst die Objekt-Subjekt-Umstellung die beabsichtigte Evokation: der Mensch als Ball und Echo der Dinge, verdeutlicht.

Anders im zweiten Fall: »Die Sterne verlöschen. (Rief aus den zögernden Schatten dein Fuß.) Nicht zähle die Jahre, zähle die Stunden. Du schrittest unter Felsen den Weg.« Hier, scheint mir (und nur hier!), geht die Verkürzung nun wirklich auf Kosten des Sinns, denn mit dem Fortfall des eingeklammerten Satzes ist die Richtung des Imperativs nicht mehr

bestimmbar, der Dialog-Charakter der Sentenz im günstig-
sten Fall noch zu erahnen – und das reicht nicht aus.
Aber genug – und genug auch des Versuchs, dem Perfekten
durch den Nachweis des Bauplans etwas von seiner bedrohli-
chen Unantastbarkeit nehmen zu wollen. Wie immer auch die
Machart der Gedichte sei, am Ende bleibt Erstaunen und
Betroffenheit. Ein Mann, vor dessen Kunst wir uns verneigen,
hat gezeigt, daß es auch in unserer Zeit noch möglich ist, das
Schwierige einfach zu sagen; er hat bewiesen, daß die
Dunkelheit dort endet, wo Genialität und moralische Kraft,
Kalkül und Zeugnis sich vereinen. Wo endlich wieder Ernst
gemacht wird und wo man den Glanz der Hoffnung so wenig
leugnet wie die Melancholie des Erinnerns und, »Polybios
unter den Römern«, die Verpflichtung zum Belehren so ruhig
anerkennt wie die Verzweiflung und die Würde des Todes.

»Nicht im Brunnen der Stern,
Die Scherbe leuchtet
Dem sinkenden Krug.
Zerschmetterter Mund,
Du leuchtest die Finsternis an.«

(1963)

Rino Sanders
»Chausseen Chausseen«

»Und auch der Teich ist noch derselbe
wie einst (...)«,

beginnt die Schlußstrophe seines Gedichtes *Der Knabenteich*,
und sie endet:

»Wenn dich im Traum das teichgrüntiefe
Gesicht voll Binsenhaar umfängt,
ist es als ob der Knabe riefe,
weil noch dein Netz am Wasser hängt.«

Als Peter Huchel es schrieb, war er neunundzwanzig. Der
Knabe ruft ihn noch heute, und das Netz hängt noch heute am
Wasser; aber die Stimme ist anders geworden, und der Teich
ist nicht mehr derselbe. Auch ein paar Schlüsselwörter stehen
in dieser Strophe, die es durch die Jahrzehnte geblieben sind,
obwohl die Räume, die sie aufschließen, eine Dimension mehr
aufweisen: *einst* und *noch* – dies in seinen Verbindungen mit
immer und *einmal*. Ein weiteres Wort, das hierher gehört:
damals.
Jetzt ist er einundsechzig, Ruhm geht seinem Namen voraus,
ein Ruhm, der ihn verbirgt und seine Einsamkeit nur
verschärft. Denn wem gilt er? Gewiß, dem Mann, der dreizehn Jahre lang unter den Verhältnissen im anderen Teil
Deutschlands der Zeitschrift *Sinn und Form* ihren Rang gab,
bis die Machthaber seinen Kunst- und Freisinn endgültig für
anstößig und untragbar befanden. Aber dem Dichter? Dreißig
Jahre deutscher Politik haben den tief unpolitischen Huchel
daran gehindert, seinen Platz in unserer Literatur einzuneh-
men. Sein Werk, ein schmales, unaufdringliches freilich, blieb
beinah apokryph. Einen frühen Gedichtband zog er, als die
Nazis kamen, zurück, ein neuer erschien erst 1948 im Aufbau
Verlag; er wurde kein zweites Mal aufgelegt. Die westdeutsche Ausgabe davon, 1949 bei Stahlberg, ist längst vergriffen

und fast unauffindbar. Also Anthologien, also Zeitschriften, wie Willy Haas' *Literarische Welt*, wie *Sinn und Form*. Aber wer sucht sich da die Stücke zur Gestalt zusammen?

Es wurde 1963, ehe Huchel seinen Ruhm einholen und sich mit einem allgemein zugänglichen Werk vor ihn stellen konnte: *Chausseen Chausseen*. Trotz des eingangs zitierten Beharrenden in Huchels Lyrik ist es ein weiter, keineswegs stetiger Weg von den früheren Gedichten zu diesen. Ein Weg der Reife. Das wird zu zeigen sein. Die Gedichte des ersten Bandes entstanden zwischen 1925 und 1947, über zweiundzwanzig Jahre hin also. Dennoch sind sie – im ganzen genommen – enger miteinander verwandt als mit den neuen. Die Gedichte in *Chausseen Chausseen* tragen kein Datum, aber Huchel muß in den fünfziger Jahren seine Kunst und seine Mittel einer rigorosen Prüfung unterzogen haben. Spätwirkung des Krieges? Folge politischer Erfahrungen? Konsequenz schöpferischen Ungenügens an sich selbst? Uns ist nur das Ergebnis erkennbar: ein neuer Stil. Hier fürs erste ein Indiz:

»Dunst der Nacht verwischt die Schneisen,
klagt ein Wild im Tellereisen.«

So im ersten Buch.

»Gefangen bist du, Traum.
Dein Knöchel brennt,
Zerschlagen im Tellereisen.«

So im zweiten.

Reife eines Dichters: Was soll das besagen? Daß er ein Mißtrauen gegen die Sprache ausbilde und schärfe. Der hochgemute Leichtsinn im Umgang mit ihr vergeht – und gerade bei jenen, denen sie sich früh und widerstandslos schenkt: Hölderlin, Kleist, Rilke, Hofmannsthal. Huchel gehört zu ihnen. Mit dreiundzwanzig Jahren schon brachte er es zu Strophen von floskelloser Vollkommenheit, wie in *Die Magd*:

»Klaubholz hat sie im Wald geknackt,
die Kiepe mit Kienzapf gepackt.

Sie hockt mich auf und schürzt sich kurz,
schwankt barfuß durch den Stoppelsturz.

Im Acker knarrt die späte Fuhr.
Die Nacht pecht schwarz die Wagenspur.
Die Geiß, die zottig mit uns streift,
im Bärlapp voll die Zitze schleift.«

Wortbereich und Bildherkunft Huchelscher Lyrik werden
hier deutlich – anderswo heißt es etwa »Der schwarze Kahn,
von Nacht geteert« –, und auch jenes Kardinalthema aus dem
Knabenteich ist da: Kindheit. »Kindheit, o blühende Zauch«,
»Einst waren wir alle im glücklichen Garten« – immer wieder
wird die Kindheit berufen in diesen Gedichten, deren erstes
den Titel *Herkunft* trägt und deren letztes *Heimkehr* heißt.

»Doch fahren sie Grummet, der Sommer weht her
Vom Heuweg der Kindheit, wo ich einst saß«,

»Kraniche waren noch Huldigungen
Der Herbstnacht an das spähende Kind«

– so liest man heute. Aber fraglich ist nun das einst Gewisse:
»Wo bist du, damals sinkender Tag?« beginnen solche
Gedichte jetzt und »Wo bin ich?« und »Singende Öde am
Fluß: wer rief?« Darauf kommt keine Antwort, und das kann
keine romantische Undine-Gestimmtheit – »ist es als ob der
Knabe riefe« – mehr wettmachen. Der Knabe ist aus dem
Gefühl in die bildfähige Distanz unwiderruflicher Vergangen-
heit gerückt:

»Wo einmal der Knabe, im Schatten des Kahns,
Den Mittag neben den Netzen verschlief.«

(Typisch übrigens die behutsame Alliteration und die betö-
rende Komposition der Vokale.)
Man hat gefragt, warum Huchel »drüben« bleibe. Seine
Gedichte geben eine Antwort darauf. *Herkunft* und *Heimkehr* – auf einem Bauernhof im Havelland ist er aufgewachsen, und in diese Gegend kehrte er aus russischer Gefangen-

schaft zurück. Mir ist kein anderer Dichter seines Ranges bekannt, der so sehr aus einer Landschaft existiert, ja, in einer Art geistiger Osmose mit ihr lebt, der zu sich selbst kommt, indem er ihr Worte gibt, sie bereichert, indem er ihre Bilder empfängt. Sogar nach Frankreich hat er das Havelland mitgenommen, wie die Gedichte jener Zeit zeigen. Erst lange danach hat es ihn freigegeben für wirkliche Reisen; doch so ergiebig die Begegnung etwa mit dem Süden dann auch wurde, die größere Freiheit bedeutet nicht Loslösung: seine Sensibilität und seine Einbildungskraft sind von lang her geprägt. Was er wahrnimmt, was er auswählt, wie er es wandelt – das ist hier vorentschieden worden. So läßt sich kaum jemand denken, der schwerer aus seiner Heimat wegginge. Allerdings ist diese Heimat nicht durch ein Planquadrat fixierbar, sie hat, wie angedeutet, zeitliche Tiefe: Landschaft der Kindheit, die unanfechtbare, zweifellose, ungeteilte Welt des Kindes, in der keine andere Zeit gilt als die Jahreszeit. Diese Landschaft des *Einst* und *Damals* kongruiert nur noch in Stücken mit der jetzigen. In der Benennung des *Noch* werden Dauer und Verlust zugleich ausgesprochen. Solche Ambivalenz wird zum ästhetischen Reiz.

Erstaunlich ist, daß ein so junger Mann, wie der Huchel der frühen Gedichte, jener Welt ein derart dominierendes Heimweh zuwendet. Natürlich benutzt er weder das Wort »Heimat« noch das Wort »Heimweh«. Vielmehr geben seine Gedichte diesen Begriffen erst Inhalt und Kontur, und zwar durch äußerste sinnliche Vergegenwärtigung. Fast könnte man sagen, daß Heimweh möglichst unverwandelt »die Lebenseinheit zur Kunsteinheit überzuführen suche«, um eine Formulierung Walter Benjamins aus einer Hölderlin-Interpretation aufzunehmen. Benjamin wertet dieses Verfahren ab, er will Verwandlung, Überführung in eine »dem Mythischen verwandte Sphäre«, und wenn man den frühen Huchel an dem mißt, zu dem er heute geworden ist, darf man diese Abwertung akzeptieren. Sein eigener Anspruch ermächtigt dazu.

Dabei haben die frühen Gedichte oft unwiderstehliche Schönheit. Ohne Preziosität sind die ästhetischen Qualitäten jener Landessprache genutzt, ja, allererst erkennbar gemacht: Brache, Lanke, Luch, Hamen, Darren, Bärlapp, Beifuß, Kalmus,

Melde, Lupine, Lattich, Unke, Bekassine – aber solche Vokabeln werden nun nicht wie beim frühen Krolow, zuweilen auch bei Wilhelm Lehmann, als poetischer Zierat verwendet. Die Beschwörung gewinnt Macht durch das konkreteste Wort, und die Wörter werden zu lauter Eigennamen der Landschaft. Der Reim kommt leicht, manchmal zu leicht, der Vers ist gesättigt, er drängt nicht, hängt nicht, ist statisch und beruhigt. Die wäßrige, schwermütige Gegend der Havelseen mit den Dämmerungen und Verzauberungen des Kindseins scheint wiederbringlich, ja, wiedergebracht kraft der Poesie. Schwermut und Leichtigkeit gehen in diesen Gedichten eine unverwechselbare Verbindung ein.

Seltsam, daß nicht einmal der Krieg daran viel ändern konnte. Auch er erscheint im Bilde der Landschaft, die nun verdüstert und verödet wirkt. Balken und Tote treiben in Flüssen: Schlamm, Qualm und Ratten: alles da – und doch ist diese Welt in Schönheit schrecklich:

»(...) ein Hofhund jault,
der Ratten Kost,
am Stiefel fault
der Fuß im Frost,
der Kinder Schrei,
der Alten Fluch,
mondwärts vorbei
an Fenn und Luch
der Toten Treck (...)«

Huchel stößt hier auf ein Problem, das er erst in *Chausseen Chausseen* aussprechen wird (*Wei Dun und die alten Meister*) und mit dem jeder Dichter unserer Zeit zu tun bekommt, besonders der Lyriker: wie sich das Schreckliche, Schlimme, das Grauen durch das Schöne ausdrücken lasse. Ich erinnere nur an Celans bedeutende, dennoch umstrittene *Todesfuge*. Das Gedicht intendiert nun einmal Schönheit, ob auch die Ansichten darüber, was schön sei, sich ändern. Es setzt Schönheit, oder es gibt sich auf. Doch gilt Schillers Satz, das »Kunstgeheimnis des Meisters« bestehe darin, »daß er den Stoff durch die Form vertilge«, sogar für solche Stoffe. Der spätere Huchel beweist Meisterschaft in diesem strengen Sinn.

»Kalt weht die Chaussee ins Jahr,
Wo einst der Acker warm von der Wärme
Des brütenden Rebhuhns war«,

schreibt er, und das Verlorene hat nun den Charakter der
Endgültigkeit. Der Verlust der Kindheit ist nur mehr Zeichen
von Verlust überhaupt.

»Die Erde schenkt uns keine Zeit
Über den Tod hinaus.
Ins Gewebe der Nacht genäht
Versinken die Stimmen
Unauffindbar«

heißt es in *Verona,* einem Gedicht, das durch und durch
getränkt ist vom Schmerz der Vergänglichkeit:

»Auf der Mauer die Katze,
Sie dreht ihr Haupt ins Schweigen,
Erkennt uns nicht mehr.«

Was früher schwelgerisch beschworen wurde, wird Sinnzei-
chen, Kürzel für Dasein schlechthin.

»Ich ging durchs Dorf
Und sah das Gewohnte«

kann Huchel jetzt sagen und mit kargem Wort ein paar
scheinbar ewige ländliche Tätigkeiten nennen. Den Lebenden
zwar wird das Trügerische solcher Dauer nicht bewußt; die
Toten aber, die nun immer wieder berufen werden,

»(...) sehen
Den eisigen Schatten der Erde
Gleiten über den Mond.
Sie wissen, dieses wird bleiben.«

Nicht mehr so oft stehen Gedichte im Imperfekt, wenn aber,
dann bedeutet es nicht mehr Vergewisserung von Gewesenem,
sondern Hinweis auf das Vorbei. Dem *Noch* ist doppeltes

Gewicht zugewachsen. Zeit wird kostbar: »Nicht zähle die Jahre, zähle die Stunden.« Immer wieder tauchen Fragezeichen auf. Heimkehr? Jetzt steht *Chausseen Chausseen* als Titel über der ganzen Sammlung: hauslos, ortlos, vertrieben, zwischen ungewissen Zufluchten und undeutbaren Zeichen unterwegs durch die stürzende Zeit – so sieht es aus mit dem Menschen. Das Gleichmaß der Verse ist dahin, sie sind lapidar geworden, von Unruhe erregt und gespannt, sie decken präzis die innere Gebärde, sind oft frei, aber die Aufgabe, Schriftbild der Chiffren zu sein, gibt ihrer Gestalt entschiedener Strenge als klassische Metrik. Der Reim wird rar; wo er aber steht, nimmt er eine Schönheit auf, die unter dem Signum der Vergänglichkeit mit ganz neuer Intensität erfahren wird. Nicht mehr besticht das sensibel zu Sprache und Laut Gebrachte ländlicher Schönheit. Die bietet jetzt eher das Rohmaterial für eine kunstgeschaffene Welt von hellerer Anschaulichkeit und – Wahrheit: »Die Abendbrise mäht / Die Schatten der Pinien.« »Turmschwalbenschreie / Schleifen die Luft.« »Ausgesogen hat der Schlaf / Die summende Wabe des Markts.« »Und weiß und rund wie das Ei der Eule / Glänzt abends der Mond im dünnen Geäst.« Der Mond unter negativem Aspekt »ein weißer Stein«, der im dünnen Wasser des Himmels ertrinkt. Der Stein, der zum »Speicher der Stille« wird. Das »wie« des Vergleichs ist selten geworden, Identifikation setzt es matt.

Landschaft ist das Medium, durch das Huchel Welt wahrnimmt, durch das er sich ihr mitteilt. Nahm aber früher die Welt die Züge der Landschaft an, so nimmt jetzt die Landschaft die Züge der Welt an. Sie wird rätselhaft, unheimlich, bedrohlich, wird vieldeutig und antwortlos. Sie ist Zeichen geworden, evidente und nicht weiter rückführbare Abbreviatur eines als fragwürdig erfahrenen Daseins wie am Anfang von *An taube Ohren der Geschlechter:*

»Es war ein Land mit hundert Brunnen.
Nehmt für zwei Wochen Wasser mit.«

Knapper, sinnfälliger kann man nicht sprechen.
Wie sehr aber Huchel die Landschaft, den ländlichen Lebenskreis als Medium braucht, zeigt sich dann, wenn er sein

Thema nicht über sie bezieht. Augenblicklich läßt die Einbildungskraft nach, die Überführung ins Sinnbild fällt aus. Es kommt zu Stücken wie *Soldatenfriedhof*, worin man verdutzt Börries v. Münchhausens Stimme zu hören meint. Andererseits scheint es zuweilen, wenn Huchel den Krieg unmittelbar sich vorsetzt, er traue der Kunst nicht zu, mit ihrer Wahrheit die Wirklichkeit zu erreichen oder gar zu überbieten, und versuche darum, Details der sogenannten Realität – wenn schon in künstlerischer Auswahl – getreu wiederzugeben, – ein Verfahren, bei dem jedenfalls der Stoff nicht von der Form vertilgt wird und das nur betroffen macht, weil man den Dichter seine besten Möglichkeiten versäumen sieht. Solche Gefährdungen und Anfälligkeiten nicht zu bemerken, hieße Huchels bisheriges Werk in ein schiefes Licht setzen, das die wahre Größe verzerrt.

Schon am Ende seines ersten Gedichtbandes hatte er sich die bittere Brechtsche Frage gestellt, ob er denn »preisen« dürfe, »eh nicht der Mensch den Menschen erlöst«. Man wird dem Wort »preisen« mit heftigem Mißtrauen begegnen; doch ist diesem Manne im Grunde nach Lobpreis des Daseins zumut, sei es auch Trauer, die er »in der Mitte der Dinge« erkennt, und wenn auch die Brombeerranke Stacheldraht wird, die Schatten im Unterholz ihr Fangnetz aufstellen, die Termiten mit ihren Zangen die Geschichte in den Sand schreiben und der Hagel die Grabschrift für den zerschlagenen Traum auf die schwarze Glätte der Wasserlache meißelt: also das Schweigen das letzte, unartikulierbare Wort scheint. Die Sprache, die immer »ein Riegel fürs Feuer« war und nun »unter der Wurzel der Distel wohnt«, ist doch »nicht abgewandt«. Alle Gedichte des neuen Bandes sind Anstrengungen, das Ja, das Huchel sich auf jene Frage gab, zu rechtfertigen und wenn auch schon nicht zu preisen, so doch zu sagen: die Welt zu sagen mit der – ich scheue mich nicht – heiligen Nüchternheit Hölderlins, die seinen besten Gedichten Atem gibt.

(1964)

Franz Schonauer
Peter Huchel: Porträt eines Lyrikers

Auf der zweiten »Bitterfelder Konferenz« im April dieses Jahres sagte Walter Ulbricht: »Die Schriftsteller und Künstler mögen sich stets ihrer nationalen Verantwortung bei der Entwicklung unseres Staates bewußt sein. Es ist die wichtigste Aufgabe des Künstlers, Menschen zu überzeugen, sie für den Sieg des Sozialismus, für die Freundschaft der Völker, für den Frieden, zum Kampf gegen alles Reaktionäre zu begeistern.« Entpathetisiert heißt das: Die Kunst macht Politik, treibt Agitation, wenn auch mit anderen Mitteln; sie steht im Dienst der Gesellschaft, sie beteiligt sich aktiv am »Aufbau des Sozialismus«. Das Wochenend-Feuilleton der SED-Zeitung *Neues Deutschland* erscheint unter dem programmatischen Titel »Die gebildete Nation«; und die Parole »Froh und kulturvoll leben« ist ungeniert im Munde vieler DDR-Funktionäre.

Gewiß: Kunst und Literatur sind ohne Bezug zu Politik und Gesellschaft schwerlich denkbar. In Zeiten der Revolution bildeten Dichter, Maler, Bildhauer, Intellektuelle ihre Avantgarde; das gilt für Blok, Jessenin, Majakowski wie für Erich Mühsam und Ernst Toller. Möglicherweise hängt das mit dem Utopischen in Kunst und Revolution zusammen, mit dem, was Ernst Bloch *Das Prinzip Hoffnung* nennt. Befreiung des Menschen aus selbstverschuldeter Knechtschaft, revolutionäre Aktion gegen die Zwingburgen der Gewalt – an solchem Tun wird Kunst immer ihren Anteil haben. Hat aber das Neue sich etabliert, zur politischen Norm konsolidiert, kommen für die Sänger des Aufbruchs härtere Tage. Schulbeispiel: die kulturelle Entwicklung in der UdSSR während der dreißiger Jahre. Wie aber, wenn ein Verwaltungsakt die Revolution ersetzt, wenn – wie in der DDR – Besatzungsdekrete gesellschaftliche Veränderungen beschließen, die von sich aus zu realisieren nie in der Macht der dortigen »Arbeiterklasse« gelegen hätte? Dann muß die ideologische Begründung nachgeholt, dann müssen alle Federn in Tätigkeit gesetzt werden, um revolutionäres Bewußtsein zu imaginieren; dann werden Kunst und

Literatur auf die Straße befohlen zur Demonstration für nicht Erkämpftes sondern Oktroyiertes. Mit anderen Worten: weil in der DDR Revolution nicht stattfand, wurde an deren Stelle ein Apparat revolutionärer Gesten aufgebaut und bis auf den heutigen Tag tabuisiert. Im Bereich der Kunst und der Literatur sind es die des »sozialistischen Realismus«.

Zugegeben: die Anfänge des »sozialistischen Realismus« in der Literatur sind durchaus achtenswert; sie knüpfen an die russische Erzählertradition an; am Beginn stehen Gorki und Scholochow. Indessen führte der Stalinismus zur Simplifizierung und Dogmatisierung – außerdem blieb die Literatur bei den Errungenschaften des 19. Jahrhunderts nicht stehen –, so daß »sozialistischer Realismus« für kommunistische Schriftsteller von Rang heute kein verbindliches Rezept mehr ist. Darüber hat Louis Aragon in seiner vor zwei Jahren gehaltenen Prager Rede keinen Zweifel gelassen. Eindeutiger noch als auf dem Gebiet der Epik zeigen sich die Grenzen dieses proletarischen »Sakral-Stils« in der Lyrik. Weder die Gedichte eines Brecht, Eluard, Neruda, Alberti noch die eines Attila József, Hikmet oder Jiri Wolker lassen sich an der Elle des »sozialistischen Realismus« messen. Oder, um mit Brecht zu sprechen: »Alle großen Gedichte haben den Wert von Dokumenten. In ihnen ist die Sprechweise des Verfassers enthalten, eines wichtigen Menschen.« »Die Sprechweise (...) eines wichtigen Menschen« aber läßt sich nicht gängeln, sie gehorcht ihren eigenen Gesetzen auch dann, wenn diese im Widerspruch stehen zu denen des jeweiligen politischen *establishment* und der in ihm herrschenden Ideologie. – Dies als Vorbemerkung zu dem in der DDR lebenden Schriftsteller Peter Huchel und seinem kürzlich in der Bundesrepublik erschienenen Gedichtband *Chausseen Chausseen*.

Peter Huchel (geboren am 3. April 1903), mit Günter Eich der bedeutendste unter den deutschen Lyrikern der älteren Generation, ist seit Ende 1962 ein isolierter Mann. Damals legte er die Chefredaktion der von der Deutschen Akademie der Künste in Ost-Berlin herausgegebenen Zeitschrift *Sinn und Form* nieder – keineswegs freiwillig, sondern unter organisiertem Druck. Seinen Abgang gestaltete er zur Demonstration. Taktisch unklug und doch als Reaktion imponierend, ließ Huchel das letzte von ihm redigierte Heft der Zeitschrift mit Brechts

Rede *Über die Widerstandskraft der Vernunft* beginnen, mit Sätzen wie folgenden: »Angesichts der überaus strengen Maßnahmen, die in den faschistischen Staaten gegenwärtig gegen die Vernunft ergriffen werden, dieser ebenso methodischen wie gewalttätigen Maßnahmen, ist es erlaubt, zu fragen, ob die menschliche Vernunft diesem gewaltigen Ansturm überhaupt wird widerstehen können. Mit so allgemein gehaltenen optimistischen Beteuerungen wie ›Am Ende siegt immer die Vernunft‹ oder ›Der Geist entfaltet sich nie freier, als wenn ihm Gewalt angetan wird‹, ist hier natürlich nichts getan (...)« Schließlich aber, um das Maß individueller Obstruktion voll zu machen, nahm Peter Huchel den West-Berliner Kunstpreis an. Die Folge ist nun, daß selbst liberalere Geister unter den DDR-Funktionären bei Nennung seines Namens fanatisch sich verhärten. (Huchels politische Schuld besteht darin, daß er, von 1948 an Chefredakteur von *Sinn und Form*, diese Zeitschrift zur wichtigsten literarischen Revue in Deutschland machte!)

Dennoch: Huchel ist kein Widerstandskämpfer, kein Mann der »inneren Emigration« oder gar ein dezidierter Feind des Sozialismus. Weder das eine noch das andere wäre ihm seiner Natur und seiner Herkunft nach möglich. Er begann in den zwanziger Jahren zu schreiben und zu publizieren. Wie er es damals mit der Politik – genauer gesagt mit dem Marxismus – hielt, darüber gibt sein »Lebenslauf« (abgedruckt 1931 in Willy Haas' *Literarischer Welt*) recht deutlich Aufschluß. Um weiteren Verleumdungen von hüben und drüben vorzubeugen, sei hier das Nachwort Huchels zu dieser autobiographischen Skizze zitiert: »(...) er hat sich nicht an dem Start nach Unterschlupf beteiligt. Seine Altersgenossen sitzen im Parteibüro, und manchmal geben sie sogar zu, daß es aus irgendeiner Ecke her nicht gut riecht. Immerhin, sie haben ihr Dach über dem Kopf. Aber da ihm selbst die marxistische Würde nicht zu Gesicht steht, wird er sich unter aussichtslosem Himmel weiterhin einregnen lassen. Sie winken aus der Arche der Partei, und er versteht ihren Zuruf. Der lautet: ›Wir können dir anhand des Unterbaus nachweisen, daß du absacken wirst, ohne eine Lücke zu hinterlassen!‹ Aber dagegen hat er nicht viel einzuwenden, nichts zu erwidern. Sie müssen es wissen, denn sie haben die Wissenschaft. Doch unterdessen schlägt sein Herz privat weiter. Und er lebt ohne Entschuldigungen!« Huchel sympathisierte mit dem Marxismus, aber er trat der Partei nicht bei; sein Weg als Einzelgänger liegt hier schon vorgezeichnet.

Huchel wurde kein »bürgerlicher« Schriftsteller. Dort wo er aufwuchs, in der Mark, gab es kein Bürgertum, dafür aber kleine Bauern, Taglöhner, Knechte, Mägde, hart arbeitendes, geduldiges Volk, dessen Los ihn betraf und an dessen Leben er teilhatte. Später schreibt er über dieses Volk und seine Sprache im Hinblick auf die Dichtung: »Es ist das Volk mit seiner Sprache: Stake, Stoppelsturz, Hungerharke, Klaubholz, Gröps, drämmern (...) Die Dichtung hat sich, wenn sie in Gefahr geriet, blaß und künstlich zu werden, immer wieder aus der Sprache des Volkes erneuert. Wenn sich der Dichter mit der Sprache der Arbeit, der Arbeitsvorgänge, das heißt mit der Sprache des Volkes beschäftigt, wenn er diese nicht poetisch verbrämt, wohl aber zu seiner eigenen Sprache werden läßt, so wird er im Gedicht ganz neue Wege gehen können.«

Huchel studierte in Berlin, Freiburg und Wien; hielt sich längere Zeit in Frankreich und auf dem Balkan auf. Für ihn als Lyriker spielt aber die Begegnung mit anderer Landschaft, mit anderen Menschen eine untergeordnete Rolle. Die entscheidenden Eindrücke – vermutlich schon in der Kindheit empfangen – kommen aus der kargen, bescheidenen Provinz seiner Herkunft, sind im präzisen Wortsinne lokalgebunden – an das märkische Dorf Alt-Langerwisch, an Wald, Fluß, Binsenweg, an Magd und Knecht, Ziegelstreicher, Korbflechter und Holzsammler. Erstaunlich, daß Huchel, dessen poetische Anfänge in die Spätzeit des Expressionismus fallen, davon fast unberührt bleibt, daß er auf seine Umwelt realistisch reagiert – also weder mit sozialanklägerischem Pathos noch mit den magischen Attitüden eines Natur-Lyrikers und erst recht nicht mit den sprachlichen Falsifikaten eines Blut-und-Boden-Idyllikers. Zwar kommt es, da viele Gedichte Erinnerungsgedichte sind, zu Evokationen von Weitzurückliegendem, von Kindheitserlebnissen vor allem, zu Überhöhungen, gewollt archaisierenden Metaphern. Dennoch bleibt der konkrete Bezug zwischen Wort und Ding gewahrt. Dafür ist beispielhaft ein Gedicht Peter Huchels aus dem Jahre 1926:

Die Magd

»Wenn laut die schwarzen Hähne krähn,
vom Dorf her Rauch und Klöppel wehn,
rauscht ins Geläut rehbraun der Wald,
ruft mich die Magd, die Vesper hallt.

Klaubholz hat sie im Wald geknackt,
die Kiepe mit Kienzapf gepackt.
Sie hockt mich auf und schürzt sich kurz,
schwankt barfuß durch den Stoppelsturz.

Im Acker knarrt die späte Fuhr.
Die Nacht pecht schwarz die Wagenspur.
Die Geiß, die zottig mit uns streift,
im Bärlapp voll die Zitze schleift.

Ein Nußblatt wegs die Magd zerreibt,
daß grün der Duft im Haar mir bleibt.
Riedgras saust grau, Beifuß und Kolk.
Im Dorf kruht müd das Hühnervolk.

Schon klinkt sie auf das dunkle Tor.
Wir tappen in die Kammer vor,
wo mir die Magd, eh sie sich labt,
das Brot brockt und den Apfel schabt.

Ich frier, nimm mich ins Schultertuch.
Warm schlaf ich da im Milchgeruch.
Die Magd ist mehr als Mutter noch.
Sie kocht mir Brei im Kachelloch.

Wenn sie mich kämmt, den Brei durchsiebt,
die Kruke heiß ins Bett mir schiebt,
schlägt laut mein Herz und ist bewohnt
ganz von der Magd im vollen Mond.

Sie wärmt mein Hemd, küßt mein Gesicht
und strickt weiß im Petroleumlicht.
Ihr Strickzeug klirrt und blitzt dabei,
sie murmelt leis Wahrsagerei.

Im Stroh die schwarzen Hähne krähn.
Im Tischkreis Salz und Brot verwehn.

Der Docht verraucht, die Uhr schlägt alt.
Und rehbraun rauscht im Schlaf der Wald.«

Die Gefahr solcher Reminiszenz, ins Sentimentale zu geraten, wird hier durch die sachbezogene, mit Realität abgesättigte Sprache, durch die Dinglichkeit der Benennungen gebannt. Huchels Natur fehlt die Heiterkeit, das parkartige Inventar der amönen, klassischen Landschaft; sie ist melancholisch wie die Natur bei Lenau oder Trakl; sie trägt die Signatur ihres Dichters: Schwermut, Trauer, »beschädigtes Leben«. In den Selbsterkundungen dieses Autors tauchen Worte wie Trauer und Dunkel immer wieder auf. Der Titel jener oben zitierten autobiographischen Skizze aus dem Jahre 1931 heißt *Neunzehnhunderttraurig,* und in dem Gedicht *Die dritte Nacht April* – eine Anspielung auf das Geburtsdatum 3. April 1903 – schreibt er:

»Der Havel das Eis, den Kröten den Mund
öffnet April.
Der Himmel war vom Schnee noch wund,
ich kam auf die Welt, es regnete still
in der dritten Nacht April.

Die Milch der Mutter schmeckte gut.
Der Birkbusch wuchs, ich blieb nicht jung.
Die Nacht verdunkelte mein Blut,
der Augen braune Dämmerung.

Der Schatten meines Herzens steht
im kalten Schatten vom April,
dem feldernden, der Lerchen weht,
und in den Bäumen leben will.«

Mit Günter Eich, Elisabeth Langgässer, Martin Raschke und Eberhard Meckel gehörte Huchel anfangs der dreißiger Jahre zu jener Gruppe junger Naturlyriker, die in der Zeitschrift *Die Kolonne* ihr Forum hatte. Nach 1933 zog sich Peter Huchel von der Literatur zurück; außer einigen unpolitischen Hörspielen veröffentlichte er nichts. Gegen die Nazis verhielt er sich ablehnend, wie einige damals entstandene Gedichte bezeugen. Doch sind sie Ausdruck eines humanen, nicht eines dezidiert politischen Protestes. Erst 1948 erscheint im Ostberliner »Aufbau Verlag« von Huchel ein schmaler Band *Gedichte*, eine Auswahl aus der lyrischen Produktion von 1925 bis 1947. Gelegentlich druckt er Eigenes in der von ihm redigierten Zeitschrift *Sinn und Form* ab; darunter auch Teile einer größeren Dichtung, entstanden anläßlich der Bodenreform: *Das Gesetz* (ein maßvoller Lobgesang auf die ersten sozialistischen Maßnahmen). Alles in allem publizierte Huchel auch nach dem Kriege mit großer Zurückhaltung; und obwohl 1949 eine westdeutsche Lizenzausgabe seines Gedichtbandes erscheint, nimmt ihn dort – bis auf einige Freunde und Literaturkenner – niemand zur Kenntnis. In Herders *Lexikon der Weltliteratur* von 1960 ist über ihn nur folgendes zu lesen: »Künstlerischer Direktor des Ostberliner Rundfunks und Herausgeber der Zeitschrift *Sinn und Form,* ist Huchel einer der maßgeblichen Kulturfunktionäre der DDR. Er gestaltete vor allem in stimmungsgetragenen Gedichten seine Kindheit und das Erlebnis der brandenburgischen Landschaft.« (1960 war Huchel längst nicht mehr beim Rundfunk; und ein »maßgeblicher Kulturfunktionär« ist er nie gewesen!)

Erst als er nach dem Tode Bertolt Brechts und Johannes R. Bechers in Schwierigkeiten geriet und schließlich den Angriffen der kleinbürgerlichen Kunstbanausen erlag, wurde er Hätschelkind und Held der westdeutschen Presse. Schwer zu sagen, was ehrliche Anteilnahme, was politischer Opportunismus war. Ein Gutes jedoch hatte diese plötzliche Publizität; 1963, nach fünfzehn Jahren also, erschien Peter Huchels neuer Gedichtband *Chausseen Chausseen* – der in der DDR bisher nicht veröffentlicht wurde – in einem westdeutschen Verlag, bei S. Fischer in Frankfurt.

Inzwischen ist es um Huchel wieder still geworden – Passierscheine nach Wilhelmshorst werden an seine westlichen Freunde nicht mehr ausgestellt – die Verbannung ist nahezu perfekt. Und politisch hat der Fall Robert Havemann den seinen verdrängt. Geblieben ist jedoch dieser Band mit etwa fünfzig Gedichten; dieser schwerwiegende politische Rechenschaftsbericht.

Der Vergleich mit den 1948 erschienenen Versen bietet sich

an. Unverändert ist das Thema Landschaft und Huchels Vorliebe für längere mehrstrophige Texte. Doch fällt auf, daß die neuen Gedichte einen unregelmäßigen Strophenbau haben, das heißt, daß die Anzahl der Zeilen mitunter von Strophe zu Strophe sich ändert, daß Huchel nur noch selten und unakzentuiert den Endreim benutzt, seine Sprache unsinnlicher, abstrakter und zugleich vergeistigter geworden ist. Ebensowenig läßt sich übersehen, daß diese Spiritualisierung auf Huchels Bild der Natur übergreift; die Dinge sind nicht mehr nur sie selbst, sie beginnen Chiffren-Charakter anzunehmen, werden Zeichen für anderes. Das erste, den Band einleitende Gedicht heißt – was kaum Zufall ist – *Das Zeichen*. Schon hier wird die Frage nach der Bedeutung gestellt:

»Baumkahler Hügel,
Noch einmal flog
Am Abend die Wildentenkette
Durch wäßrige Herbstluft.

War es das Zeichen?
Mit falben Lanzen
Durchbohrte der See
Den ruhlosen Nebel.

Ich ging durchs Dorf
Und sah das Gewohnte.
Der Schäfer hielt den Widder
Gefesselt zwischen den Knien.
Er schnitt die Klaue,
Er teerte die Stoppelhinke.
Und Frauen zählten die Kannen,
Das Tagesgemelk.
Nichts war zu deuten.
Es stand im Herdbuch.

Nur die Toten,
Entrückt dem stündlichen Hall
Der Glocke, dem Wachsen des Epheus,
Sie sehen
Den eisigen Schatten der Erde
Gleiten über den Mond.

Sie wissen, dieses wird bleiben.
Nach allem, was atmet
In Luft und Wasser.

Wer schrieb
Die warnende Schrift,
Kaum zu entziffern?
Ich fand sie am Pfahl,
Dicht hinter dem See.
War es das Zeichen?

Erstarrt
Im Schweigen des Schnees,
Schlief blind
Das Kreuzotterndickicht.«

Der Ton ist abweisender, spröder geworden, zwischen die Bilder schiebt sich – weit stärker als früher – Gedankliches. Das Gedicht weist eine Folge von Ansätzen und Brechungen auf: »Baumkahler Hügel«, »War es das Zeichen?«, »Ich ging durchs Dorf«, »Nur die Toten«, »Wer schrieb«, »Erstarrt«. – Verglichen mit dem vorhin zitierten Text *Die Magd,* dessen poetische Eingängigkeit durch Endreim, Alliteration, durch stark betonte rhythmische Struktur zustande kommt, fällt bei den neuen Versen auf, daß die Sprache begrifflicher, das Wortmaterial karger und unspielerischer als vordem verwendet wird, der Rhythmus härter und unregelmäßiger klingt. Damit sind einige generelle Merkmale der in dem Band *Chausseen Chausseen* gesammelten Gedichte Peter Huchels genannt. Man könnte, in Anlehnung an ein Wort von Brecht, sagen: diese Verse sind »schlechten Zeiten für Lyrik« abgetrotzt, gegen enorme Widerstände von außen (und von innen) formuliert. Die Kälte der Einsamkeit, der Isolierung, die Gefahr des Verstummens – weil die Sprache der Trauer, der Melancholie eine sich positiv deutende Gesellschaftsordnung in Frage stellt – sind in sie eingegangen. Schon die Titel einiger Gedichte signalisieren diesen Sachverhalt: *Landschaft hinter Warschau, Elegie, Nebel, Eine Herbstnacht, Winterquartier, Soldatenfriedhof, Polybios, An taube Ohren der Geschlechter, Warschauer Gedenktafel, Winterpsalm, Traum im Tellereisen, Unter der Wurzel der Distel, Psalm.* Schlüsselworte dieser

Lyrik sind: tot, wund, schutzlos, Schweigen, unauffindbar, Stille, regengrau, Trauer, Kälte, erstarrt, Angst, streng, trostlos, Öde. Die Selbstaussage in den meisten Gedichten ist unüberhörbar. In *Winterpsalm*, Hans Mayer gewidmet, heißt es zum Beispiel:

»Da ging ich bei träger Kälte des Himmels
Und ging hinab die Straße zum Fluß,
Sah ich die Mulde im Schnee,
Wo nachts der Wind
Mit flacher Schulter gelegen.
Seine gebrechliche Stimme,
In den erstarrten Ästen oben,
Stieß sich am Trugbild weißer Luft:
›Alles Verscharrte blickt mich an.
Soll ich es heben aus dem Staub
Und zeigen dem Richter? Ich schweige.
Ich will nicht Zeuge sein.‹
Sein Flüstern erlosch,
Von keiner Flamme genährt.

Wohin du stürzt, o Seele,
Nicht weiß es die Nacht. Denn da ist nichts
Als vieler Wesen stumme Angst.
Der Zeuge tritt hervor. Es ist das Licht.

Ich stand auf der Brücke,
Allein vor der trägen Kälte des Himmels.
Atmet noch schwach,
Durch die Kehle des Schilfrohrs,
Der vereiste Fluß?«

Mit dem Bild des in der winterlichen Kälte erstarrten Flusses – eine der Selbstinterpretation dienende Metapher – korrespondiert das Gedicht *Traum im Tellereisen*:

»Gefangen bist du, Traum.
Dein Knöchel brennt,
Zerschlagen im Tellereisen.

Wind blättert
Ein Stück Rinde auf.
Eröffnet ist
Das Testament gestürzter Tannen,
Geschrieben
In regengrauer Geduld
Unauslöschlich
Ihr letztes Vermächtnis –
Das Schweigen.

Der Hagel meißelt
Die Grabschrift auf die schwarze Glätte
Der Wasserlache.

Dieses Gedicht, ebenso wie *Winterpsalm,* veröffentlichte
Huchel zuerst in *Sinn und Form,* und zwar im letzten von ihm
redigierten Heft. Die Absage an die vulgär-marxistische Forderung, daß Dichtung »positiv« sein und einen klar erkenn-
baren gesellschaftlichen Auftrag haben müsse, ist evident. Zur
trivialen »Aufbau«-Poesie bilden Huchels Verse eine derart
extreme Gegenposition, daß von seiten dieses Dichters vermit-
telnder Kompromiß sich ausschließt. Dennoch wäre es falsch,
sie lediglich als Ausdruck politischen Protestes zu sehen. Vielmehr: sie sind – durchaus folgerichtig – Resultate einer
menschlichen und künstlerischen Entwicklung, die der politische Druck lediglich forciert und verschärft hat. Es ist die
Stimme eines Dichters, die hier spricht; nicht die eines agitie-
renden »Klassenfeindes«. Freilich, es ist die Stimme eines an
sich und den Verhältnissen leidenden Dichters. Es sind
Gedichte der Klage, der Schwermut, der Resignation. Vom
Schweigen ist die Rede als der äußersten Möglichkeit des
Geistes, der Zeit sich zu verweigern. Die Bilder des Vegetati-
ven, des Feuchten, Fließenden treten zurück zugunsten einer
mineralisch erstarrten Welt. Wendungen wie: »Der Hagel
meißelt die Grabschrift auf die schwarze Glätte«, »Es zittert
das starre Geäst der Metalle« oder »Ich ging durch den Steinschlag roher Worte« kennzeichnen die Lage und den durch sie
bewirkten Prozeß der Verhärtung. Die Mitteilungen werden
spärlicher; poetische Evokationen gewähren dem Ich keine
Sicherheit mehr. Dichter und Gedicht riegeln sich ab:

»Unter der Wurzel der Distel
Wohnt nun die Sprache,
Nicht abgewandt,
Im steinigen Grund.
Ein Riegel fürs Feuer
War sie immer.«

Rückzug auf sich selbst, in den innersten Kreis der eigenen Existenz bewirkt nicht nur Flucht, sondern auch Angriff. So ist unverkennbar, daß Huchels neue Gedichte gelegentlich einen zeitkritischen Ton anschlagen. Doch entsprechend der Ausweglosigkeit formuliert der Autor Kritik nicht als Polemik, sondern – weit schärfer – als eschatologisches Bild, als endzeitliche Vision:

»Die Öde wird Geschichte.
Termiten schreiben sie
Mit ihren Zangen
In den Sand.

Und nicht erforscht wird werden
Ein Geschlecht,
Eifrig bemüht,
Sich zu vernichten.«

Und in dem Gedicht *Der Garten des Theophrast* – seinem Sohn gewidmet (!) – schreibt Huchel:

»Wenn mittags das weiße Feuer
Der Verse über den Urnen tanzt,
Gedenke, mein Sohn. Gedenke derer,
Die einst Gespräche wie Bäume gepflanzt.
Tot ist der Garten, mein Atem wird schwerer,
Bewahre die Stunde, hier ging Theophrast,
Mit Eichenlohe zu düngen den Boden,
Die wunde Rinde zu binden mit Bast.
Ein Ölbaum spaltet das mürbe Gemäuer
Und ist noch Stimme im heißen Staub.
Sie gaben Befehl, die Wurzel zu roden.
Es sinkt dein Licht, schutzloses Laub.«

Widerspruch und Absage kommen zum Ausdruck durch die betont strenge Klassizität der Form; eine bewußt historisch orientierte Reminiszenz, das Bekenntnis zur humanisierenden Wirkung der Kultur, zur Tradition des Geistigen enthaltend und schließlich ergreifender Versuch ihrer Überlieferung.

Ob nach diesen Gedichten – Dokumenten einer nicht revozierbaren Entscheidung – die Stimme des Dichters Peter Huchel nunmehr schweigen wird, ist schwer vorauszusagen. Doch wie immer auch! Was die hier vorliegenden Verse bezeugen, spricht für sich selbst, spricht für einen Autor, der seine Wahl getroffen und mit unerhörter Konsequenz das Wort aus dem Jahre 1931 wahr gemacht hat: »Und er lebt ohne Entschuldigungen!« – Botschaften der Trauer, der Schwermut, gewiß! aber doch auch des Mutes und – der Hoffnung, wie das Gedicht *In Memoriam Paul Eluard* zu erkennen gibt:

»Freiheit, mein Stern,
Nicht auf den Himmelsgrund gezeichnet,
Über den Schmerzen der Welt
Noch unsichtbar
Ziehst du die Bahn
Am Wendekreis der Zeit.
Ich weiß, mein Stern,
Dein Licht ist unterwegs.«

(1964)

Sabine Brandt
An taube Ohren der Geschlechter

Für die Jüngeren unter uns sieht es so aus, als sollten wir Peter Huchels Gedichte in umgekehrter Reihenfolge kennenlernen – die späten zuerst, die frühen zuletzt. Zwar hat es, von Vorkriegsveröffentlichungen abgesehen, 1948 einen Band *Gedichte* in Ostberlin, 1949 eine Lizenzausgabe in Karlsruhe gegeben, aber sie sind längst vergriffen und vergessen. Wer nicht ein Leser der von Huchel redigierten Ostberliner Kulturzeitschrift *Sinn und Form* gewesen ist – und das waren in Westdeutschland nur wenige –, der ist dem Dichter erst begegnet, als 1963 sein Gedichtband *Chausseen Chausseen* erschien. Die Sammlung bot eine Auswahl aus dem Schaffen der reifen Mannesjahre. Was der junge Huchel geschrieben hatte, blieb im dunkeln, bis in diesem Jahr ein neuer Band *Die Sternenreuse*, Gedichte 1925-1947, die Verse auch jener Periode vorstellte.

Das Charakteristische der Gedichte, die diesen Band beherrschen, hat vor Jahren einmal Johannes Bobrowski hervorgehoben, als er auf die Interviewerfrage, welcher unter den lebenden Dichtern ihn beeinflußt habe, folgende Antwort gab: »Peter Huchel natürlich! In der Gefangenschaft habe ich zum erstenmal ein Gedicht von ihm gesehen, in einer Zeitung, und das hat mich ungeheuer beeindruckt. Da habe ich es her, Menschen in der Landschaft zu sehen, so sehr, daß ich bis heute eine unbelebte Landschaft nicht mag. Daß mich also das Elementare der Landschaft gar nicht reizt, sondern die Landschaft erst im Zusammenhang und als Wirkungsfeld des Menschen.«

Huchels Landschaft ist die Mark Brandenburg. 1903 in Lichterfelde, vor den Toren Berlins, geboren, wuchs er auf dem Bauernhof des Großvaters im märkischen Alt-Langerwisch heran, und was die Mark ihm an lebendigen Eindrücken gegeben hatte, das zahlte er ihr an sensibler Darstellung zurück:

»Wendische Heide, weißes Feuer,
du Bütte Gold und Mittagsspuk,
die Grille huschte, schrillte scheuer
am Stein, der keinen Schatten trug.

(...)

Moosgrünes Fenn und Erlenruten,
der Bach, die letzte Tränke kam,
und weithin gelbe Ginstergluten,
wo stachlig hing der schwarze Bram.«

Aber, wie Bobrowski andeutete, der Dichter der märkischen
Zeit war kein Naturlyriker. Heide, Kiefernwälder, Brombeer-
dickicht, Schafherden, Unken im Luch, das alles bezeichnet
den Rahmen, das Wirkungsfeld für die Menschen, die in der
Mark zu Hause sind oder waren, die ihr Gesicht gaben und
Geschichte. Die Menschen, die durch diese Gedichte gehen,
hätten ohne ihre Landschaft kein Leben, sowenig wie die
Landschaft ohne sie. Die Magd:

»Ein Nußblatt wegs die Magd zerreibt,
daß grün der Duft im Haar mir bleibt.
Riedgras saust grau, Beifuß und Kolk.
Im Dorf kruht müd das Hühnervolk.

Schon klinkt sie auf das dunkle Tor.
Wir tappen in die Kammer vor,
wo mir die Magd, eh sie sich labt,
das Brot brockt und den Apfel schabt.«

Der alte Knecht:

»Auf dem Brette über dem Herd
trocknen noch seine Kürbiskerne.
Aber ein andrer schirrt morgens das Pferd,
dengelt und wetzt und senst die Luzerne.
Hinter dem nebelsaugenden Strauch
wartet verlassen die Weidenreuse.
Abends, über des Flusses Rauch,
flattern wie immer die Fledermäuse.«

Der Hirt aus wendischen Zeiten:

»Uralter Hirt, dein Volk zu hüten,
gingst du im Staub der Herde nach,
die lautlos zog, wo Wacken glühten
im öden Halmfeld heiß und brach.«

Es fällt auf, daß Huchel sein Kindheitsland mit armen Leuten
bevölkert, Hofgesinde, Bettlern, wandernden Kesselflickern,
»landlosen Schnittern und Kossäten«. Vom Formalen her
gesehen, gewinnen die Verse dadurch einen besonderen Reiz.
Denn das Zusammenspiel von skurrilen Gestalten, Volksaber-
glauben, Spinnstubenlegenden mit der geheimnisträchtigen
Kargheit märkischer Landschaft gibt dem Kosmos, den der
Dichter nachzubilden sich bemüht, Kontur und Farbe.
Doch ist Huchel nicht von ästhetischen, sondern von sozialen
Impulsen zu dieser Art der Darstellung getrieben worden. Ihn
schmerzte, daß die schlichten Hüter seiner Knabenwelt,
denen er die Erziehung der Gefühle dankt, so wenig teilhatten
an den Früchten ihrer Mühen. In einem gleichnishaften
Gedicht vom Hirtenzug nach Bethlehem läßt er die armen
Leute zweifelnd vor der Verheißung der Krippe stehen:

»Gras, Vogel, Lamm und Netz und Hecht,
Gott gab es uns zu Lehn.
Die Erde aufgeteilt gerecht,
wir hättens gern gesehn.«

Aber der lyrische Tribut an die Armen ist nicht nur später
Dank und sozialer Protest. Hier drückt sich eine Erfahrung
aus, die über die geschilderte Vergangenheit hinausgeht. Der
Erkenntnisprozeß, der nötig war, um den Zauber der märkischen Welt aus dem Gefühl ins Bewußtsein zu heben, hat
zugleich diesen Zauber verschlungen. Das konfliktlose Eins-
sein mit Natur und Kreatur wich dem Wissen von Gut und
Böse.
Dem märkischen Zyklus folgen Verse, die Eindrücke einer
Frankreichreise wiedergeben, und ein Bündel Impressionen,
hervorgerufen durch die Betrachtung von Naturphänomenen
und durch Beobachtung alltäglicher Kleinigkeiten. Und

obwohl Verarbeitung und Timbre der Sprache unverändert erscheinen, spürt man sogleich, daß der Dichter hier nur angeregt, nicht engagiert ist.

Ähnlich ist es mit seiner lyrischen Antwort auf die zwölf Hitlerjahre, von der der Band *Sternenreuse* vier Proben darbietet. Huchel ist kein politischer Dichter. Politik kann in seinen Versen nur wirksam werden in ihrer existentiellen Funktion, als Bedingung, unter der sich menschliches Dasein vollziehen muß. So nimmt es nicht wunder, daß überall dort, wo Protest, Deklaration, Anklage formuliert werden, die formale Schönheit des Gedichtes leere Hülle bleibt. Unter den angebotenen Gedichten ist nur eines, 1933 entstanden, in dem Huchel – im Wortsinne – Anteil nimmt und das, über den gegebenen Anlaß hinaus, eine historische Perspektive entwirft:

»Späteste Söhne, rühmet euch nicht,
einsame Söhne, hütet das Licht.
Daß es von euch in Zeiten noch heißt,
daß nicht klirret die Kette, die gleißt,
leise umschmiedet, Söhne, den Geist.«

Erst wo die objektiven Gegebenheiten jener Zeit im subjektiven Erleben wiederholt wurden, in den Erschütterungen des Krieges, fand Huchel zur unmittelbaren Aussage zurück. In seinem Gedichtkreis *Der Rückzug* fügt er aus Angst, Zerstörung, Heimatlosigkeit, Tod ein Gemälde des Friedhofs Europa, auf dem die Hoffnung einer Epoche zu Grabe fuhr.

Vielleicht war es die dunkle Sehnsucht nach der Wiederherstellung einer heilen Welt, die Huchel nach dem Kriege in seinen größten Irrtum trieb. Nicht durch politisches Engagement, aber aus sozialer Neigung links orientiert, war er geneigt, in der Bodenreform der SED den Beginn einer gerechteren, menschenwürdigen Ära zu sehen. Er begann ein Verswerk, *Das Gesetz*, das in Form einer Chronik des Dorfes Wendisch-Luch die Entwicklung vom Kriegsinferno bis zum verwirklichten Frieden nachzeichnen sollte. Das Werk blieb ein Torso. Angesichts der Verse, die – thematisch verstanden – dem Höhepunkt entgegenstrebten (»Reiß um den Grenzstein des Guts! / Deine Pfähle schlag ein, / ackersuchendes

Volk!«), spürte Huchel, daß die platte Realität ihre lyrische Wiedergabe längst erstickt hatte. Er verwarf seine Arbeit. Übrig blieben nur die Strophen der Exposition, *Bericht des Pfarrers vom Untergang seiner Gemeinde*, *Wendisch-Luch*, *Der Treck*, die ihrem Habitus nach den Kriegsgedichten zugerechnet werden können und von Huchel bei der Zusammenstellung seiner Gedichtbände auch dort eingeordnet worden sind.

Der Fehlschlag von *Das Gesetz* markiert den entscheidenden Wendepunkt in Huchels Schaffen. Auf einer neuen, höheren Ebene wiederholte sich, was sein märkischer Zyklus ausgedrückt hatte: War er einst aus dem Kindheitstraum hinausgetreten, so trat er nun aus dem Schatten der Glückspropheten, bereit, die Welt ohne den Trost einer Verheißung zu bestehen.

Themen und Formen der späten Periode belegen die große Wandlung. Oberflächlich gesehen, behandeln die Gedichte des Bandes *Chausseen Chausseen* das alte Sujet: Landschaft in ihrer Eigenart und als menschliches Wirkungsfeld, nun aber nicht mehr nah und vertraut, sondern fern, exotisch. Es ist nicht der Zufall persönlichen Erlebens, der die Fremde zum lyrischen Schauplatz macht. Mit den griechischen Inseln, italienischen und französischen Städten und Küsten, mit den Fischern, Hirten und den Figuren südeuropäischer Mythen gewinnt die beschriebene Welt eine andere, größere Dimension; die Grenzen sind ausgelöscht. Die Elemente der Landschaften lassen keine assoziativen Erinnerungen mehr zu, sie sind nicht Gleichnis, sondern Zeichen, Wegmarken sich vollziehender wie längst gelebter Schicksale:

»Hinab den Pfad,
Wo an der Distel
Das Ziegenhaar weht.
Siebensaitig tönt die Kithara
Im Sirren der Telegrafendrähte.
Bekränzt von welligen Ziegeln
Blieb eine Mauer.
Das Tongefäß zerbrach,
In dem versiegelt
Der Kaufbrief des Lebens lag.«

Hier deutet sich an, welchem Bereich Huchel sich schließlich näherte. Seine letzten Gedichte (jüngere als die des *Chausseen*-Bandes sind noch nicht bekannt) speist er aus antiken Motiven; er hat, mehr als drei Jahrzehnte nach dem märkischen Zyklus, zur Quelle der Humanitas gefunden. Aus ihr gewinnt er Maß und Gegenbild für die heillose Zeit und Stärke für seine einsame Position. Es ist nicht Resignation, sondern der Schmerz eines aus Jahrtausenden geschöpften Wissens, wenn Huchel, auch sein Lebenswerk überblickend, konstatiert:

»Polybios berichtet von den Tränen,
Die Scipio verbarg im Rauch der Stadt.
Dann schnitt der Pflug
Durch Asche, Bein und Schutt.
Und der es aufschrieb, gab die Klage
An taube Ohren der Geschlechter.«

(1967)

Gert Kalow
Das Gleichnis oder Der Zeuge wider Willen
Über ein Gedicht von Peter Huchel

Wintersee

»Ihr Fische, wo seid ihr
mit schimmernden Flossen?
Wer hat den Nebel,
das Eis beschossen?

Ein Regen aus Pfeilen,
ins Eis gesplittert,
so steht das Schilf
und klirrt und zittert.«

Das Werk dieses Lyrikers besteht – bislang – aus etwa einhundertunddreißig Gedichten. Einige von ihnen werden so unvergessen bleiben wie einige Gedichte aus dem gleichfalls schmalen Werk des Conrad Ferdinand Meyer oder wie einige des Andreas Gryphius.

Zu den großen Gedichten Huchels gehören das frühe (Straßburg/Paris 1927) *Lenz* (»ist wie für die Nacht gezeugt«), das Büchners Novelle zum Kristall verdichtet, *Verona* (Schlußzeilen: »Und in der Mitte der Dinge / Die Trauer«), *Soldatenfriedhof*, ein Zeugnis des Zweiten Weltkrieges, fast ohne Vergleich in der deutschen Lyrik.

Doch es soll hier keine Liste, noch gar eine Rangordnung aufgestellt, noch eine allgemeine Würdigung von Huchels Lyrik vorgetragen werden. Sondern: ein Leser möchte anderen Lesern seine Eindrücke mitteilen, und zwar von *einem* Gedicht. Generelle Urteile sind allemal preiswert oder langweilig. Auf das einzelne Gedicht muß man sich einlassen. *Wintersee* ist in den dreißiger Jahren entstanden. Es gehört zu den knappsten, zugleich mächtigsten Wortgebilden dieses Autors. Es ist charakteristisch für Huchels Ausdruckstechnik.

Acht Zeilen von durchschnittlich nur vier Worten, je vier Zeilen zu einer Strophe gegliedert. In jeder Strophe nur ein

Reim: Zeile 2 auf Zeile 4. Die Zeilenschlüsse 1 und 3 grüßen sich nicht. (Der frühe Huchel hatte durchgereimt, der späte reimt fast nicht mehr: *Wintersee* markiert eine mittlere, für den Autor vielleicht entscheidende Position. Nicht nur in dieser Hinsicht.) Die Zeilenenden, ob gereimt oder nicht, sind »weiblich« (Betonung auf vorletzter Silbe), nachhallend, verklingend, angezupft – mit einer Ausnahme: die vorletzte Zeile klingt »männlich« aus, endbetont, besser: engbetont; sie ist die Engführung dieser Fuge, nur vier Silben kurz – »so steht das Schilf« –, während alle übrigen Zeilen fünf oder sechs Silben lang sind. Die vier Silben wirken sämtlich betont, fast unterschiedslos, während die sieben anderen Zeilen jeweils nur zwei Hebungen haben, nur zweimal mit Betonung auftrumpfen.

Der »männliche« Schluß dieser »nichtreimenden«, vorletzten Zeile, Akzent auf dem letzten Vokal, wird in seiner Entschiedenheit freilich relativiert durch den Ausklang, die Aufeinanderfolge gleich zweier sehr weicher Konsonanten (l/f). Ließe sich die sehr metaphernreiche Lyrik Huchels – da die Metapher der Verkleidung, der Travestie verwandt erscheint –, zumindest versuchsweise, mit einem metaphorischen Vergleich kennzeichnen: daß eine scharfe Charakterisierung von Weiblich und Männlich in ihr, dauernd intendiert wie bei Kleist, beharrlich mißlingt?

Wintersee ist kein episches, sondern weit eher ein dramatisches Gedicht. Der laute Anruf des Beginns

»Ihr Fische, wo seid ihr«

leitet keine Handlung ein, sondern eröffnet eine Szene. Ihr Ort ist mit der Überschrift bezeichnet: Wintersee. Das Wort ist selber fast schon ein Akt, denn die beiden Elemente, aus denen es zusammengesetzt ist, verbinden sich ganz und gar nicht ohne Widerstand. See bedeutet ein offenes Gewässer. Es gibt oberirdische Wasserreservoire auch auf den ständig vereisten Winterseiten, den Polkappen unseres Planeten. Aber das sind keineswegs Seen. Ebensowenig sind es die meisten stehenden Wasser in den heißeren Weltgegenden: salzige »Meere«, unterirdische Reservoire, Riesenpfützen zur Regenzeit, die rasch wieder versickern. Der Wintersee liegt par définition in der gemäßigten Zone: ein normalerweise offenes, nichtfließendes Gewässer, das in der kalten Jahreszeit (nicht immer) zufriert: ein Ort heftiger Veränderungen.

Huchels Wintersee ist ein zugefrorenes Paradies, im Sommer besucht und bewohnt von Knaben, Nixen und dem froschköpfigen Nick, ein Wunschfabelwesen, »tierhaft wilde« Verkörperung erwachsener Männlichkeit, wie sie in dem frühen Poem *Der Knabenteich* erscheint, dessen spätere Variation der *Wintersee* ist.

»Ihr Fische, wo seid ihr«, ihr Gespielen meiner Jugend, meiner Natürlichkeit, meiner Übereinstimmung mit dem Kosmos, ihr »mit den schimmernden Flossen«? Die *schimmernden Flossen:* weichste, »lyrischste«, leiseste Stelle des Gedichts, auch im Rhythmus, die Zeile ist insgesamt fast ohne Betonungen zu lesen.

Aber dann, mit der dritten Zeile wird der plausibel-realistische Ausgangsort verlassen:

»Wer hat den Nebel,
das Eis beschossen?«

Das klingt zwar gleichfalls sehr poetisch, darf aber keinesfalls als bloßer Lyrismus hingenommen werden. Huchels Gedicht wäre anderenfalls als bloße Wortklingelei mißdeutet. Schon mit dem Klageruf »Wo seid ihr (...)«, Spielgefährten meiner Knabenzeit, war der Ausbruch eingeleitet und intendiert. Nach dem Bild von den verwunschen schimmernden Flossen, das einen Zustand rein apperzeptiver, unreflektiert-sinnlicher, naiv-kindlicher Wahrnehmung sprachlich fixiert, geht Huchel auf zunächst unverständliche Weise, sich gewaltsam losreißend, aus der Nahsicht einen Schritt zurück, in räumlich-sachliche Distanz: nicht mehr das blinkende Unterwasservolk, sondern die geographische Szene ihres Verschwindens wird nun beschworen. »Nebel« (Zeile 3) und »Eis« (Zeile 4) sind die beherrschenden Vokabeln des zweiten Teils der ersten Strophe. (Eis ist das einzige Hauptwort, das in dem ganze dreißig Worte enthaltenden Gedicht zweimal vorkommt.) Nebel und Eis gehören zur Umwelt des Wintersees, aber die Selbstverständlichkeit, der Friede des Bildes wird vom abschließenden Verb »beschossen« zerstört, laut detonierend gesprengt.

Starke Verben, freilich oft als Partizipium entaktiviert, »entmännlicht«, gehören zur Charakteristik von Huchels Texten.

Beschossen wurden Nebel und Eis? Man liest die Wendung zweimal, ehe man sie glaubt. Genügen Nebel und Eis nicht, das Verschwinden der Fische zu erklären? Müssen Nebel und Eis, der schützende, das Leben in der Tiefe bewahrende Wintermantel des Sees, durchbohrt und verletzt werden, damit der Schrecken ganz bis unten dringt, in das Versteck der schönen Mitgeschöpfe, die nur durch das Schimmern ihrer Haut zu uns reden können? (Oder durch den Geschmack: wenn sie uns, wohlzubereitet, über die Zunge gehen.)

Wirkte das Exposé der ersten Strophe aufs äußerste zusammengedrängt, reduziert, Telegrammstil in extenso, so entfaltet sich die Ausführung in der zweiten Strophe, in Beantwortung des Schlußworts der ersten Strophe, explosiv, breit, ausladend:

Ein »Regen aus Pfeilen« ist durch die Luft gekommen, ein *Regen*, der die Sonne verdunkelt – woher kennen wir dieses Bild? Es ist ein Zitat, Huchel weiß es so gut wie sein Leser: aus einer berühmten antiken Schilderung der Alexanderschlacht. Der Regen aus Pfeilen, der den Himmel am hellichten Tage schwarz färbt, tödliche Bedrohung, fast unabwendbare Waffe, als Kriegsbericht ein lähmender Schrecken für alle Schwachen. Wie die Nachricht vom Fall Konstantinopels, vom Untergang Lissabons.

Der Pfeilregen, gezielt auf den See und seine Bewohner, auf das Paradies der Knaben und Nicks, ist

»ins Eis gesplittert.«

Eine Zeile ohne jede rhythmische oder verbale Anstrengung – aber von was für einer Gewalt. Man sieht, man hört – im ideophonischen *gesplittert* – die Pfeile einschlagen.

Und nun kommt, streng parallel zum Bau der ersten Strophe, zwischen der zweiten und der dritten Zeile, zwischen dem ersten und dem zweiten Teil der Strophe, die abrupte

Wendung des Bildes, die Distanzierung, die Umkehrung der Optik:

»so steht das Schilf«.

Die kürzeste und stärkste Zeile transportiert *die* Nachricht: das ganze Poem ist eine Vision, es ließe sich auch sagen: eine Verfremdung. Der Dichter sieht das Schilf auf *seinem* zugefrorenen See, es *klirrt* vor Frost, beinah metallen, wie Waffen (Doppelklang von Winter und Krieg, von feindseliger Natur und Menschenfeindschaft schon in dieser einen Vokabel), und es *zittert* – wie Pfeile, die eben ins Ziel eingeschlagen sind.

Die Vision ist heftig, so gewaltsam und kurz wie ein Blitz, der für den Bruchteil einer Sekunde eine ganze Landschaft aus der Nacht herausstanzt. Dem entspricht das Tempo, der Zeitrafferstil des Gedichts: alles geschieht rasend schnell, wie im Traum. Dennoch ist nichts verschwommen, vielmehr jedes Detail gestochen scharf. Der Zeitrafferstil erscheint im Rhythmus, dem regelmäßig-schnellen Pochen, kulminierend in der Atemlosigkeit der siebenten Zeile; er erscheint im Vokabular, so glatt und »reibungslos« wie Kieselsteine: von dreißig Wörtern sind einundzwanzig einsilbig, nur sechs zweisilbig, ganze drei (die nachhallendsten: »schimmernden«, »beschossen«, »gesplittert«) dreisilbig.

Mit einfachsten Mitteln, ohne den mindesten Umweg, dennoch ohne den Verlust irgendeiner Nuance, ist es Peter Huchel gelungen, seine Vision in Sprache umzugießen. Zur Beschreibung dessen, was er getan hat, fällt mir wieder Kleist ein, ein Satz aus dessen *Brief eines Dichters an einen anderen:* »Wenn ich beim Dichten in meinen Busen fassen, meinen Gedanken ergreifen und mit Händen, ohne weitere Zutat, in den Deinigen legen könnte; so wäre, die Wahrheit zu gestehen, die ganze innere Forderung meiner Seele erfüllt.« Kleist selber ist die Erfüllung der »inneren Forderung seiner Seele« in seiner (zu Recht vergessenen) Lyrik niemals, aber vollendet in seiner Prosa gelungen; Huchel ist sie »nur« in der Lyrik gelungen: in einigen, in den unvergeßbaren seiner Gedichte.

Huchel stammt wie Kleist aus der östlichen Mark Brandenburg, und es ist nicht nur die geographische Nähe der

Herkunft, die beide Dichter in vielem verbindet. Es ist die noch immer in vieler Hinsicht, nur dem Grade nach unterschiedlich, von Binnenkolonialismus bestimmte politische »Landschaft«, in der ein Dichter schon dann ein Rebell ist, wenn er, durch Herrschaft über die Sprache, von seiner Umwelt zu ertrotzen versucht, daß sie die »innere Forderung seiner Seele«, seine Individualität erkennt und respektiert.

So scheint es mir unerlaubt, Huchels Dichtung, in der immer Landschaft vorkommt, speziell diesen *Wintersee*, dessen Vokabeln alle – mit Ausnahme zweier, die zur Kriegssphäre gehören – Termini der Natur sind, als »Naturlyrik« zu bezeichnen. Es ist nicht einmal ein unpolitisches Gedicht.

Unbeantwortet bleibt, wenn wir uns die Vision vom Wintersee nochmals vors Auge rufen, die laut ausgesprochene Frage: *wer schießt die Kriegspfeile, wer zerstört das Paradies?* Nur die feindliche Natur, ein nicht mehr durchaus als »harmonisch« erlebter Kosmos? Übrigens wäre schon diese Absage an den pubertären Romantikertraum von »heiler« Welt und »heiliger Natur« für einen deutschen Dichter ein politischer Fortschritt. Aber wozu dann Waffen und Beschuß in dem Gedicht? Bedroht auch die Gesellschaft das Paradies? Daß Huchel die Frage nicht ausdrücklich beantwortet, heißt nicht, daß er sie offen läßt. Er antwortet indirekt, aber klar, so klar wie damals nur möglich – der *Wintersee* liegt zeitlich im Dritten Reich –: auch die Gesellschaft, diese jetzige, d. h. die damalige Gesellschaft, zerstört, vereist, vergiftet *mein* Kindheitsparadies.

Waren nicht die ersten Pfeile, die sich der märkische Knabe zum Kriegsspiel schnitzte, aus Schilf? Ist es nicht sein eigenes Kriegsspielgerät, das da, in den Ernst gewendet, auf ihn, auf seine Welt zurückfällt? Wird nicht gerade eben, während Huchel den *Wintersee* schreibt, die Romantik seiner *Knabenteich*-Welt offiziell umfunktioniert in militante Aggressivität? Hält das Gedicht nicht diesen geschichtlichen Moment aufs genaueste fest? Widerspricht hier nicht der Autor selber dem Satz eines seiner späten, großen Gedichte: »Ich will nicht Zeuge sein?« Schließlich müssen wir, um das Gedicht zu verstehen, prüfen, was *Schilf* hier bedeutet. Kaum ein anderes Bild erscheint so kontinuierlich in Huchels Œuvre, von den frühen bis zu den späten Gedichten, und nicht zufällig in den besonders starken wie *Mittag* und *Winterpsalm*. Pascal scheint

nicht weit entfernt, der *le roseau* als Bild für die eigene
Existenz, als Metapher für den Menschen verwendet: »Ein
Schilfrohr, das denkt.« Das Rohr ist eingepflanzt, allem
Unwetter ausgesetzt, man kann es ausreißen, aber kaum bre-
chen, es reagiert sensibel, nachgiebig und standhaft
zugleich:

»So steht das Schilf
und klirrt und zittert.«

(*1968*)

Ingo Seidler
Peter Huchel und sein lyrisches Werk

I

Um Peter Huchel ist es wieder still geworden. Die dramatischen Ereignisse des Jahres 1962, mit hochoffiziellen Angriffen auf Huchels Person, Herausgebertätigkeit und Werk, seine Absetzung und Verfemung, haben ein starkes Echo in der Presse der Bundesrepublik ausgelöst. Die Publikation des Bandes *Chausseen Chausseen* im darauffolgenden Jahre und die Verleihung des Westberliner Fontanepreises wurde ebenfalls noch (hüben und drüben) gebührend zur Kenntnis genommen. Seither hört man kaum etwas über den Dichter. Bekannt ist, daß Huchel dem Beispiel von H. Mayer, E. Bloch, A. Kantorowicz, H. Kipphardt, U. Johnson, C. Reinig u. a., sich nach dem Westen abzusetzen, nicht gefolgt ist. Weniger bekannt dürfte sein, daß Huchel (angesichts zahlreicher Einladungen, im Westen zu lesen) die DDR nicht verlassen und umgekehrt keinen Besuch empfangen *darf:* wie Brechts Galilei lebt der Dichter heute in der vollkommenen Isolierung einer unfreiwillig *inneren* Emigration.

Eduard Zacks Versuch (in seiner Monographie aus dem Jahre 1953), Huchels Entwicklung als ein problemloses und ungetrübtes Eheglück mit dem Marxismus darzustellen, ist denn auch ebenso fragwürdig, wie die Charakterisierung Huchels in einem verbreiteten westdeutschen Literaturlexikon von 1960 als »einer der maßgeblichen Kulturfunktionäre der DDR« oberflächlich war. Schon lange vor Huchels erzwungenem Rücktritt – und somit vor der Ausrichtung und Einengung von *Sinn und Form* auf Eigen-sinn und Uni-form – zeigte nämlich die gesamtdeutsche Perspektive dieser Zeitschrift, daß sie nicht *von* einem Kulturfunktionär, sondern *trotz* des steigenden Drucks von seiten der Kulturfunktionäre auf ihrem europäischen Niveau gehalten wurde. Bereits im Jahre 1931 aber hatte Huchel, in einem kurzen Lebenslauf in der *Literarischen Welt*, betont, er habe keine Absicht, den Einladungen seiner im Parteibüro sitzenden Altersgenossen zu folgen; die marxistische Würde stehe ihm nicht zu Gesicht. Nach 1933 schreibt Huchel unpolitische Hörspiele; Alfred Kantorowicz attestiert ihm in seinem bemerkenswerten *Deutschen Tagebuch,* er habe die Zeit der Naziherrschaft »untätig, schweigend, aber auch unbefleckt« verbracht. Im Kriege ist Huchel Soldat; aus sowjetischer Kriegsgefangenschaft entlassen, optiert er nun doch bewußt für den nach marxistischen Grundsätzen verwalteten Teil Deutschlands und übersiedelt von West- nach Ost-Berlin. Aber bereits 1948 bezeichnet der Hauptabteilungsleiter im Kulturministerium, Peter Nell, Huchels Werk als »gefährlich für die Entwicklung der Zone«. 1951 dagegen empfängt der Dichter (wohl vor allem als Protegé Brechts) den Nationalpreis, allerdings dritter Klasse, also, wie man zu sagen pflegte, in Holz. Stalins Tod entlockt Huchel (ähnlich übrigens wie Brecht, aber im Gegensatz zu den hymnischen Beiträgen der meisten anderen Akademiemitglieder) gezählte vier Prosazeilen. Im März 1953 notiert Kantorowicz – damals seinerseits Herausgeber von *Ost und West* – trotzdem in seinem Tagebuch, Huchels Fügsamkeit dem Regime gegenüber gehe über das Notwendige hinaus. Dasselbe historische Jahr 1953 bringt jedoch mit einem offenen Brief Huchels in der Zeitschrift *Neue deutsche Literatur* einen der erstaunlichsten Fälle von »nostra culpa«, der je über die Zonengrenze drang. Nicht nur ist plötzlich zu wiederholten Malen von »westdeutschen Freunden« die Rede; Huchel plädiert auch ganz ausdrücklich dafür, »mehr als einen Weg« gelten zu lassen. Vor allem aber wendet er sich heftig gegen die »angemaßte Unfehlbarkeit« ostdeutscher Kritiker und ihre Neigung, »aus jeder Zeile ein politicum« zu machen und »dem schöpferischen Menschen damit ein Gefühl von Unsicherheit, ja Furcht einzuflößen«. Dem steht wieder ein etwas stelzbeiniges Huldigungsgedicht an die Akademie und eine reichlich blechern rasselnde Hymne an Lenin gegenüber – mit Recht ist keines dieser beiden Gelegenheitsgedichte nachgedruckt worden. Andererseits haben solche Pflichtergüsse den Dichter keinesfalls gehindert, fühlbarem Druck von oben zum Trotz, eindeutig Stellung *gegen* die Mauer zu beziehen. Und wegen der Vollständigkeit des Bildes sollte nicht unterschlagen werden, daß selbst die bittere Desillusionierung der letzten Jahre Huchel keineswegs zu einem Freund des kapitalistischen

Westens werden ließ. (Fragen muß man sich allerdings, wie realistisch Huchels Bild dieses Westens ist: während er sich über die Teach-in-Bewegung an amerikanischen Universitäten gut unterrichtet zeigte, konnte er umgekehrt den Verfasser dieser Studie allen Ernstes fragen, ob denn die Tatsache, daß er seine Studenten an einer amerikanischen Staatsuniversität Dissertationen über Brecht schreiben läßt, nicht zu »Schwierigkeiten mit den Behörden« führen werde.) Ungetrübtes Eheglück mit dem Marxismus der DDR also? Gewiß nicht! Kapitalistisch inspirierter Widerstandskampf gegen den Absolutismus der Zone? Ebensowenig. Rückgratloser Opportunismus? Auch das nicht, zumal Huchels kritische An- und Ausfälle gewöhnlich zur inopportunsten Zeit kamen. Aber ein Mensch mit seinem Widerspruch – und immer noch einer, der, wie vor dreißig Jahren, etwas vertrotzt von sich sagen darf, er lebe »ohne Entschuldigung«.

II

Von Huchels Ruf als Dichter möchte man, in Abwandlung eines bekannten Musilwortes sagen, er sei gut, aber unhörbar. Unter den Anthologien, die in den letzten zwanzig Jahren mit dem Anspruch auftraten, die lyrische Ernte der Jahrhundertmitte einzubringen, findet sich kaum eine, in der der Name Huchel fehlt. Trotzdem ist Huchels Werk selbst unter Kritikern und Literaturprofessoren kaum bekannt, ist die Literatur über dieses Werk beschämend spärlich. Sie besteht zumeist aus Rezensionen, aus Kurzbiographien anläßlich von Preisverleihungen und aus persönlichen Reminiszenzen, aus geburtstagsglückwünschenden Feuilletons und aus Glossen zu Huchels Herausgebertätigkeit. Peter Hamms Aufsatz im *Merkur* versucht einen ersten Überblick. Dagegen will Eduard Zacks erwähnte Monographie vor allem den Nationalpreisträger eingemeinden, indem sie ihm bestätigt, er habe die Klassiker des Marxismus-Leninismus gelesen und »den Weg zum Realismus gefunden« – seine Dichtung sei dementsprechend »als fortschrittliche Leistung« zu werten.
Das öffentlich zugängliche Werk dieses fünfundsechzigjährigen Dichters ist dem Umfang nach gering. Es besteht aus

einigen Hörspielen (die aber nicht in demselben Maße wie etwa die Günter Eichs zum eigentlichen Werk gehören) und aus zwei Gedichtbänden: den 1948 im Ostberliner Aufbauverlag und 1949 unverändert in der Bundesrepublik (Stahlberg Verlag, Karlsruhe) erschienenen *Gedichten,* und dem 1963 bei S. Fischer veröffentlichten Band *Chausseen Chausseen.* Im wesentlichen eine reduzierte Neuauflage des ersten Bandes ist die 1967 bei Piper erschienene Sammlung *Die Sternenreuse,* Gedichte 1925-1947, bereichert allerdings durch ein bemerkenswertes frühes Gedicht nach Büchners *Lenz.* Zusammen enthalten diese Bände knapp hundertzwanzig Gedichte – auf eine vierzigjährige Entstehungszeit verteilt, ergibt dies einen Durchschnitt von drei Gedichten pro Jahr. Natürlich geben solche Zahlen nicht nur Aufschluß über Huchels bedächtige Arbeitsweise, sondern vor allem über seine Grundsätze in Fragen des Veröffentlichens: Huchel war immer ein großzügiger Herausgeber von Werken anderer und ein zögernder seiner eigenen Produktion. Die Kürzungen, mit denen im jüngsten Band der Zyklus *Der Rückzug* erscheint, sind ein neuer Beweis für Huchels Hang zu rigoroser Selbstkritik. Auch gibt es von ihm so gut wie keine programmatischen Aussagen, ästhetisch-theoretischen Stellungnahmen, kritischen Anmerkungen, Kommentare, Selbstauslegungen oder andere »advertisements for myself«.

Befragt man die gängigen Lexika nach diesem Dichter, so erfährt man fast ausnahmslos, daß Huchel *Naturlyrik* schreibe, eine Tätigkeit, die ihn in die Nachbarschaft von Dichtern wie Loerke und Lehmann, Eich und Langgässer, Britting und Piontek rücke. Was soll nun aber mit dieser Etikettierung wirklich gesagt sein? Erstens wohl einfach, daß – erstaunlich genug – *alle* Gedichte Huchels Landschaft enthalten. Zweitens dürfte mit der Bezeichnung »Naturlyriker« darauf verwiesen sein, daß ein gut Teil dieses Werks tatsächlich dem Lob der Erde gilt:

»Dich will ich rühmen,
Erde,
noch unter dem Stein,
dem Schweigen der Welt
ohne Schlaf und Dauer.«

Drittens aber könnte der Begriff »Naturlyrik« zu der Annahme verführen, Huchel sei gewissermaßen Mitglied einer Schule, deren einziges Interesse den Phänomenen der natürlichen Welt gelte. Dies scheint uns nun in mehr als einer Hinsicht falsch. Zunächst möchten wir den Verdacht aussprechen, daß jener »reine Naturlyriker«, von dessen ausschließlicher Hingabe an die Wunder des wechselnden Jahres die Bücher wissen, nie existiert hat. Vielmehr dürfte der Homunculus dieses Namens der Retorte des einen oder des anderen Kritikers entsprungen sein und seither ein zählebiges, aber rein literaturgeschichtliches Dasein führen. Dazu kommt, daß nicht nur die genannten »Mitglieder der Schule« sich deutlich voneinander unterscheiden; Peter Huchel unterscheidet sich wiederum unverkennbar von jedem einzelnen von ihnen.

Gewiß könnte man auf verstreute Anklänge an ältere Dichter hinweisen. An Trakl (von dem Huchel übrigens nicht nur mit objektiver Hochachtung, sondern mit persönlicher Wärme spricht) erinnern vereinzelte Stellen, etwa die folgende:

»Der Sinnende sucht andre Spur.
Er geht am Hohlweg still vorbei,
Wo goldner Rauch vom Baume fuhr.
Und Stunden wehn, vom Herbstwind weise,
Gedanken wie der Vögel Reise,
Und manches Wort wird Brot und Salz.«

Loerkes magische Identifizierungen werden in den folgenden Versen mit angeschlagen:

»Durch Wasser und Nebel wehte dein Haar,
Urfrühes Dunkel, das alles gebar,
Moore und Flüsse, Schluchten und Sterne.
Ich sah dich schwingen
Durchs Sieb der Ferne
Den eisernen Staub der Meteore.
Die Erde fühlend mit jeder Pore,
Hörte ich Disteln und Steine singen.«

Lehmann hätte wohl Verse wie die folgenden schreiben können:

»Die schilfige Nymphe,
das Wasser welkt fort,
der Froschbauch der Sümpfe
verdorrt«,

oder (aus demselben Gedicht):

»Es neigt sich die Leuchte
ins Röhricht hinein.
Der ödhin verscheuchte
Wind kichert allein.«

Mancher Leser mag sich ferner vom Ton eines Gedichts wie
Wei Dun und die alten Meister an Brecht gemahnen lassen,
und vom komprimiert Epischen der folgenden Stelle ließe sich
ähnliches behaupten:

»Du rolltest durch den Hunger des Volks,
Durch Prunk und Aufruhr alter Provinzen,
Durch Stammesfehden und Lachen von Blut,
Bis dich die Tatze der Wüste begrub.«

Dagegen könnte eine unerwartet kapriziöse Prägung wie »ir-
gendstraßfern« eher von Lasker-Schüler stammen. Und
Huchels früher Versschluß:

»Im Gras saß ich, mit müdem Haar,
das gelb verschlafen von Lupinen war«,

klingt wie eine Variation auf Heyms: »Wenn er im Felde
schlief mit gelben Haaren« *(Galgenberg).* Trotz solcher Parallelen unterscheidet sich jedoch Huchel, wie gesagt, im ganzen
deutlich von jedem einzelnen der genannten Dichter, ebenso
wie von Langgässers gnostisch-mystischen Verzückungen,
trotz mancher Ähnlichkeit auch von Eichs chinesisch-epi-
grammatisierenden Verknappungen und von Krolows »intellektueller Heiterkeit« und beweglicher Anmut.
Man sollte wohl überhaupt von Naturlyrik nicht länger als
von einer thematischen Beschränkung – einer Art Mangel-
krankheit gewissermaßen – sprechen, sondern sie endlich als

67

das erkennen, was sie ist: eine lyrische Technik, die sich mit den verschiedensten Themen, Absichten und Haltungen verbinden läßt. Dazu wird man lernen müssen, zwischen der Natur als Motiv einerseits und als Matrix möglicher Metaphern andererseits zu unterscheiden. Bei Huchel gibt es in der Tat keine Gedichte, in denen die Natur nicht die letzterwähnte Rolle spielt; das einzige Motiv seiner Lyrik ist sie aber keineswegs und war sie nie. Die ästhetische Grundposition der Naturlyrik scheint uns denn auch durch Ezra Pounds bekannte Maxime genau bestimmt: »The natural object is always the adequate symbol.« Das Wort »always« verweist hier ausdrücklich auf eine *Vielfalt* möglicher Seinsgegebenheiten, die durch das adäquate Symbol des Naturgegenstands erschlossen werden. Und Wilhelm Lehmann nennt einen verwandten Sachverhalt: »Eine schmale Zeichenreihe bemächtigt sich der Saugekraft einiger präziser Details, um vielschichtiger Phänomene innezuwerden.« Diese Formulierung Lehmanns lenkt unsere Aufmerksamkeit zugleich auf eine der Hauptgefahren dieser Technik: die gesamten präzisen Details können sich nämlich unter der Hand in einer Weise vermehren, die der Gesamtökonomie des Gedichts abträglich ist. An Einzelheiten, an atemberaubend genauen Beobachtungen, herrscht auch bei Huchel kein Mangel. Etwa:

»Die Mücke im Altweiberzwirne
schmeckt noch wie Blut das letzte Licht,
das langsam saugt das Grün des Ahorns aus.«

Oder:

»Über Luch und Rohr und Seen
schickt der Winter Nebelkrähen,
Schatten überm blanken Eise
rudern sie im Winde leise.«

Oder:

»Die Feige leuchtet in klaffender Fäule.
Und weiß und rund wie das Ei der Eule
Glänzt abends der Mond im dünnen Geäst.«

Oder:

»Atmet noch schwach,
Durch die Kehle des Schilfrohrs,
Der vereiste Fluß?«

Oder das unnachahmliche:

»Noch webt die Spinne an der Wand
dem Licht die leise Fessel.«

Trotz dieses großen Reichtums an Details kommt es aber bei
Huchel nie zu den botanischen Wuchererscheinungen, an
denen manche Gedichte Lehmanns, aber auch Langgässers, zu
ersticken drohen. Huchels Gedichte wahren die Proportion;
hier bestimmt immer das Ganze die Teile.
Und auch jener anderen Eigentümlichkeit vieler sogenannter
Naturlyriker, daß nämlich die spezifisch menschliche Perspektive sich verflüchtigt, daß, wie Lehmann es einmal aus-
drückt, »die Grenzen zwischen Künstler und Naturforscher
fast verschwinden« – auch dieser Neigung begegnet man bei
Huchel nicht. An Stelle von rein deskriptiver Objektivität ist
es vor allem der Blickwinkel des Kindes, den Huchel in unver-
geßlichen Gedichten beschwört. Man muß diese Kindheitsgedichte, also etwa das fast schon berühmte *Die Magd* oder
Herkunft, Der Knabenteich, Eine Herbstnacht, in all ihrer
sinnlichen Dichte und Prallheit neben die unendlich verfei-
nerten und fragilen Rilkes halten, um zu sehen, *wie*
verschieden selbst in ihrer Art vollendete Kindheitsgedichte
sein können. Ein besonders knappes Beispiel wäre etwa das
folgende:

Damals
»Damals ging noch am Abend der Wind
Mit starken Schultern rüttelnd ums Haus.
Das Laub der Linde sprach mit dem Kind,
Das Gras sandte seine Seele aus.
Sterne haben den Sommer bewacht
Am Rand der Hügel, wo ich gewohnt:
Mein war die katzenäugige Nacht,

Die Grille, die unter der Schwelle schrie.
Mein war im Ginster die heilige Schlange
Mit ihren Schläfen aus milchigem Mond.
Im Hoftor manchmal das Dunkel heulte,
Der Hund schlug an, ich lauschte lange
Den Stimmen im Sturm und lehnte am Knie
Der schweigsam hockenden Klettenmarie,
Die in der Küche Wolle knäulte.
Und wenn ihr grauer schläfernder Blick mich traf,
Durchwehte die Mauer des Hauses der Schlaf.«

»Go in fear of abstraction«, ein weiteres Wort Pounds, das
Huchels Lyrik auf den Sprachleib geschrieben scheint – dieser
Imperativ scheint in den Kindheitsgedichten geradezu kate-
gorisch befolgt. Huchel verfügt aber auch über mehr als die
unter Lyrikern relativ häufige Fähigkeit produktiver Rücker-
innerung: in seinen besten Gedichten entsteht der Eindruck,
als hätte jeder seiner fünf Sinne sein eigenes, unfehlbares
Gedächtnis.

Karl Krolow formuliert die bereits erwähnte Gefahr der
Landschaftslyrik dahingehend, daß das Naturgedicht »sich
des Einzelnen durch das Aufsuchen von Einzelheit« entledige.
Auch das trifft auf Huchel nicht zu. Vor allem der frühe Band
ist reich an merkwürdigen menschlichen Gestalten: Kesselflik-
ker und Ziegelstreicher, Hirten und Schnitter, Bettler und
Spinnerinnen und vor allem, immer wiederkehrend, Knechte
und Mägde. Huchels Behauptung, er habe »eine bewußt übersehene unterdrückte Klasse im Gedicht sichtbar machen wollen«, klingt wohl etwas zu sehr nach post festum, um ein überzeugendes *Programm* für seine Lyrik abzugeben; an die Echt-
heit und Wärme von Huchels Anteilnahme am Los dieser
Enterbten oder nie Beerbten rühren solche Zweifel aber nicht.
Huchel hat diese Übersehenen nicht übersehen, er hat ihnen
aufs Maul geschaut, und mehr noch, auf die Hände. Huchels
Hirtenstrophen und Weihnachtslieder verlieren darüber, bei
aller Schlichtheit, doch ganz die gewohnte idyllisch-pastorale
Behaglichkeit:

»Daß diese Welt nun besser wird,
so sprach der Mann der Frau,

für Zimmermann und Knecht und Hirt,
das wisse er genau«

– mit dem bezeichnenden Gegenvers:

»Ungläubig hörten wirs – doch gern.«

Oder:

»O Jesu, was bist du lange ausgewesen,
O Jesu Christ!
Die sich den Pfennig im Schnee auflesen,
sie wissen nicht mehr, wo du bist.«

Oder endlich, aus dem frühen Pariser Gedicht *Cimetière:*

»Weißhaarige Alte, die an der Ecke
wie eine Straßenheilige stand,
über den Schultern die löchrige Decke,
bettelnd gekrümmt die gichtige Hand,
mußt du auch hier ein Obdach suchen?
Teuer sind Grabstein, Gitter und Grund.
Und die Toten würden noch fluchen,
füllte nicht Erde den zahnlosen Mund.«

Huchels soziales Gewissen, seine Parteinahme für die Zukurz-
gekommenen, ist frei von Ideologie, sie ist spontan, und sie
kann ihm ein ebenso naiver Ansporn sein wie für Huchels
Lenz in dem frühen Gedicht gleichen Namens:

»Lenz, du mußt es niederschreiben,
was sich in der Kehle staut:
Wie sie's auf der Erde treiben
mit der Rute, mit der Pflicht.
Asche in dem Feuer bleiben
war dein Amt, dein Auftrag nicht.«

So geht es bei Huchel auch fast nie um das städtische Proletariat – eher schon um die ausländischen Saisonarbeiter auf den
märkischen Höfen:

»Acker um Acker mähte ich,
kein Halm war mein eigen.«

Oder:

»Hier ruhn, die für das Gut einst mähten,
die sich mit Weib und Kind geplagt,
landlose Schnitter und Kossäten.
Im öden Schatten hockt die Magd.«

Allerdings weiß man von Huchel, daß er die Bodenreform der
Zone aus der ersten Nachkriegszeit – eine Reform also, die
das Land zunächst auf die verteilte, die es bearbeiteten – zum
Gegenstand einer zyklischen Dichtung mit dem Titel *Das
Gesetz* machen wollte. Die Pläne dafür gehen weit zurück,
schon eine frühe Zeile wie

»Die Erde aufgeteilt gerecht,
wir hättens gern gesehn«

hätte dem Ganzen als Motto dienen können. Teile des Zyklus
sind bekannt; das Ganze wird dagegen unvollendet bleiben,
es ist, wie Huchel selbst nicht ohne Bitterkeit sagt, von der
ostzonalen Rückenteignungen und Zwangskollektivierungen
der letzten Jahre geschichtlich überholt worden. Mit Recht
hat man in Huchels Ablehnung der (ökonomisch durchaus
verfechtbaren) Zwangskollektivierungen einen »konservati-
ven Zug« gesehen – nur sollte dabei nicht übersehen werden,
daß es sich um einen Konservatismus ganz besonderer Art
handelt, nämlich einen, dessen zu konservierender Status quo
ein gutes Stück links von den meisten liberalen Positionen
liegt. Gewiß ist Huchel mit dieser bemerkenswerten Spannweite von gegensätzlichen sozio-politischen Neigungen keineswegs allein, besonders nicht unter Lyrikern. Ein überra-
schender Parallelfall wäre etwa der wohl bedeutendste amerikanische Lyriker der Gegenwart, Robert Lowell, der sich vor
einiger Zeit in einem Interview in der New York Times rund-
heraus dafür aussprach, ein Gedicht müsse vor allem die
Widersprüche seines Autors mit einschließen: »One side of me
is a conventional liberal, concerned with causes, agitated

about peace, and justice, and equality, as so many people are. My other side is deeply conservative, wanting to get at the roots of things, wanting to slow down the whole modern process of mechanization and dehumanization, knowing that liberalism can be a form of death too.« Bei aller Verschiedenheit dürfte sich Huchel in einer solchen Skizze doch wiedererkennen – und nur diese tiefe Widersprüchlichkeit erklärt auch das Paradox, daß ein erzkonservativer Kritiker wie Hans Egon Holthusen vom »erzkonservativen Muster des Weltverstehens« jenes Dichters sprechen konnte, der vor zwanzig Jahren bewußt und in freier Entscheidung den marxistischen Teil Deutschlands wählte.

Eine weitere bedeutende Ausweitung der Thematik dieses Werks stellen Huchels Kriegsgedichte dar, darunter der apokalyptische *Bericht des Pfarrers vom Untergang seiner Gemeinde*. Auch hier ist Landschaft – aber es ist die geschundene und aufgerissene, die zerbombte und verheerte Landschaft des totalen Krieges, zerfurcht von Panzerketten, übersät mit stinkendem Aas. Diese Landschaft dient als Katalysator des Grauens:

»Weißbrüstige Schwalbe,
dein Schnabel ritzt
das grau sich kräuselnde Wasser
an Schilf und Toten vorbei
im gleitenden Flug.

Ich hörte den windschnellen Schrei
und sah dich aus lehmigem Loch,
hinter klagendem Draht, entwurzelten Weiden,
wo es verwest und brandig roch.

Zwischen den beiden
Sicheln des Mondes wurde ich alt
wie der blutgetränkte Fluß voll treibender Leichen,
wie der aschig trauernde Wald.«

Die alte Frage Brechts, das Gespräch über Bäume betreffend, welches zum Verbrechen wird, »weil es ein Schweigen einschließt über so viele Untaten« – sie wird von Huchel neu gestellt:

»Zarteste Kraft des Halms,
der die Erde durchstößt,
tauiger Ölbaum, Wasser des Bachs,
darf ich euch preisen,
eh nicht der Mensch den Menschen erlöst?«

Und sie wird beantwortet durch Huchels Kriegsgedichte. Huchels erster Gedichtband endete noch mit einem Hoffnungsschimmer inmitten des Grauens über die Zerstörungen: dem ausgebrannt Heimgekehrten begegnet

»(...) eine Frau aus wendischem Wald.
Suchend das Vieh, das dürre,
das sich im Dickicht verlor,
ging sie den rissigen Pfad.
Sah sie schon Schwalbe und Saat?
Hämmernd schlug sie den Rost vom Pflug.

Da war es die Mutter der Frühe,
unter dem alten Himmel
die Mutter der Völker.
Sie ging durch Nebel und Wind.
Pflügend den steinigen Acker,
trieb sie das schwarzgefleckte
sichelhörnige Rind.«

Am Schluß des zweiten Bandes dagegen stehen, mit der Aussicht auf den nächsten Krieg, Verse einer wahrhaft alttestamentarischen Verdüsterung:

»Und nicht erforscht wird werden
Ein Geschlecht,
Eifrig bemüht,
Sich zu vernichten.«

III

Von Hofmannsthal stammt das Wort, in der Dichtung sei der eigene Ton das, worauf es allein ankomme. Diesen eigenen Ton hat Huchel früh gefunden und nie wieder verloren.

Nicht, als ob er sich nicht entwickelt hätte. Aber diese Entwicklung ist frei von Sprüngen und Überraschungen; sie ist auch frei von Brüchen und Enttäuschungen. Vergleicht man die beiden Gedichtbände Huchels, so finden sich bedeutende Entfaltungen, Umschichtungen, Gewichtsverlagerungen. Wenn jedoch ein alter Förderer Huchels, der Kritiker Willy Haas, das Hauptmerkmal der späten Gedichte in einer »tiefen und wahren Vergeistigung« sieht und sich von ihnen ausgerechnet an den späten Hölderlin erinnern läßt, so scheint uns dies ganz dazu angetan, den Liebhaber irrezuführen und den Kenner zu verstimmen. Huchels Werk kennt keine philosophischen Ambitionen oder Prätentionen; es hat mit der Tradition des Dichter-Sehers nichts gemein. Huchel ist zwar nicht – wie uns ein anderer Kritiker glauben machen will – ein »treuherziger« Dichter (dagegen zeugt seine hohe editorische Intelligenz), aber doch ein im besten Sinn naiver und vor allem ein Dichter mehr der Sinne als des Geistes. (Kaum weniger abwegig scheint uns auch Werner Wilks Versuch, Huchel mit Eichendorff in Verbindung zu bringen.) Richtig ist an der Behauptung von Willy Haas, daß die späten Verse Huchels kühler, trockener und spröder wirken, daß sie weniger welthaltig und zugleich weniger klangvoll sind, daß eine Art Hypertrophie des Gesichtssinns begleitet ist von einer relativen Atrophie der anderen Sinne. Während der frühe Band noch idyllische Zustände kennt, ist der späte ganz auf einen elegischen Generalbaß abgestimmt, der sich bis zum abgründigen Pessimismus verdichten kann. Leitwörter dieser späten Gedichte, die chiffrenartig immer wieder auftauchen, sind »Schatten« und »Tote«, »Herbst« und »Winter«, »Starre«, »Stille« und »Nebel«, »Felsen« und »Schnee«. Rätseln und Trauern, Klage und Anklage treten an die Stelle von Staunen, Bewundern und Lob. Dem entsprechen andere Wandlungen. Der frühe Band enthält kaum unstrophische Gebilde, der späte kaum regelmäßig strophisch gegliederte: die Metapher allein bestimmt den Vers, und sie tut es auf Kosten von Metrum, Syntax und – zuweilen – Nachvollziehbarkeit. Freie Rhythmen herrschen vor, kristallisieren sich aber bemerkenswert oft zum elegischen Grundmotiv des adonischen Verses. Das rhythmische Bild von Gedichten wie *Le Pouldu* oder *Winterpsalm* ist – darin Trakls *Grodek* verwandt – ganz von diesem Vers bestimmt: »Hängt sich ein Schreien«, »Einfalt des Landes«, »Feuer der Distel«, »Rücken der Klippe«, »Zottige Pferde«, »über der Dünung«, »perlende Fäden« sind nur einige Beispiele aus dem ersten; die folgenden adonischen Verse stammen alle aus dem zweitgenannten Gedicht: »Kälte des Himmels«, »Stieß sich am Trugbild«, »Alles Verscharrte«, »soll ich es heben«, »zeigen dem Richter?«, »Kehle des Schilfrohrs« und so weiter. Die Verwendung des Reims sinkt von fast 100 Prozent in den frühen Gedichten auf weniger als 25 Prozent in den späten. Und während die Dichte des metaphorischen Sprechens in Huchels Werk ständig steigt, nehmen umgekehrt die sprachlich (durch Wörter wie »als ob«, »wie« etc.) *expliziten* Vergleiche dauernd ab. Der Gebrauch des Wortes »Ich« und seiner Perspektive findet sich in der Hälfte der frühen Gedichte, aber in weniger als einem Drittel der späten. In den letzten Gedichten mehrt sich dagegen die Verwendung der uneigentlichen Du-Form, die man aus den Spätgedichten Benns kennt: ein gespaltenes Ich hält einsame Zwiesprache mit sich selbst. Deutlich, nämlich auf weniger als die Hälfte, geht ferner die Zahl der Neuprägungen zurück – eine stilistische Qualität, denen die frühen Verse viel von ihrer Kraft und Frische verdanken. Wörter von einer Prägekraft wie »mondhörnig«, »rauhreifübereist«, »nebelsaugender Strauch«, »zeisiggrüne Vogellast«, »distelsausende Nacht«, oder (in einem einzigen Gedicht, und durch die Wiederholung des daktylischen Versfußes noch strukturell gestützt) »Schattenwind«, »Schwalbenjahr«, »Nachtgeläut«, »Küchenrauch« und »Krähenwald« – solche Wortprägungen finden sich im Spätband nur noch vereinzelt. In dem Maße, in dem sie abnehmen, nimmt aber eine verwandte Erscheinung zu – die für die zeitgenössische Lyrik so bezeichnende Genitivmetapher. Hans Egon Holthusen hat im Überhandnehmen solcher Genitivverbindungen (»Kleingeld aus der surrealistischen Ladenkasse«) ein Zugeständnis Huchels an modische Zeitströmungen gesehen. Abfällige Bemerkungen dieser Art sollten jedoch nicht darüber hinwegtäuschen, daß die Genitivmetapher, mit ihrer kühnen Verbindung weit auseinanderliegender Bereiche, eben tatsächlich so etwas wie ein Miniaturmodell aller schöpferischen Tätigkeit darstellt und daß ihre Faszinationskraft deshalb keineswegs äußerlich, sondern sehr wohl begründet ist. Zudem hätte ein Blick auf Huchels frühen Band den Kritiker belehren können, daß die Verwendung der Genitivmetapher bei Huchel bis in die zwanziger Jahre zurückreicht und ihrem In-Mode-Kommen deshalb nicht folgt, sondern durchaus vorausgeht: »Moder des Himmels«, »Hürde des Nebels«, »des Todes Säbelkorb«, »des Windes Webstuhl«, »der Trauer Hunde«, »Schutt der Nacht«, »Lauch der Armut«, »Rost des Sommers« sind nur einige Beispiele solcher Verwendung im frühen Werk Huchels. Ferner ließe sich zeigen, daß andere Lyriker (etwa Celan, Nelly Sachs, auch Goll) in ihrer Vorliebe für die Genitivmetapher Huchel um nichts nachstehen und vor allem, daß die wirklichen Funde die bloß manieristische Routine bei Huchel weit überwiegen. Fügungen wie »Fuß der Frühe«, »Schultertuch der Nacht«, »Faden stürzender Jahre«, »Speicher der Stille«, »Steinschlag roher Worte« oder »Maul der Verwesung« scheinen uns durch Holthusens »Kleingeld aus der surrealistischen Ladenkasse« nicht abgetan. Und schließlich sollte es offensichtlich sein, daß *isolierte* Metaphern überhaupt nicht kritisch »widerlegt« werden können, weil solche Strukturorgane ihre wahren Kräfte nicht im Zustand der Amputation, also unter Lokalanästhesie, entfalten, sondern nur dort, wo sie innerhalb einer geprägten Gestalt zu wirken vermögen.

Mehr als einmal taucht in Auseinandersetzungen mit Huchels später Lyrik der Begriff des Surrealismus auf. Die möglicherweise engen Beziehungen zwischen Naturlyrik und Surrealismus sind bekannt – wie fließend die Grenzen hier verlaufen können, zeigt besonders eindringlich das Werk Karl Krolows. Surrealistische Anklänge auch bei Huchel – gewiß. Der programmatische Surrealismus à la Breton enthält aber auch wichtige Aspekte – der poetologisch etwas fatale Begriff des Unbewußten, die automatische Schreibweise etc. –, von denen sich bei Huchel keine Spur findet. Zur Charakterisierung von Huchels Spätwerk wäre man deshalb eher versucht, den Begriff des »Imagismus« auch für die deutsche Kritik nutzbar zu machen. Mit diesem Begriff könnte, in Vereinfachung Poundscher Thesen, die Tendenz bezeichnet werden, einzelnen Bildern immer größeres Gewicht und immer größere Freiheit zu geben, bis solche Bilder schließlich zum einzig angestrebten Selbstzweck werden: Die Selbstherrlichkeit der

Metapher geht zum Teil auf Kosten traditioneller Syntax, die bis auf Blöcke rein nominaler Nennungen abgebaut werden kann. Auch gefährdet solche Freiheit nicht selten den Gesamtnexus. Dieser kann so sehr geschwächt werden, daß der Eindruck überaus scharf gesehener, aber voneinander völlig unabhängiger Einzelbilder entsteht. Ein Beispiel dafür wäre etwa das Gedicht *Hinter den weißen Netzen des Mittags,* das es schwerhaben dürfte, sich gegen den Vorwurf der Privatheit zu verteidigen. In Huchels späten Gedichten ist das Metaphernarsenal durch biblische, mythische, historische und persönliche Bezüge noch bedeutend erweitert. Die Landschaft, immer noch das Herzstück von Huchels Metaphernwelt, bezieht nun, außer der Mark, vom Atlantik bis zum Schwarzen Meer auch Frankreich, Italien, Polen, Bulgarien, Rumänien, ja sogar Vorderasien mit ein; sie kann aber auch, statt der eigenen Anschauung, mythologischen Quellen entstammen oder diese Elemente verbinden. Und das ästhetische Schwergewicht in Huchels Spätwerk, seine Kraft und seine Eigenständigkeit, ruhen ganz in der Kühnheit und Treffsicherheit dieser Metaphern – von der »nachmetaphorischen« Schreibweise, die ein Lyriker wie Heißenbüttel für das Zeitgemäße hält, hat diese Lyrik nichts. Was hingegen Krolow von sich sagt – »in einem gewissen Sinn ›interessiert‹ mich am Gedicht die Metapher am meisten« –, das darf wohl auch für Huchel gelten, zumal für seine späteren Gedichte. Damit schließt sich aber ein Kreis bis zurück zu Hofmannsthal. Denn auch für ihn war, wie für Huchel, der uneigentliche, der bildhafte Ausdruck »Keim und Wesen aller Poesie: jede Dichtung ist durch und durch ein Gebilde aus uneigentlichen Ausdrükken«.

Während Huchels später Gedichtband alles Persönliche mehr und mehr ausklammert oder doch sublimiert, beweisen in jüngster Zeit entstandene Verse des Dichters, daß dieselbe imagistische Grundtechnik auch durchaus persönliche Themen entwickeln kann:

Exil

»Am Abend nahen die Freunde,
Die Schatten der Hügel.

Sie treten langsam über die Schwelle,
Verdunkeln das Salz,
Verdunkeln das Brot
Und führen Gespräche mit meinem Schweigen.

Draußen im Ahorn
Regt sich der Wind:
Meine Schwester, das Regenwasser
In kalkiger Mulde,
Gefangen
Blickt sie den Wolken nach.

Geh mit dem Wind,
Sagen die Schatten.
Der Sommer legt dir
Die eiserne Sichel aufs Herz.
Geh fort, bevor im Ahornblatt
Das Stigma des Herbstes brennt.

Sei getreu, sagt der Stein.
Die dämmernde Frühe
Hebt an, wo Licht und Laub
Ineinander wohnen
Und das Gesicht
In einer Flamme vergeht.«

Aber auch im Angesicht eines solchen zugleich bedeutenden
und mühelos nachvollziehbaren Gedichts läßt sich nicht, mit
Zack, behaupten, sein Autor habe »den Weg zum Realismus
gefunden«. Huchels Weg scheint uns in genau umgekehrter
Richtung zu führen. Und so muß also letzten Endes zugegeben werden, daß Huchel im Sinne ostzonaler Literaturpoli-
tik sozusagen mit Recht in Ungnade gefallen ist und mit Recht
gemaßregelt wurde, daß vom Band *Chausseen Chausseen* mit
Recht keine Auflage in der Zone erschienen ist. Denn mit
»sozialistischem Realismus« haben Huchels späte Gedichte
tatsächlich nichts gemein. Selbst von einem so großzügigen
Essay wie Brechts über *Weite und Vielfalt der realistischen
Schreibweise* (der sich ausdrücklich dagegen wendet, »der
realistischen Schreibweise vom Formalen her Grenzen zu setzen«) sollte man nicht erwarten, daß er Huchels Verse will-

kommen hieße. Denn auf Grund von ästhetischen Kriterien, die sich, in Brechts Worten, »von den Bedürfnissen unseres Kampfes« ableiten, sind Huchels späte Verse ein für allemal nicht zu rechtfertigen. Ob sich allerdings diese Kriterien ihrerseits *ästhetisch* rechtfertigen lassen (und die damit verbundene Methode der Stillegung *politisch*), muß ebenfalls gefragt und wird ebenfalls verneint werden. Der Ton verschiedener westöstlicher Schriftstellerkongresse der letzten Jahre legt zudem die Annahme nahe, daß die Stunde für den sozialistischen Realismus als allein seligmachendes Dogma auch in den Oststaaten geschlagen haben dürfte.

(1968)

Peter Hutchinson
»Der Garten des Theophrast« –
Ein Epitaph für Peter Huchel?

Man muß bedauern, daß Peter Huchel heute in England so wenig bekannt ist, denn obgleich sein Werk kaum kritische Erörterung gefunden hat, ist er zweifellos einer der größten lebenden Lyriker Deutschlands. Huchels Ansehen im Osten wie im Westen gründet sich jedoch nur zum Teil auf seine Gedichte; es beruht mindestens ebenso, wenn nicht gar zum größeren Teil, auf seiner Tätigkeit als Herausgeber von *Sinn und Form,* die er vom ersten Heft im Jahre 1949 an vierzehn Jahre ausübte. Auf Betreiben von Johannes R. Becher, des damaligen Präsidenten des Kulturbundes der Sowjetischen Zone, wurde er Chefredakteur, und in kurzer Zeit hatte er die Zeitschrift zum besten literarischen Blatt in beiden Teilen Deutschlands gemacht. Doch gerade das, wodurch sich diese Publikation vor andern auszeichnete, raubte Huchel die Gunst der DDR-Kulturspitze und führte schließlich zu seinem Sturz: seine liberale herausgeberische Linie (die ihn nicht nur westdeutsche Schriftsteller, sondern auch so berühmte unorthodoxe Marxisten wie Ernst Bloch, Georg Lukács, Hans Mayer und Ernst Fischer veröffentlichen ließ) widerstrebte den führenden Dogmatikern Alfred Kurella und Kurt Hager, die von *Sinn und Form* eine viel eindeutigere politische Orientierung forderten, als Huchel zuzugestehen bereit war. Allen ihren Protesten und Drohungen zum Trotz blieb Huchel kompromißlos, aber es war deutlich nur eine Frage der Zeit, wann die Duldung seiner »westlichen« Allüren durch die Partei ein Ende finden würde. Wahrscheinlich trug der Bau der Berliner Mauer zur Beschleunigung bei; nach ernsten Schwierigkeiten mit der Partei Anfang 1962 trat Huchel nach dem Erscheinen der letzten Ausgabe jenes Jahres »freiwillig« zurück. Er fiel zwangsläufig einigen aus der Vergangenheit herrührenden politisch-kulturellen Attacken zum Opfer, hat aber seither ein zurückgezogenes und unbehelligtes Leben geführt, von den meisten anderen Schriftstellern der DDR geächtet.

Das letzte Heft von *Sinn und Form,* das Huchel herausgeben sollte, enthielt das folgende Gedicht:

Der Garten des Theophrast
                    Meinem Sohn

»Wenn mittags das weiße Feuer
Der Verse über den Urnen tanzt,
Gedenke, mein Sohn. Gedenke derer,
Die einst Gespräche wie Bäume gepflanzt.
Tot ist der Garten, mein Atem wird schwerer,
Bewahre die Stunde, hier ging Theophrast,
Mit Eichenlohe zu düngen den Boden,
Die wunde Rinde zu binden mit Bast.
Ein Ölbaum spaltet das mürbe Gemäuer
Und ist noch Stimme im heißen Staub.
Sie gaben Befehl, die Wurzel zu roden.
Es sinkt dein Licht, schutzloses Laub.«

Eine klare Intention Huchels läßt sich diesem Gedicht schwer entnehmen; es beeindruckt formal, besitzt jedoch keine scharf umrissene »Bedeutung«. Freilich gibt es drei Ebenen, auf denen man Bedeutung untersuchen kann: zunächst an der Oberfläche, wo die Klage eines Sterbenden über persönlichen Verlust und Verfolgung als Thema erscheint. Die zweite Ebene ist die der klassischen Bezüge: indem der Leser dem Leben der zentralen Figur, Theophrast, nachgeht, klären sich für ihn bestimmte rätselvolle Bilder und Motive des Gedichts, insbesondere die Dominanz von Begriffen aus dem pflanzlichen Bereich. Schließlich gibt es die persönliche Ebene: obgleich es beim Interpretieren ungemein helfen kann, wenn man die klassischen Anspielungen verfolgt, so scheint mir doch ein vollständig befriedigendes Verständnis des Gedichtes nur auf dem Weg über die biographische Untersuchung erreichbar. Zudem glaube ich, daß der Dichter die Suche nach einer persönlichen metaphorischen Ebene erwartete – daß er also die rätselhaften Bilder als Maske gebrauchte, um den Leser dazu zu verleiten, sich in die Tiefe der Bezüge unter der Oberfläche des Gedichts einzulassen.
Leider hat bisher nur ein Kommentator klar erkannt, wie

wichtig für das Verständnis von Huchel die Betrachtung der biographischen Umstände seines Werdegangs ist. Insbesondere entbehrt nicht der Ironie, daß selbst ein so hervorragender Literaturwissenschaftler wie Hans Mayer, der nicht nur ein naher Freund des Dichters war, sondern sogar selbst von »Doppeldeutigkeit« und »Geheimsprache« in der Literatur der DDR gesprochen hat, die klassische Fassade von *Der Garten des Theophrast* nicht durchdringen konnte[1], und daß Michael Hamburger, der den Nachweis einer persönlichen Grundlage des Gedichts für sich geltend machte, es desungeachtet so allgemein behandelt, daß unersichtlich bleibt, wie er es interpretiert.[2] Lediglich Robert Lüdtke[3] hat mit Erfolg nach biographischen Bezügen geforscht; da er diese jedoch nur kurz skizziert und gewisse, meines Erachtens bedeutsame Punkte übergeht, dürfte eine ausführlichere Interpretation gerechtfertigt erscheinen.

Der Garten des Theophrast beginnt mit einem rätselvollen Bild: Flammen der Dichtung erheben sich über Urnen. Hier mag eine literarische Anspielung intendiert sein, in jedem Fall aber eine unverständliche. Die Urne selbst ist natürlich ein traditionelles Symbol des Todes (zumal für die Asche, die nach dem Tod zurückbleibt), aber an diesem Punkt muß eine solche Andeutung vielsinnig bleiben; sie läßt sich nur im Licht dessen, was folgt, interpretieren. Das Bild bewirkt, daß der Leser unverzüglich in die Welt des Dichters eintaucht – weder jetzt noch später erhält er irgendwelche Zugeständnisse; es wird von ihm erwartet, daß er sich ohne Hilfe in diesem persönlichen Zeugnis zurechtfindet, das noch obendrein an den Sohn des Dichters gerichtet ist.

Der Vorgriff – »Wenn (...)« – und das Enjambement der ersten beiden Verse wecken im Leser ein Gefühl der Erwartung und leiten hinauf zu einem rhythmischen Höhepunkt in den ersten Wörtern von Vers 3. Die Kürze dieses Satzes steht in plötzli-

---

1 Analysiert in *Zu Gedichten von Peter Huchel*, abgedruckt in: *Zur deutschen Literatur der Zeit* (Reinbek, 1967), S. 180-182; Hinweise auf ›Äsopismus‹ in: *Die Literatur der DDR und ihre Widersprüche*, ibid., S. 374-394 (386).
2 *The Truth of Poetry* (London, 1969), S. 260-261.
3 *Über neuere mitteldeutsche Lyrik im Deutschunterricht der Oberstufe*, in: *Der Deutschunterricht*, Bd. XX (1968), 5, S. 38-51 (49-51).

chem Kontrast zu der Länge des Vorhergehenden, während die Pause nach dem feierlichen Gebot »Gedenke« sowie die rauhen Laute »g«, »d« und »k« die Vorwärtsbewegung aufhalten; so fällt die steigende Kadenz der ersten beiden Verse schroff im Verlauf einer halben Zeile. Weiter verstärkt wird das Gewicht dieses Satzes durch den Kontrast zum Vorangehenden hinsichtlich der Verständlichkeit: seine Schlichtheit steht kraftvoll gegen das Dunkel des ephemeren Eröffnungsbildes. Die Wiederholung von »Gedenke« besitzt mehrfache Wirkung: sie betont das Thema Erinnerung, indem sie unterstreicht, daß das Gedicht für die Nachwelt bestimmt ist; sie bringt einen würdevollen Ton hinein, der durch den ein wenig archaischen Charakter des Verbs »gedenken« noch verstärkt wird; vor allem aber dehnt sie den Höhepunkt bis auf die Schlußwörter von Vers 4 aus. Das Gewicht, das diesen Wörtern in ihrer Klimax-Stellung normalerweise zukäme, wird durch zwei Faktoren noch gesteigert: zunächst sind sie durch die Wiederholung in Vers 3 aufgeschoben, die zur Folge hat, daß man erst in der vierten Zeile zu dem Objekt von »Gedenke« vordringt; so kommt zu Beginn von Vers 3 eine steigerungsträchtige Spannung auf – wo das Verb ohne einen nachfolgenden Genetiv gebraucht ist –, die sich erst löst, wenn man die abschließende erläuternde Ergänzung erreicht. Und zweitens wird nach »einst« eine winzige Lesepause notwendig; so verleiht die Retardierung des Rhythmus den folgenden Wörtern mehr Nachdruck, und entsprechend ragt die Wortgruppe »Gespräche wie Bäume gepflanzt« als grammatische, rhythmische und folglich auch emotionale Klimax hervor. Beim ersten Lesen mag einem die Bedeutung dieser Wendung dunkel erscheinen, doch gerade die Qualität des Ungewöhnlichen, die der Metapher anhaftet, hilft beim Interpretieren. Der Leser kommt kaum umhin, sich an eine ähnlich ungewöhnliche Verknüpfung in Brechts Gedicht *An die Nachgeborenen* gemahnt zu fühlen, und der Vers bekommt eine ganz neue Bedeutung, wenn man ihn als Anspielung darauf erkennt:

»Was sind das für Zeiten, wo
Ein Gespräch über Bäume fast ein Verbrechen ist
Weil es ein Schweigen über so viele Untaten einschließt!«

Diese Vermutung wird gestützt durch die Tatsache, daß *An die Nachgeborenen* zu Brechts bekanntesten Gedichten gehört, zumal in der DDR, wo sein Thema besondere Relevanz besitzt und die genannten Zeilen daraus am häufigsten zitiert werden. Huchel ist mit Brechts Werk wohlvertraut; die Dichter waren Freunde, solange Brecht lebte, und nach seinem Tod erschien in *Sinn und Form* wiederholt Material aus seinem Nachlaß. Und das Heft, in dem *Der Garten des Theophrast* erstveröffentlicht wurde, enthielt einen bis dahin unpublizierten Essay von Brecht, nämlich seine *Rede über die Widerstandskraft der Vernunft*.[4] Die Nebeneinanderstellung so ungewohnter Wörter wie »Gespräche« und »Bäume«, die jedoch dem Dichter wie seinem Publikum aus einem andern Zusammenhang genau bekannt war, spricht deutlich für die Vermutung, es handle sich hier um eine bewußte Anspielung.

Geht man einmal davon aus, so kehrt Huchel offen Brechts Wertskala um. Wo dieser »Gespräche über Bäume« (d. h. über das Schöne und somit Irrelevante) verdammt, scheint Huchel auf seine Aufmerksamkeit für solche Gegenstände stolz zu sein. Jedenfalls läßt der ernste, durch den schwerfälligen Rhythmus noch verstärkte Ton den Schluß zu, daß der Dichter etwas zur Nachahmung empfiehlt. Eine weitere wörtliche Parallele zwischen *An die Nachgeborenen* und *Der Garten des Theophrast* deutet auf genau denselben Punkt hin: das Verb »gedenken«, das in beiden Gedichten thematisch zentral vorkommt. Während sich Huchel aus einem Gefühl des Stolzes und Märtyrertums heraus zubilligt, an die Erinnerung seines Sohnes zu appellieren, ist Brecht von Scham erfüllt, weil sein Werk der historischen Situation nicht angemessen ist; er bittet darum die Nachwelt, sich seiner Generation mit Nachsicht zu erinnern: »Gedenkt unsrer/ Mit Nachsicht.« Wie Huchel wiederholt Brecht dieses Verb und gebraucht es das erste Mal ohne nachfolgenden Genetiv, um eine Spannung zu erzeugen; so gehäufte Indizien beweisen praktisch, daß wir es mit einem kryptischen literarischen Zitat zu tun haben.

Rhythmisch wie thematisch folgt darauf ein plötzlicher Bruch

4 *Sinn und Form*, XIV. Jahr (1962), 5. u. 6. Heft, S. 663-66.

im Gedicht. Vers 5 ist förmlich ein Aufschrei, und das Schreckliche der Situation wird durch die ungewohnte Stellung des Wortes »tot« noch intensiviert; es ist zudem die einzige voll betonte Anfangssilbe im ganzen Gedicht. In der Kürze der folgenden Kola wie auch in ihrer parataktischen Anordnung spiegelt sich das Gefühl von Atemlosigkeit, auf das schon mit »Mein Atem wird schwerer« hingewiesen wird, jedoch scheint dieses neue Thema in keiner Beziehung zum vorangehenden zu stehen, und auch die folgenden Verse tragen kaum zu seiner Interpretation bei; sie dienen einzig dazu, eine Verbindung zum Titel herzustellen. Aber sie greifen das Thema der Erinnerung neu auf, wiederum mit einer leicht archaischen Wendung: »bewahre die Stunde«; wie »gedenke« (Vers 3) hat auch »bewahre« einen biblischen Klang, und beide Verben erhalten durch ihre Stellung am Beginn des Verses Gewicht. Solch feierliche Gebote bewirken eine Verdichtung der Aura von Würde, die den Sprecher umgibt; ja im Verbund mit der Widmung, der strengen Form und der undurchsichtigen Bildwelt erheben sie ihn beinahe zum Seher.

Die Verse 7 und 8 kehren zum Thema des Gartens zurück und verdeutlichen die Stellung Theophrasts im Gedicht. Im Gegensatz zu der vorhergehenden Parataxe strömen diese Verse wieder Ruhe aus, eine Wirkung, die durch Assonanzen und Alliterationen unterstützt wird. Die entschiedenen »b's« in »binden« und »Bast« werden verstärkt durch die aneinander anklingenden »nd's« in »wunde«, »Rinde« und »binden«; dies rundet die Atmosphäre von Harmonie und sich sammelnder Kraft, die dem Vers eignet. Hierzu tragen weiter die entschiedenen Anfangs- und Endkonsonanten des einsilbigen Abschlußwortes »Bast« bei, während ein anderer Aspekt der Konvergenz im Reim »Bast« – »Theophrast« zu erblicken ist. Wie alle Reime befriedigt dies den Leser lautlich, spiegelt so den Gefühlsgehalt des Verses wider und vertieft die in dessen Bedeutung enthaltene emotionale Erfahrung. Übrigens sind nur wenige der späteren Gedichte Huchels gereimt, doch das hier angewandte unorthodoxe Reimschema (wo der zum ersten Vers gehörende Reim erst viel weiter unten im Gedicht erscheint) findet sich in verschiedenen seiner früheren Arbeiten.

Eine weitere Zäsur folgt; im letzten Teil herrscht ein ruhigerer Ton und eine Spur von Bedauern. Die Bilder geben wieder Rätsel auf, und nur ein Faktum wird sogleich evident: der Befehl, den Olivenbaum zu entfernen, hat die innere Kraft des Dichters nachhaltig gebrochen. Mit dem »ist noch« in Vers 10 kommt ein leiser Hoffnungsschimmer auf, doch die letzten Verse lösen diese Spannung zugunsten eines eindeutig düsteren Tons. Der vorletzte Vers wirkt plötzlich hart – »sie gaben Befehl« ist brüsk, das Verb »roden« gemahnt an Gewalt, und der sozusagen theoretische Reim, der dieses Wort mit »Boden« verbindet, wird wegen des weiten Abstandes kaum fühlbar. Der hier geschaffene Mißton löst sich in der Schlußzeile wenigstens auf der lautlichen Ebene: die dort dominierenden »s's« und »l's« haben im wesentlichen einen sanften Klangcharakter und, in diesem Rhythmus, eine mimetische Funktion. Der Gefühlswert des Verbs »sinkt« wird insbesondere untermauert durch den auf zwei Jamben folgenden Daktylus: das bedeutet, daß zwei Akzente an der Zäsur zusammenfallen, während die beiden folgenden unbetonten Silben im Vergleich dazu ›wegsinken‹. Die abschließende Silbe »Laub« trägt nur Nebenton, und auch hier ist der Klangcharakter wieder weich (»l« und am Ende »b«): durch kunstvolle Verwendung von Reim- und Klangmitteln gelingt es Huchel vorzüglich, dem herbstlichen Sinn des Verses Nachdruck zu verleihen.

Ich habe oben die Eindrücke angedeutet, die sich aus einer formalen Betrachtung von *Der Garten des Theophrast* gewinnen lassen. Auf dieser Stufe erscheint es als ein Gedicht, das beachtliche poetische Kunstfertigkeit aufweist, aber durch seine offenbar miteinander unverbundenen Bilder verwirrt. Zwar sind diese für sich genommen durchaus verständlich, aber ihre Bedeutung innerhalb des Ganzen ist dunkel. Ein weiterer rätselhafter Zug ist der scheinbar fehlende Zusammenhang zwischen den drei, aus je vier Versen bestehenden »Strophen«. Darüber hinaus läßt sich schwer sagen, was genau die seelische Krise im Dichter hervorgerufen hat, obgleich die unverbundenen Gedanken seinen inneren Zustand widerspiegeln mögen; der Befehl, die »Wurzel« zu entfernen, allein erscheint dafür als ein zu trivialer Anlaß. Geht man das Gedicht auf der Ebene der klassischen Bezüge durch, so lassen sich einige dieser geheimnisvollen Punkte aufklären, jedoch beileibe nicht alle.

Das Gedicht gründet sich auf eine Krise im Leben des Theophrast, eines wenig bedeutenden griechischen Philosophen und Botanikers. Für diese Untersuchung sind folgende Aspekte seines Lebens relevant: erstens, daß er der Nachfolger von Aristoteles als Haupt der Peripatetischen Schule war, und zweitens, daß sein Ruhm vornehmlich auf seinen botanischen Arbeiten beruht. Diese zu kennen, hilft sicherlich bei der Interpretation des Gedichts: der Garten (wo Theophrast sich mit seinen Freunden zu unterhalten liebte), die Olive (der für Athen charakteristische Baum), die Verwendung von Eichenlohe (von Theophrast in seiner *Naturgeschichte der Gewächse* verlangt), die Sorgfalt beim Pflegen der Bäume, der Schmerz über den Befehl, die Wurzel zu entfernen – alles bekommt eine tiefere Bedeutung. Ebenso wie in Gérard de Nervals *El Desdichado* Anspielungen auf klassische und mythische Gestalten das Grundthema Verlust ergänzen, so untermauern auch in Huchels Gedicht diese historisch verifizierbaren, Theophrast bezeichnenden Züge bestimmte, bereits empfangene Eindrücke. Und doch verleihen diese Züge dem Gedicht zwar eine *tiefere,* aber keine *lebendigere* Bedeutung; das Wissen um die klassische Gestalt, um die herum das Gedicht gebaut zu sein scheint, erklärt nur kleine Details und betrifft kaum den Sinn des Ganzen. Einer ernsteren Überlegung wert ist jedoch der Umstand, daß sich gewisse Elemente der klassischen Analogie offenbar widersetzen; der Verweis auf »Vers« zum Beispiel, der zu einem Philosophen und Botaniker schlecht passen will; während der Ausgangspunkt des Gedichtes – eine Krise, die dadurch hervorgerufen wird, daß man den Sprecher verfolgt mit der Zerstörung dessen, was ihm teuer ist – auf den klassischen Theophrast in keiner Weise zutrifft. Wenn dieser auch in seinen frühen Jahren verfolgt wurde (er mußte Athen eine Zeitlang verlassen), so wurde er doch in seinem späteren Leben hoch geachtet, besonders zur Zeit seines Todes. Tatsächlich wirkt der klassische Rahmen immer verwirrender, je genauer man die Anspielungen mit dem Thema vergleicht; die meisten Anspielungen scheinen in diesen Rahmen zu passen, aber das Thema ist ihm fremd. An diesem Punkt sieht sich der Leser gezwungen, das Gedicht im Licht der Biographie zu betrachten; wie im Fall von Nervals Werk kann er nur auf diese Weise zu einer völlig befriedigenden Deutung solch scheinbar einander widersprechender Züge gelangen.

Der Garten des Theophrast erschien zuerst gedruckt im letzten Heft von *Sinn und Form*, das Huchel herausgeben sollte: es stand als erstes einer Folge von sechs seiner eigenen Gedichte, und vielleicht wollte er damit die Aufmerksamkeit darauf lenken. Jedenfalls war sich Huchel nun bewußt, daß sein Rücktritt unmittelbar bevorstand, daß er »ideologischer Koexistenz« beschuldigt worden war und daß seine Zeitschrift als »Brücke zwischen Ost und West« galt.[5] Es mußte ihm naheliegen, seine Gefühle an einem so kritischen Punkt seiner Laufbahn poetisch auszudrücken (wie schon früher in solchen Lagen, zumal während des Krieges), und *Der Garten des Theophrast* scheint mir das Gedicht zu sein, in dem er dies getan hat; es gibt kein anderes Werk, das die Krise erwähnt.

Die Figur des Theophrast ist ganz deutlich eine Maske für die des Dichters Huchel. Zu diesem Zeitpunkt hätte er seine Gefühle schwerlich direkt ausdrücken können; abgesehen von ästhetischen Gründen hinderte ihn schon die Möglichkeit von Repressalien daran. Statt dessen hat er eine klassische Gestalt gewählt, um seine Intentionen zu verbergen – ein traditionsreiches poetisches Verfahren. Paradoxerweise wird jedoch die Funktion der Parallele zwischen Huchel und Theophrast erst evident, sobald wir verstehen, daß es keine echte Parallele ist; und der Leser, der ein Werk über Theophrast zu Rate zieht (worum man im Falle einer solchen Nebengestalt nicht herumkommt), sticht dies sofort ins Auge. Wie wir weiter oben betonten, läßt sich das Thema des Gedichts nicht auf den Griechen übertragen, wie gründlich man seinem Leben auch nachgeht, und einige andere Aspekte erscheinen ebenfalls nicht passend. Ihnen kann eine spezifisch poetische Funktion nur

5 Diese Behauptungen, sowie eine Reihe weiterer Anklagen gegen Huchel und seine Zeitschrift, finden ihren glühendsten Ausdruck in Kurt Hagers *Parteilichkeit und Volksverbundenheit unserer Literatur und Kunst*. Wichtige Passagen daraus werden zitiert in: Lothar von Balluseck, *Literatur und Ideologie* (Bad Godesberg, 1963), S. 38-39.

zugewiesen werden, wenn man sie im biographischen Licht untersucht.

Der erste Hinweis, daß das Gedicht eine persönliche Äußerung verbirgt, ist in der Widmung enthalten: »meinem Sohn«. Es ist deshalb unwahrscheinlich, daß sich die folgenden Verse ausschließlich auf Theophrast beziehen; Huchels Sohn zumindest würde sich mehr an persönlichem Inhalt daraus erwarten, als die allgemeinen, einen unbedeutenden Philosophen und Botaniker betreffenden Informationen. Zudem stellt *Der Garten des Theophrast* das einzige Gedicht in Huchels gesamtem Schaffen dar, das ausdrücklich seinem Sohn gewidmet ist: das deutet sicherlich darauf hin, daß es wichtig und an die Nachwelt gerichtet ist. Die Andeutung einer Parallele, oder, andererseits, des Fehlens einer solchen, taucht in Vers 6 auf. Vier Verse lang hat Huchel zunächst eindeutig mit seiner eigenen Stimme gesprochen (in der, die ihn die Widmung so fassen ließ, wie er sie faßte), doch dann hält er sich für den verbleibenden Teil des Gedichts eine *persona* vor und identifiziert sich mit Theophrast in dessen besonderer Rolle als Gärtner. Wenn dieser nun auch für seine botanischen Interessen wohlbekannt ist, so schrieb er doch keine Lyrik; ja er scheint nicht einmal ein großer Liebhaber davon gewesen zu sein. Das wäre an sich ohne Bedeutung, wenn die Theophrast betreffenden Anspielungen metaphorisch auf die Situation des modernen Dichters paßten, jedoch einige von ihnen (vor allem der vorletzte Vers) sind deutlich *nicht* relevant für das Leben des Griechen. Dies Paradox läßt sich auflösen, wenn man versteht, daß Huchel sich nur teilweise mit dem archetypischen Pfleger der Pflanzen identifiziert – wirkliche Parallelen zwischen beiden auf der metaphorischen Ebene finden sich meines Erachtens nur in den Versen 7 und 8, während Huchel die botanischen Bilder sich im übrigen Gedicht zu eigen macht, um indirekt seine eigene beklagenswerte Lage anzudeuten.

Die Verkehrung von Brecht läßt sich nun klarer verstehen; damit ist impliziert, daß Huchel/Theophrast sich entschlossen der künstlerischen Seite des Lebens gewidmet hat und sich von der Diskussion grundsätzlicherer Fragen fernhält; das Schöne (aber Irrelevante) hat vor dem sozialen Engagement Vorrang erhalten. Derlei Selbstbeschuldigung, oder, was als wahrscheinlicher gelten kann: derlei Selbstbeglückwünschung läßt sich allerdings mit dem Werk des Dichters vereinbaren, das zum größten Teil nicht sozial engagiert ist[6], wie auch mit der Zeitschrift *Sinn und Form;* Huchels Ziel war eine Zeitschrift von hohem literarischen Niveau, nicht eine, die Arbeiten vornehmlich wegen ihres Inhalts oder wegen ihrer Bedeutung für den sozialistischen Fortschritt veröffentlichte.

In Brechts Gedicht braucht sich das Wort »Gespräche« nur auf alltägliche Unterhaltungen zu beziehen, bei Huchel jedoch deutet die Klimax-Stellung, die es einnimmt, auf eine viel größere Signifikanz; ja, es dürfte wohl für die höchsten Errungenschaften des Dichters stehen. Für Huchel sind »Gespräche« das, worum es eigentlich geht; der wirkliche Dialog ist so wichtig für die Nachwelt wie Bäume, und wie bei diesen dauert es oft viele Jahre, bevor man ihren Wert zu schätzen weiß (übrigens beginnen Olivenbäume erst nach langer Zeit Früchte zu tragen). Ein weiterer Sinn ist, daß alle Bäume im Garten »Gespräche« darstellen; Huchel hat nicht als einziger Gespräche wie Bäume gepflanzt – »Gedenke derer, die (. . .)« –, aber er ist als einziger übriggeblieben; sein Baum allein hat überlebt. Der Beachtung wert ist auch, daß, obwohl »Gespräche wie Bäume gepflanzt« strenggenommen eine Metapher darstellt (ein Verb mit zwei disparaten Substantiven verbunden), daß dennoch das offenkundige »wie« die Aufmerksamkeit auch des unsensibelsten Lesers auf das Bild des Baumes

6 Es gibt natürlich eine Reihe von früheren Gedichten Huchels, die sich mehr mit dem Menschen als mit der Natur beschäftigen, vor allem die aus den Kriegsjahren. Ein Beispiel ist *Griechischer Morgen (Die Sternenreuse,* München, 1967. S. 91), auf das Peter Hamm in seinem Aufsatz über Huchel aufmerksam gemacht hat (*Vermächtnis des Schweigens, Merkur,* Bd. XVIII, 1964, S. 480 bis 488). Hamm zeigt die Ähnlichkeit auf zwischen den zitierten Brecht-Versen und den folgenden »tauiger Ölbaum, Wasser des Bachs,/ darf ich euch preisen,/ eh nicht der Mensch den Menschen erlöst?« (Hamm zitiert allerdings falsch: er ersetzt ›tauiger‹ durch ›trauriger‹). Huchels Antwort ist implizit negativ, denn im weiteren Verlauf des Gedichts wendet er sich tatsächlich der menschlichen Situation zu.
In seiner allgemeinen Einführung zu Huchel bemerkt H. Karasek (*Peter Huchel* in: Klaus Nonnemann (ed.), *Schriftsteller der Gegenwart,* Olten u. Freiburg im Br., 1963, S. 167; wiederabgedruckt in diesem Band, S. 15 ff.): »Ein ›Gespräch über Bäume‹ erschien ihm nicht als gangbarer Ausweg, sondern als Verbrechen.« Ich stimme mit dieser Ansicht ganz und gar nicht überein, jedenfalls nicht, soweit sie sich auf Huchels spätere Jahre bezieht.

lenkt. Nachdem also die Analogie zwischen Gespräch und dem Pflanzen von Bäumen bereits früh im Gedicht angelegt ist, kann man alle weiteren Verweise auf das Tun des Gärtners metaphorisch verstehen – somit ist der Leser auf metaphorischen Hintersinn gefaßt und auch berechtigt, danach zu suchen, wenn der Baum in Vers 8 von neuem eingeführt wird:

>(. . .) hier ging Theophrast,
Mit Eichenlohe zu düngen den Boden,
Die wunde Rinde zu binden mit Bast.«

In seiner kurzen Analyse bemerkt Lüdtke, daß diese Verse »gleichnishaft formuliert, eine sehr genaue Beschreibung der Funktion [geben], die Peter Huchel jahrelang im Bereich der mitteldeutschen Literatur ausgefüllt hat«.[7] Die Bildwelt entspricht dem in der Tat, wenn wir erst einmal akzeptiert haben, daß »Gespräche wie Bäume gepflanzt« die Vernachlässigung des sozialen zugunsten des kulturellen Bereichs andeutet, und wir sind daher versucht, weitergehende Rekonstruktionen und Konjekturen anzustellen, die sich an der Biographie orientieren. Es bleibt natürlich das Problem, wie weit es noch vertretbar ist, die metaphorische Ebene auszuleuchten; man könnte die Assoziationen zu diesen Bildern weit über die Grenzen jener Bedeutung hinaustreiben, die der Dichter intendiert hat. So ist zum Beispiel die Eiche ein Symbol der Stärke und des Alters (besonders in der deutschen Tradition): spielt dann also »mit Eichenlohe zu düngen den Boden« darauf an, daß Huchel den DDR-Bürgern Anregung bot, indem er Klassiker des Auslands in neuen Übersetzungen von hoher Qualität publizierte? Ähnlich könnte man den folgenden Vers interpretieren: »Die wunde Rinde zu binden mit Bast« beschreibt die heilende Tätigkeit des Gärtners; nimmt Huchel hier Bezug auf seine schwierige Aufgabe als Hüter der bedrohten und beschädigten Kultur im östlichen Teil Deutschlands? Oder ist die Personifizierung in »wunde Rinde« im wörtlichen Sinne auf jene DDR-Schriftsteller gemünzt, die wegen ihrer »Dekadenz« attackiert wurden, in einigen Fällen ins Gefängnis kamen? Nimmt man an, Huchel selbst sei der »Gärtner«, dann kann man sich solchen Spekula-

7 A.a.O., S. 51.

tionen schwer entziehen. Ja, da die Heilverfahren, die Huchel aus Theophrasts *Naturgeschichte der Gewächse* auswählt, keineswegs die wichtigsten sind, mag es sehr wohl in des Dichters Absicht gestanden haben, daß der Leser jeder möglichen Parallele bis ins einzelne nachspürt.

Lüdtke hat angemerkt, »der Garten« (Vers 5) beziehe sich auf *Sinn und Form,* doch er bleibt uns die näheren Erklärungen zu dieser Behauptung schuldig. Ich möchte statt dessen vermuten, daß damit die DDR gemeint ist und daß sich der »Ölbaum« in Vers 9 auf die Zeitschrift bezieht. Wenn man so analogisiert, ergibt sich eine befriedigendere Struktur. Zum Beispiel erscheint Vers 9 dann in viel klarerem Licht: *Sinn und Form,* die einzige im Osten wie im Westen verkaufte Zeitschrift, wird gesehen als etwas, das die beschränkende Mauer durchbricht:

»Ein Ölbaum spaltet das mürbe Gemäuer«.

Jedenfalls gemahnt »spalten« an die Teilung Deutschlands; im Osten wird das Verb seit längerem pejorativ zur Beschreibung der Aktionen des Westens gebraucht, und man würde sofort die Frage der Teilung dazu assoziieren. »Gemäuer« muß sich meines Erachtens auf die Berliner Mauer beziehen, ungeachtet dessen, daß man bei diesem Wort eher an ein Gebäude denn an eine Mauer denkt und daß das Epitheton »mürb« dem stabilen Bau des Jahres 1962 nicht angemessen scheint. Man muß die Wendung jedoch metaphorisch verstehen, und möglicherweise ist damit die seit 1948 bestehende geistige Mauer gemeint; eine offenkundige Bezugnahme auf »Die Mauer« hätte Huchels Absicht vereitelt.

Der Olivenbaum, und besonders sein Zweig, gilt traditionell als Symbol des Friedens, während er in Huchels Lyrik wiederholt als Symbol der Schönheit vorkommt. Verwendet der Dichter dieses Bild, um auf die humanitären und/oder ästhetischen Zielsetzungen von *Sinn und Form* im Osten wie im Westen zu verweisen? Eine andere Ansicht ist die von Hans Mayer, der die Olive nur in ihrem klassischen Kontext als der Pallas Athene geheiligt sieht, die zur Allegorie der Weisheit wurde. Die Implikationen dieser These würden ebenfalls passen: man könnte in der Verbreitung von Weisheit sehr wohl ein vorrangiges Ziel der Zeitschrift erblicken.

Der Garten des Theophrast erschien in dem letzten Heft, das Huchel herausgab, und vielleicht kann er darum sagen: »und ist noch Stimme«; aber er weiß, ihm steht die Entfernung aus seiner Position bevor – »Sie gaben Befehl, die Wurzel zu roden«. Die Wurzel des Baums, die Quelle des Lebens, muß sich auf den Dichter beziehen, das ausdrückliche »sie« (nicht etwa ein anonymes »man«) auf die politische Spitze. Man hat zu beachten, daß die Wurzel des Baums zerstört werden soll, nicht der Baum selbst; auch dies könnte man metaphorisch verstehen – obwohl Huchel aus seiner zentralen Stellung verdrängt wurde, so lebte *Sinn und Form* doch unter einem neuen Herausgeber, Bodo Uhse, fort. Wie man weiß, konnte sich das Niveau, das er und sein Nachfolger erreichten, nicht mit dem messen, das Huchel der Zeitschrift gesetzt hatte.

Der Garten des Theophrast allegorisiert Huchels Situation am Ende des Jahres 1962; mit einer klassischen Analogie verleiht der Dichter einer persönlichen Klage Ausdruck. Verfolgt der Leser diese Analogie bis an ihre Quelle, so stellt er fest, daß nur einige Aspekte des Gedichts auf das Leben des Theophrast passen, während andere viel mehr Relevanz für die Situation des Dichters selbst besitzen. Dessen Identifikation mit seinem Modell ist also nur eine partielle, und indem er es zuläßt, daß man nur durch elementares Nachfragen herausfindet, wo Abweichungen der Situation des einen von der des andern vorliegen, lenkt er die Aufmerksamkeit ab von der klassischen Fassade und auf seine eigene geistige Krise hin. Setzt man dies voraus, so liest sich *Der Garten des Theophrast* ganz deutlich als Huchels Epitaph für *Sinn und Form*. Einigen Lesern des letzten Heftes von 1962 muß dies bewußt geworden sein, doch späteren Kommentatoren ist die Schlüsselbedeutung der Zeitschrift für das Ganze entgangen; vermutlich, weil anscheinend keiner von ihnen beachtet (jedenfalls betonen sie es nicht), daß das Gedicht zuerst in *Sinn und Form* erschien, nicht in der Sammlung *Chausseen Chausseen*, die 1963 publiziert wurde und auf die gewöhnlich verwiesen wird. Es ist jedoch unmöglich, das Gedicht losgelöst von seinem ursprünglichen Kontext zu interpretieren; wie man es auch auf der emotionalen Ebene nicht angemessen würdigen kann, denn aus seinem Kontext schöpft es sein Pathos.

Das Gedicht *Der Garten des Theophrast* richtet sich, wie das

Brecht-Gedicht, auf das es anspielt, »An die Nachgeborenen«, und genau darum gibt es einer gewissen Hoffnung Ausdruck: daß nämlich die Nachwelt den Wert von Huchels Werk erkennen wird. Dies dürfte eindeutig aus dem ersten, verwirrenden Bild hervorgehen, auf das ich jetzt zurückkommen möchte:

»Wenn mittags das weiße Feuer
Der Verse über den Urnen tanzt.«

Huchel bezieht sich nicht nur auf sich selbst, sondern auf die Urnen all der andern, die sich der Kunst gewidmet haben – »gedenke derer, die (...)« –, und er sieht in dem künftigen Betrachter jemanden, der ihr Opfer anerkennt. Wie Lüdtke gezeigt hat, ist dies Bild zunächst »ein reales Bild«; doch es ließe sich mit einem so allegorischen Gedicht nicht vereinbaren, wollte man den Symbolwert des Verses ignorieren: das Werk der Dichter, das ist hier zweifellos gemeint, lebt über ihre Asche hinaus weiter. So reiht Huchel sich als letzter ein in die lange Folge von Schriftstellern, die mit ihrem Werk ihr Angedenken zu bewahren suchten, und in dieser Hinsicht – aber allein in dieser – enthält *Der Garten des Theophrast* eine Spur Optimismus.

(1970)

Alfred Kelletat
Peter Huchel: »Der Garten des Theophrast«[1]

Meinem Sohn

1 »Wenn mittags das weiße Feuer
Der Verse über den Urnen tanzt,
Gedenke, mein Sohn. Gedenke derer,
Die einst Gespräche wie Bäume gepflanzt.
5 Tot ist der Garten, mein Atem wird schwerer,
Bewahre die Stunde, hier ging Theophrast,
Mit Eichenlohe zu düngen den Boden,
Die wunde Rinde zu binden mit Bast.
9 Ein Ölbaum spaltet das mürbe Gemäuer
Und ist noch Stimme im heißen Staub.
Sie gaben Befehl, die Wurzel zu roden.
Es sinkt dein Licht, schutzloses Laub.«

Im Geheimnis der äußersten Helligkeit bezeichnet die Eröff-
nung Ort und Zeit: südlicher Mittag, Land der Urnen – sicher
nicht nur urna als das barocke »Todesgefäß«, sondern zuerst
Wassertopf, Krug, Amphore, Nebenbedeutungen können zu
Lostopf, Schicksalsurne weiterführen, schließlich aber ist das
Behältnis alles dessen gemeint, was von der Vergangenheit
und in der Vergänglichkeit übrigbleibt. Über diesen uralten
Gefäßen tanzt zu dieser Stunde »das weiße Feuer / Der
Verse«, als züngelten sie aus dem Urstoff alles Gewesenen,
geschehener Taten, gedachter Gedanken, gelebten Lebens auf
und glühten ihn aus zur unwiderruflichen Chiffre. Ihre Figur
bestimmt das Versmaß, der Silbentanz.
In dieser Stunde, die zum »Andenken«, zur Stiftung des Blei-
benden gemacht ist, tönt das doppelte »Gedenke, mein Sohn.
Gedenke derer, / Die einst (...)«. Damit tritt Mnemosyne, die
Mutter der Musen (die auch die Gedenkenden sind), die Herrschaft an; ihre Stunde ist sonst der Abend, der Niedergang

1 In: *Chausseen Chausseen*. Frankfurt am Main 1963, S. 81. Der Erstdruck
des Gedichts stand im letzten von Huchel redigierten Heft der Zeitschrift *Sinn
und Form*, Jg. 14, 1962, H. 6.

und das Ende der Zeit. Dann singt sie das Gedächtnis der Heroen, der dahingegangenen.

Um diesen Imperativ »Gedenke!« gliedert sich das Zeitgerüst des Gedichts. Die Erinnerung trägt Vergangenes in die Zukunft über den schmalen Paß der Gegenwart – hier ist der Drehpunkt, um den die Schalen der Waage spielen. Die Verse 5 und 6 bilden ihre Mitte, in sich selbst wieder Futurisches und Imperfektes enthaltend:

»Tot ist der Garten, mein Atem wird schwerer,
Bewahre die Stunde, hier ging Theophrast.«

»Bewahre die Stunde« – darin liegt der Auftrag. Hart ist die Gegenwart fixiert: »Tot ist der Garten«; »Ein Ölbaum spaltet (. . .) / Und ist noch (. . .)« und »Es sinkt dein Licht«. Die Mitte des Gedichts nimmt die grammatisch verhüllte Identifikation des lyrischen Ichs mit Theophrast ein; denn der, dessen Garten tot ist, dessen Atem schwerer wird, der seinem Sohn das »Gedenke« und »Bewahre« aufträgt, ist Theophrast.

Dieser Titelfigur des Gedichts muß man sich vergewissern. Theophrast, etwa 372-287, von Lesbos gebürtig, war in Athen zunächst Schüler Platons, dann des Aristoteles; dieser soll ihm auch den Namen des »göttlich Redenden« beigelegt haben. Er wurde selbst ein sehr erfolgreicher Lehrer (er soll an die 2000 Schüler gehabt haben!) und nach dem Tode des Meisters dessen Nachfolger als Haupt der Peripatetischen Schule. Unter den über 200 Schriften, die das Altertum von ihm kannte, ragen nicht nur die *Charaktere* (die La Bruyère erneuert hat) und die *Meinungen der Physiker* (der Naturphilosophen) als älteste griechische Philosophiegeschichte hervor, besonders bezeichnend für ihn sind seine naturwissenschaftlichen Werke: über Wein und Öl, Honig, Steine, Metalle, Winde und Wasser, Salze, Säfte und Gerüche, Früchte. Seine noch heute bewunderte Botanik entwirft ein System der Pflanzen und umfaßt eine Pflanzengeographie und -physiologie.

In des Diogenes Laertios unerschöpflichen *Leben und Meinungen berühmter Philosophen* (von 275 v. Chr.) spielt in der vita des Theophrast (Buch 5, Kap. 2) auch der *Garten* eine wichtige Rolle, den er nach Aristoteles' Tod erworben oder geschenkt erhalten hat. In ihm befand sich sowohl der Peripa-

97

tos, seine Schule, als auch ein Musenheiligtum, das bei eine
Belagerung Athens durch König Demetrios im Jahre 294 zer
stört wurde; das Testament des Philosophen stiftete Geld zu
Wiederherstellung. Der Garten wird in diesem Testamen
nebst der Schule den Schülern und Freunden zu Eigentum un
Pflege vermacht: »sie sollen es wie ein Heiligtum gemeinsan
besitzen und in vertrautem und freundschaftlichem Verkeh
miteinander benutzen, so wie es geziemend und gerecht ist
(...) Mich aber soll man auf dem Platze des Gartens begraben
der am angemessensten dafür scheint, ohne jeden Prunk be
der Beerdigung oder für das Denkmal.« Soweit die Nachrich
über den »Garten des Theophrast« aus Diogenes Laertios. Wa
ist von ihr in das Gedicht eingegangen?
Es ist die Welt der Gärten, in denen die Sokratische
Gespräche das geistige Feuer anzündeten und die klassisch
Zeit des Denkens heraufführten, Platons Akademie und da
Lykeion des Aristoteles. Ein Zeitgenosse des Theophrast is
Epikur[2], der um 300 die Schule der ›Philosophen in
Garten‹ gründete, in der er die Weisheit des λάϑε βιώσας un
die ἀταραξία, die leidenschaftslose Gemütsruhe, lehrte. Vo
ihm teilt Diogenes Laertios im 10. Buch einen kleinen Brie
mit, den er unmittelbar vor dem Tode einem Freunde schrieb
›Als Gegengewicht gegen alles dies (die Schmerzen, die jede
erdenkliche Maß übersteigen) dient die freudige Erhebun
der Seele bei der Erinnerung an die zwischen uns gepflogene
Gespräche‹, heißt es.
Die erste Versgruppe des Gedichts – das übrigens durch ein
teils umfassende, teils freier schweifende Reimbindun
zusätzlich organisiert ist, wobei den Reimpaaren besonder
Verweisungen eignen dürften, wie Feuer : Gemäuer, Boden
roden, Staub : Laub – die Verse 1-4 also übernehmen de
Duktus des Testaments, der Erblasschaft. Ihre Einlösun
wird im Bewahren und Gedenken geschehen; aus dem Scho
der Erinnerung gehen die Künste als die Gaben der Geden
kenden hervor, vom Einst (Vergangenheit) zum Einst (Zu
kunft). Die Verse 5-8 zeichnen die Gestalt des Erblassers un
die Stunde der Erblassung: den großen Lehrer, hingegeben de
einfachen Pflichten im Dienst an der Natur »Mit Eichenloh

2 Eugen Fink, Epiloge zur Dichtung. Frankfurt 1971, S. 19-36: Der Garte
Epikurs.

zu düngen (...) / Die wunde Rinde zu binden (...)«, aus deren Beobachtung er seine Erkenntnis zog; ihr vertrauend wurde er gütig. Vv 9-12 gehen über die Situation des historischen Theophrast hinaus – es sei denn, man dächte an die kriegerische Zerstörung von Garten und Heiligtum wenige Jahre vor seinem Tode oder an seine wenn auch nur kurzfristige Verbannung aus der Hauptstadt: der letzte Trost ist der letzte Ölbaum, er »*ist* noch Stimme im heißen Staub«.

Athene hatte ihn einst der Landschaft geschenkt, den Ernährer, den Reichtum Attikas und das Fundament der mediterranen Kultur. Wer dächte dabei nicht an jenen heiligen Ölbaum auf der Akropolis, an der Westseite des Erechtheions und nahe dem Bezirk der Taugöttin, welchen Erechtheus einst aus der Hand der Göttin gewählt; und wem käme nicht das Hohelied in den Sinn, welches Sophokles ihm im *Ödipus auf Kolonos* gesungen hat, als er seinen unglücklichen Helden, den Blinden am Arm der Tochter Antigone, zum schönsten Obdach, ins glanzhelle Kolonos, führt. Da spricht der Chor in der zweiten Strophe (in der Übersetzung Solgers, Hölderlin hat leider nur die erste Strophe und Antistrophe dieses Chorliedes übertragen):

»Auch steht hier ein Gewächs,
Wie das Gefild Asia keines
Noch weit prangend die Flur dorischen Eilands,
Die pelopische, denk ich,
Erzeugt, von selbst treibend, ungewartet,
Der Feindeslanzen Schreckenbild,
Das reichlich aufblüht in dieser Landschaft:
Gesproßpflegender blauschimmernder Ölzweig,
Den nie ein Jüngling noch Greis, so jemals
Heer' anführt, mit Gewalt tilget und umwirft;
Denn es beschaut ihn unendlich stets
Wach Zeus Morios' Augenstern
Und blauäugig Athene.«

Dieses Ruhmeslied lag über hundert Jahre zurück, als Theophrast seinen Garten in das Testament einschloß. Schneidender ist die Klage des Dichters unserer Tage. Unabwendbar atmet das »Sie gaben Befehl (...)« die Feindseligkeit und Barbarei der ungenannten Verderber – gleich unaufschiebbar, wenngleich andern Sinnes, wie das Wort Johannes des Täufers: »Es ist schon die Axt den Bäumen an die Wurzel gelegt« (Matth. 3, 10). Und schon ist's geschehn: im letzten Vers, dem kürzesten, langsamsten und härtesten des Gedichts: »Es sinkt dein Licht, schutzloses Laub.« Nichts ist von der hexametrischen tänzerischen Bewegung der Verse geblieben, die Stimme stockt und bricht. Die Helle der weißen Feuer des Beginns endet in Finsternis, und was göttlichen Schutz bot allen Schutzflehenden (mit Wollbändern umwundene Ölzweige, wie im Anfang der *Schutzflehenden* des Aischylos, »Ringsum gekränzt mit bittenden Gezweigen« heißt es am Anfang des *Ödipus Tyrannos*), sinkt nun selbst schutzlos, das heilige Laub.

Es bleibt, im Verlust und aus dem Verlust der Gärten, des Ölbaums, der Gespräche das Gedächtnis zu retten. Das ist der Auftrag des Gedichts und seine Möglichkeit[3]. Es hat ihn schon erfüllt durch sich selbst. Der tote »Garten des Theophrast« lebt unzerstörbar

»Wenn mittags das weiße Feuer
Der Verse über den Urnen tanzt.«

(1971)

---

3 Ein englischer Interpret hat jüngst den Text direkt aus der unmittelbaren Lebenssituation des Autors zu verstehen gesucht: Peter Hutchinson, *Der Garten des Teophrast – An Epitaph for Peter Huchel?* in: *German Life and Letters,* Januar 1971, S. 125-135 (abgedruckt in diesem Band, S. 81 ff.). Er hat sich dazu von vorangehenden deutschen Anregern verführen lassen, u. a. Reinhold Lüdtke, *Über neuere mitteldeutsche Lyrik im Deutschunterricht der Oberstufe,* in: *Der Deutschunterricht,* Jg. 20, 1968, Heft 5, S. 49-51. Da ist der Garten des Theophrast einfach und direkt Peter Huchels Zeitschrift *Sinn und Form;* von den gärtnerischen Tätigkeiten Vv 8 und 9 heißt es: »Das ist, gleichnishaft formuliert, eine sehr genaue Beschreibung der Funktion, die Peter Huchel jahrelang im Bereich der mitteldeutschen Literatur ausgefüllt hat« (so Lüdtke); der Ölbaum ist abermals die Zeitschrift und das »Gemäuer« gar die Berliner Mauer! »Line 9, for example, appears in a much clearer light: *Sinn und Form,* the only periodical to sell in both East and West, is seen as breaching the restrictions of the wall« (Hutchinson p. 133; in diesem Band, S. 93). Bei solchem Kreuzworträtseln bleibt nur zu fragen, ob der Dichter nicht klüger daran getan hätte, einen kulturpolitischen Leitartikel zu verfassen oder sonst seine Meinung deutlicher kundzutun, statt ein so durchsichtiges Maskenspiel zu treiben? »(. . .) denn man kann nicht immer beurteilen, ob man für andere deutlich genug war« (Goethe).

Elena Croce
Peter Huchel

Als Peter Huchel 1962 die Chefredaktion der Zeitschrift *Sinn und Form,* die er seit dreizehn Jahren innehatte, abgeben mußte, sah die internationale Presse in dieser Maßnahme einstimmig das Vorzeichen für einen gravierenden Rückgang auf kulturellem Gebiet in der DDR, der die Zeitschrift viel Ruhm eingebracht hatte. Huchel, ausschließlich Lyriker und einer der größten deutschen Dichter unserer Zeit, hatte das Kriterium der literarischen Qualität und die sich von selbst daraus ergebende schöpferische Freiheit stets gegen jeden von politischen Interessen diktierten Eingriff verteidigt. Seine Unbeugsamkeit war exemplarisch auch für Westdeutschland. Zeugnis dés Respekts und der Verehrung ist die 1968 im Piper Verlag in München erschienene *Hommage* für den Fünfundsechzigjährigen. Die Einführung ist von einem Philosophen, von Ernst Bloch, die anderen Autoren sind in der Hauptsache Lyriker: von Günter Eich bis Paul Celan. Kaum ein bedeutender Name fehlt.

In den erfolgreichen Jahren der Chefredaktion von *Sinn und Form* hatte Huchel Bertolt Brecht zur Seite, mit dem ihn Freundschaft verband. Vor kurzem, nach zehn Jahren der Isolation und des Schweigens, hat Huchel Ostdeutschland verlassen. Seine erste freie Zeit zu verbringen, ist er nach Italien gekommen, wo der Verlag Mondadori 1970 seine von Ruth Leiser und Franco Fortini ins Italienische übertragene Gedichtsammlung *Chausseen Chausseen* herausbrachte. »Epigraphische Dichtung«, sagt Fortini in seinem Vorwort, mit »testamentarischer und historischer Intention, als Zeuge. Eine streng monodische Poesie, ohne Ironie, hinter zusammengebissenen Zähnen gesprochen.« Und in der Tat hat Huchel einen auslotenden Stil, diffizil in seiner Konzentriertheit. Ihn zu übertragen, erfordert Arbeit und ein nicht unbeträchtliches Maß an Erfahrung.

Doch hat Huchels Dichtung auch das Gewicht historischer Zeugenaussage, haftet seinen Versen keineswegs der patrimoniale Akzent eines Testamentes an; eher vielleicht vernimmt man aus ihnen eine verzweifelte Invokation, und nicht zufällig beschließt den Gedichtband ein Gedicht mit dem Titel *Psalm*. Wie Fortini weiter bemerkt, erwächst die tiefe Musikalität dieser Gedichte einem noch offenen, lebendigen Gegensatz. Gedrängt und sparsam, jeder Konzession an das eigene Ich abgeneigt, enthalten sie eine vollständige geistige Biographie: exakt die Geschichte eines Menschen, der bis in die Tiefe die Erfahrung seiner Zeit durchlebt hat und sich im entscheidenden Augenblick der Nachkriegszeit keines jener Rauschmittel konzedierte, die damals im Umlauf waren, um sich die Last der Vergangenheit und die Angst vor der Zukunft leichter zu machen.

In *Chausseen Chausseen* herrscht das Schreckbild des Krieges: es ist eine gespenstische Präsenz, die sich zwischen den Menschen von heute schiebt und das Leben, speziell das einfache und der Natur der Landschaft nahe Leben. Nicht überhörbar ist des Dichters Warnung, die Welt werde – zumindest für lange Zeit – keine humane Welt mehr sein. Daß diese Sicht und Einsicht die bittere Frucht der Erfahrung und daher frei von jeglichem Wohlgefallen an der Rhetorik ist, spürt man an der knappen Ausdrucksweise des Dichters; auch die Begegnung mit dem vorhergehenden Band *Die Sternenreuse*, der eine Sammlung der zwischen 1925 und 1947 geschriebenen Gedichte darstellt, bestätigt das. Dieses erste Buch vermittelt uns das Bild des Dichters als eines jungen Menschen von nordischem Temperament, melancholisch und auch schroff, doch zutiefst der Natur verhaftet. Und gerade aus dieser engen Verbindung mit der Natur wird ihm die Intuition kommen der religiösen negativen Bestimmung, die die doch so reiche und lebendige deutsche Erde befremdend kalt sein läßt. Eine Erde, die niemals die Schritte einer Jeanne d'Arc auf sich gespürt hat, einer von himmlischen Stimmen zum Martyrium aufgerufenen Jeanne d'Arc, sagt Huchel im ersten Gedicht einer in drei Zeitabschnitten geschriebenen symbolträchtigen Trilogie, *Deutschland* betitelt. Im zweiten Gedicht, 1933 datiert, dem Beginn des Nazismus, lesen wir die Beschwörung, »hütet das Licht« und

»Daß es von euch in Zeiten noch heißt,
daß nicht klirret die Kette, die gleißt,
leise umschmiedet, Söhne, den Geist«

– soll man nicht aus der Geschichte der Menschheit ausgelöscht werden. Im dritten Gedicht hingegen, das die Jahreszahl 1939 trägt, heißt es:

»Welt der Wölfe, Welt der Ratten.
Blut und Aas am kalten Herde.
Aber noch streifen die Schatten
der toten Götter die Erde.

Göttlich bleibt der Mensch und versöhnt.
Und sein Atem wird frei wieder wehen.«

Das sind Worte sicherer, mannhafter Hoffnung. Um so düsterer dagegen sind die Worte am Schluß von *Chausseen Chausseen*, genauer gesagt, des *Psalms*, in dem sich die unheilvollste Prophezeiung, zu Beginn des Nazismus gemacht, bestätigt, und gegen die das Gefühl sich mit aller Macht auflehnt:

»Die Öde wird Geschichte.
Termiten schreiben sie
Mit ihren Zangen
In den Sand.

Und nicht erforscht wird werden
Ein Geschlecht,
Eifrig bemüht,
Sich zu vernichten.«

Dennoch: was hier wie eine Verdammung unserer Zeit klingt, ist noch nicht absolute Verdammnis. Die Schatten der Götter haben die Poesie Huchels noch nicht verlassen, und wir finden sie bezeichnenderweise wieder in einem dem Sohn gewidmeten Gedicht:

»Wenn mittags das weiße Feuer
Der Verse über den Urnen tanzt,
Gedenke, mein Sohn. Gedenke derer,
Die einst Gespräche wie Bäume gepflanzt.
Tot ist der Garten, mein Atem wird schwerer,

Bewahre die Stunde, hier ging Theophrast,
Mit Eichenlohe zu düngen den Boden,
Die wunde Rinde zu binden mit Bast.
Ein Ölbaum spaltet das mürbe Gemäuer
Und ist noch Stimme im heißen Staub.
Sie gaben Befehl, die Wurzel zu roden.
Es sinkt dein Licht, schutzloses Laub.«

Der »Befehl«, »die Wurzel zu roden«, ist gegeben, und, wie es im *Psalm* noch heißt, die Stärke derer, die da wohnen »in einer Kugel aus Zement« »gleicht dem Halm im peitschenden Schnee«. Doch der zerbrechlichste Halm ist immer noch das Sinnbild des Lebens, Huchels Dichtung ist keine Dichtung der Verneinung, kein Lamento über die Bedingungen des Menschen, losgelöst von der Geschichte.

(*1972*)

Axel Vieregg
Zeichensprache und Privatmythologie
im Werk Peter Huchels

Ankunft

»Männer mit weißen
zerfetzten Schärpen
reiten am Rand des Himmels
den Scheunen zu,
Einkehr suchend
für eine Nacht,
wo die Sibyllen
wohnen im Staub der Sensen.

Grünfüßig
hängt das Teichhuhn
am Pfahl.
Wer wird es rupfen?
Wer zündet im blakenden Nebel
das Feuer an?
Weh der verlorenen
Krone von Ephraim,
der welken Blume
am Messerbalken der Mähmaschine,
der Nacht
auf kalter Tenne.

Ein Huf
schlägt noch die Stunde an.
Und gegen Morgen
am Himmel ein Krähengeschrei.«[1]

Wesentlich zum Verständnis trägt es bei zu wissen, daß dieses
Gedicht zuerst in einem dem Thema »Berlin« gewidmeten

---

1 Gleichzeitig veröffentlicht in *ensemble* und in *Merian, ›Berlin‹,* Hamburg
1970, S. 104. Das Gedicht wurde dann aufgenommen in den Band *Gezählte
Tage,* S. 10.

Merian-Heft – im Januar 1970 – veröffentlicht wurde. Huchel hatte es zwar schon vor der Aufforderung zur Mitarbeit geschrieben, es aber speziell für dieses Heft ausgewählt.[2] Ebenfalls hierhin gehört, daß Huchel mit diesem Gedicht seine zweite Dichterlesung im Westen begann, und zwar am 11. Januar 1972 im *Sender Freies Berlin*.

Auf den ersten Blick entzieht sich der Text jeglicher Deutung, und wer Huchel weiterhin als Naturlyriker interpretiert, könnte die Auswahl mit dem Hinweis auf die »märkische« Landschaft rechtfertigen, die man vielleicht im »Teichhuhn« entdecken könnte. Wiederum gibt nur ein Wort, »Ephraim«, den Schlüssel. Dazu einige Zitate aus Jesaja, Kapitel 28, das in Luthers Übersetzung die Überschrift *Gericht über Ephraim und Juda* hat:

1. Weh der prächtigen Krone der Trunkenen von Ephraim, der welken Blume ihrer lieblichen Herrlichkeit, welche steht oben über einem fetten Tal derer, die vom Wein taumeln!

2. Siehe, ein Starker und Mächtiger vom Herrn wie ein Hagelsturm, wie ein schädliches Wetter, wie ein Wassersturm, der mächtig einreißt, wirft sie zu Boden mit Gewalt,

3. Daß die prächtige Krone der Trunkenen von Ephraim mit Füßen zertreten wird.

4. Und die welke Blume ihrer lieblichen Herrlichkeit, welche steht oben über einem fetten Tal, wird sein gleichwie die Frühfeige vor dem Sommer, welche einer ersieht und flugs aus der Hand verschlingt.

Der Zusammenhang, in dem diese Zeilen stehen, ist folgender: das alte Reich Israel war ca. 926 v. Chr. in zwei Teile geteilt worden, ein Nordreich, das sich weiterhin Israel nannte, mit der Hauptstadt Samaria, und ein Südreich, Juda, mit der Hauptstadt Jerusalem. Der Name Ephraim, ursprünglich nur Name eines Stammes, wurde auch für das ganze Reich Israel gebraucht. Um den verhaßten Gegner zu bezwingen, bedienten sich die beiden verfeindeten Bruderstaaten der Hilfe Assyriens. Die Folge war das starke Vordringen der Assyrer und der Machtverlust der beiden israelitischen Staaten. Im Jahre 722, zu Lebzeiten des Propheten Jesaja, wurde das Reich Israel zerstört und die Bevölkerung weggetrieben.

2 Diese Kenntnis verdanke ich dem Hoffmann und Campe Verlag; Brief vom 24. März 1971.

Nur der andere Teilstaat, Juda, überstand als Satellit Assyriens den Untergang des Nordreiches. Ein Auflehnungsversuch im Jahre 701 war erfolglos, Juda wurde assyrisches Aufmarschgebiet. Lediglich Jerusalem wurde noch für einige Zeit gegen hohen Tribut verschont. Die Parallelen zum Thema Deutschland und Berlin brauchen wohl kaum betont zu werden.

Als das Buch Jesaja beginnt, ist Israel bereits zerstört, und Jesaja prophezeit den baldigen Untergang Judas und Jerusalems:

7.8. Und über fünfundsechzig Jahre soll es mit Ephraim aus sein, daß sie nicht mehr ein Volk seien.

1.7. Euer Land ist wüst, eure Städte sind mit Feuer verbrannt; Fremde verzehren eure Äcker vor euren Augen, und es ist wüst wie das, so durch Fremde verheert ist.

1.8. Was aber noch übrig ist von der Tochter Zion, ist wie ein Häuslein im Weinberge, wie eine Nachthütte in den Kürbisgärten, wie eine verheerte Stadt.

Dieser letzte Vers kann der Ausgangspunkt für die erste Strophe von Huchels Gedicht gewesen sein. Die Männer, die da »für eine Nacht« Einkehr suchen in den Scheunen – sind es die, die in der »Nachthütte« »noch übrig« sind? Ihre Schärpen sind ja zerfetzt, d. h. ein Kampf liegt hinter ihnen – als Feldbinde war die Schärpe schon bei den Griechen und Römern ein Abzeichen der Kämpfer – und ihre Zuflucht ist nur kurzfristig. Noch einmal also das Thema des Unbehausten, das Huchel schon in der Odysseus-Figur angeschlagen und in *Chausseen Chausseen* zum Titel erhoben hatte. Auch die Ödheit des Landes, in dem nicht mehr gesät und geerntet wird – die Sensen sind staubig, das Huhn wird nicht gerupft, die Tenne ist kalt –, gehört zu dem Strafgericht Gottes, das Jesaja kommen sieht:

7.23. Denn es wird zu der Zeit geschehen, daß, wo jetzt tausend Weinstöcke stehen (...) da werden Dornen und Hekken sein.

7.25. Daß man auch zu allen den Bergen, die man mit Hauen pflegt umzuhacken, nicht kann kommen vor Scheu der Dornen und Hecken.

Aber auch etwas Drohendes liegt in der dreifachen Nennung von scharfen Schneidemessern – Sense, Messerbalken, Mähmaschine. Dies hat wiederum seinen Ausgangspunkt in Jesaja. Im siebenten Kapitel, *Strafgericht durch die Assyrer*, heißt es: 7.20. Zu derselben Zeit wird der Herr das Haupt und die Haare an den Füßen abscheren und den Bart abnehmen durch ein gemietetes Schermesser, nämlich durch die, so jenseits des Stroms sind, durch den König von Assyrien.

Dazu kommt das Wort »Tenne«, das ebenfalls in doppelter Funktion erscheint: sie ist »kalt«, d. h. leer, weil nicht geerntet wird, sie ist aber auch der Dreschboden, auf dem die Ähren zerstampft werden, und wie das Schermesser metaphorisch in der Bedeutung ›Strafgericht‹, gebraucht Jesaja auch die Tenne in diesem Sinne:

21.10. Meine liebe Tenne darauf gedroschen wird.

– Eine Zeile, die in der *Zürcher Bibel* steht, lautet: »Du mein zerdroschenes und zertretenes Volk«.

Die Doppelfunktion, die wir eben für Sense, Messerbalken, Mähmaschine und Tenne erkannt haben, läßt sich auch auf andere Teile des Gedichtes ausweiten. Der Titel ist *Ankunft*. Das muß sich auf mehr beziehen als auf die Einkehr, für eine Nacht, der geschlagenen Kämpfer, als die wir sie eingangs interpretierten. Dagegen spricht schon die Erhöhung ihrer Erscheinung ins Visionäre, ja Apokalyptische: sie reiten »am Rand des Himmels«. Nun ist bei Jesaja mehrmals von Reitern die Rede, immer als Einfall Zerstörung bringender feindlicher Truppen:

5.28. Ihre Pfeile sind scharf und alle ihre Bogen gespannt. Ihrer Rosse Hufe sind wie Felsen geachtet und ihre Wagenräder wie ein Sturmwind.

21.7. Er sieht aber Reiter reiten auf Rossen.

21.9. Siehe, da kommt ein Zug von Reitern.[3]

22.7. Und es wird geschehen, daß deine auserwählten Täler werden voll Wagen sein, und Reiter werden sich lagern vor die Tore (Belagerung Jerusalems).

Huchels Gedicht beginnt mit dem Kommen der Reiter und endet mit dem die Zeit anschlagenden Huf. Dazwischen liegt das »Wehe der Krone von Ephraim, der welken Blume, der Nacht auf kalter Tenne«. Es muß also eine endgültige Zerstörung, ein Untergang bevorstehen, der mit den Reitern einge-

3 So die Übersetzung in der *Zürcher Bibel*, Zürich 1955. Luther schreibt: »Und siehe, da kommt einer, der fährt auf einem Wagen.«

troffen ist, deren Pferde schon die letzten Stunden mit den Hufen anschlagen.⁴ Was bleibt, ist »gegen Morgen ein Krähengeschrei«. Vergleichen wir aber andere Gedichte Huchels, in denen von Krähen gesprochen wird, so erkennen wir bald, daß sie immer in Verbindung mit Tod und Untergang auftreten:

»Da sah ich vor meinen Augen
den Trupp von Toten, im Tod noch versprengt (...)

Kalt kam die Frühe im Krähenflug.
Sie starrten den Himmel an.
Da sah ich mich selber im grauen Zug,
der langsam im Nebel zerrann.«⁵

»Und Männer rissen mit Bajonetten
Fetzen Fleischs
Aus schneeverkrustetem Vieh,
Schleudernd den Abfall
Gegen die graubemörtelte
Mauer des Friedhofs.

Es kam die Nacht
Im krähentreibenden Nebel.«⁶

»Die erste Frühe,
als im Gewölk das Gold
der Toten lag. Es schlief der Wind,
wo im Geäst
die nebelgefiederte Krähe saß.«⁷

Eine Vision vom endgültigen Sterben des zweigeteilten Deutschland also, besetzt und zerstört von den ›Assyrern‹, als

4 Dies steht nicht unbedingt im Widerspruch zu der eingangs von den Reitern gegebenen Interpretation, ist vielmehr Ausdruck einer bei Huchel häufigen Bedeutungsvielfalt. Dies wird sich noch einmal erweisen, wenn wir dieses Gedicht an späterer Stelle in einen neuen Zusammenhang stellen.
5 *Die Schattenchaussee*, in: *Die Sternenreuse*, S. 84.
6 *Der Treck*, in: *Chausseen Chausseen*, S. 63.
7 *Aristeas*, in: *Die Neue Rundschau*, S. 233. Das Gedicht wurde dann aufgenommen in den Band *Gezählte Tage*, S. 64 f.

verdiente Strafe Gottes für eine ›fromme Stadt die zur Hure geworden ist‹ (Jes. 1,12.), für ein ›sündiges Volk von großer Missetat‹ (Jes. 1,4.). Die Vision ist um so schrecklicher, als Huchel eine Erlösung und Rettung, die Jesaja ja für spätere Zeiten verheißt, in Frage stellt. Jesaja sagt im vierten Kapitel, *Vom messianischen Heil*:

4.3. Und wer da wird übrig sein zu Zion und überbleiben zu Jerusalem, der wird heilig heißen.

4.4. Dann wird der Herr den Unflat der Töchter Zion waschen und die Blutschulden Jerusalems vertreiben von ihr durch den Geist, der richten und ein Feuer anzünden wird.

Doch wer, fragt Huchel jetzt im Gedicht, »zündet im blakenden Nebel das Feuer an?«[8] Auch ist die Krone von Ephraim, die bei Jesaja immerhin »prächtig« war, bei Huchel schon »verloren«.

Wie Huchel hier ein hochpolitisches Gedicht, das nun keine »gußeiserne Lerche« ist, in einer völlig unpolitischen, mit Naturelementen arbeitenden Sprache schafft, ist bewundernswert; gelingt es ihm doch, ohne mit einer einzigen Silbe sein wahres Thema direkt auszusprechen, allein durch Chiffren und verdeckte Anspielungen, die ganze Misere Deutschlands, seine Schuld und seine Bestrafung, gleichnishaft zu bewältigen.

(1972)

---

8 Deutlich zeigt der bestimmte Artikel hier an, daß es sich nicht um irgendein Feuer handelt. Zum Gebrauch des bestimmten Artikels in der modernen Lyrik vergleiche auch Hugo Friedrich, *Die Struktur der modernen Lyrik*, Hamburg 1966³, S. 160.

Ludvík Kundera
Die wendische Mutter

»Aber am Morgen (…)
kam eine Frau aus wendischem Wald (…)
Da war es die Mutter der Frühe,
unter dem alten Himmel
die Mutter der Völker.«

Diese Verse hat Peter Huchel kurz nach dem deutschen Mai
1945 geschrieben. Die *wendische* Mutter – was für eine Bedeutung hat dieses Adjektiv? Es ist dunkler Herkunft, und dunkel
bleibt für die meisten auch sein Sinn im Gewebe des Gedichts.
Zufall, ungeklärte Laune, Wortklang? Nein, solche Begriffe
sind dem Dichter gegenüber in diesem Fall nicht angemessen.
Das Wort steht im letzten Gedicht des ersten Huchel-Bandes,
an nicht unwesentlicher Stelle also. Und es kommt nicht nur in
diesem Gedicht vor, sondern gleich im Titel des zweiten Gedichtes dieses Buches: *Wendische Heide*. So daß wir im Inhalts-
verzeichnis – wie folgt – lesen: »Herkunft«, »Wendische
Heide«, »Kindheit in Alt-Langerwisch«, »Die Magd«, »Der
polnische Schnitter«, »Herbst der Bettler«, etc.
Und damit zählen wir eigentlich schon die Quellen und Fix-
punkte der gesamten Poesie Peter Huchels auf…
Zum dritten Mal kommt das Wort »wendisch« im Titel des
auffallend langen Gedichtes *Wendisch-Luch* (oder auch:
Chronik des Dorfes Wendisch-Luch) vor, das bisher in keinem
der drei Huchel-Bände Platz gefunden hat. Hier gehört »wendisch« zum Ortsnamen eines Dorfes, aber – und das ist überraschend – eines fiktiven Dorfes, das in eine konkrete Landschaft gestellt ist, und zwar in die märkische, und auch in eine
konkrete Zeit, nämlich wieder in die ersten Monate nach dem
Zusammenbruch des Dritten Reichs. Auch in diesem Gedicht
ist es eine Frau, die mit dem Wegräumen des Schutts beginnt
und die erste Furche zieht – »dem Morgen zu«.
Nun wäre nicht allzu schwierig zur Hypothese zu gelangen,
daß der Dichter Peter Huchel in seiner Poesie um einige Jahrhunderte der deutschen Kolonisation »zurückspringt« und

seine Landschaft als eine »wendische«, also slawische fühlt. Befragt über dieses »wendische Element«, antwortete der Dichter, ohne lange nachzudenken, diese mythische »Mutter der Völker« habe nach der Apokalypse des Zweiten Weltkriegs nur »wendisch« sein können. Nur die »wendische Mutter« konnte in der verödeten und entvölkerten Landschaft aus den Wäldern heraustreten, das verlorene Vieh suchen, den Rost vom Pflug schlagen und den steinigen Brachacker pflügen. Mit der Selbstverständlichkeit des Gedichtes, nach dem Gesetz der Poesie. Huchel hat mehrmals über das Bewußtsein des Slawischen in seiner Familie mütterlicherseits gesprochen. Und geschrieben.

»Meine Mutter geht nicht mehr ackerwärts.
Aber aus ihren Schuhen der Sand
Weht brennend über mein Herz.«

Das ist ein Zeugnis aus einem Gedicht der Nachkriegszeit, *Erinnerung,* das nur in einer Zeitschrift abgedruckt wurde. Kehren wir zurück zum Gedicht *Wendische Heide* aus der ersten Sammlung. In ihm, um 1925 entstanden, schreitet der mythische Hirt wie eine Verkörperung der Vorvergangenheit durch die urslawische Heide:

»Uralter Hirt, dein Volk zu hüten,
gingst du im Staub der Herde nach.«

Das ist doch bestimmt mehr als nur ein »Sprung« poetischer Art aus der PRAE-Zeit ins NUNC, als ein übliches »Mischen« der Zeiten...

»Verstreutes Volk in großer Helle,
erscholl nicht geisterhaft Gesang?«

Das Urslawische ist hier zwar verstreut im Raum (und im Körper), klingt es aber nicht weiter im Gesang, welcher der Dichtung gleicht?
Wir sind hiermit, zwar fragend, aber doch an der Grenze des Fabulierens angelangt. Bestimmt. Auch große Worte sind gefallen und werfen vielleicht ganz und gar überflüssig ihre

Schatten auf das, was als »große Helle« gespürt und ausgedrückt wurde. Vielleicht lohnt es sich, noch einige »slawische
Motive« in den Gedichten des ersten Huchel-Bandes zu ver-
folgen. So zum Beispiel im Gedicht *Der polnische Schnitter*,
das zwischen den Gedichten *Die Magd* und *Herbst der Bettler*
steht, also zwischen außerordentlich wichtigen Gestalten auf
der Bühne der Kindheit und Jugend des Dichters. Damals
faszinierten ihn auch polnische und ruthenische Saisonarbeiter.
Sie sind in Viehwaggons angekommen, waren stolz und zornig,
haben in die märkische Gegend die Glut der fremden Feuer
gebracht, sie fluchten und sangen melancholische Lieder mit
dem aufreizenden Hauch des »Orients«. Das östlich Exotische.
Und nach der Erntezeit sind sie immer jählings verschwunden.
Diese polnischen Schnitter stehen symbolisch am Anfang jenes
»sozialen Gefühls«, das man bei den ersten Huchel-Gedichten
so oft erwähnt. Denn

»Acker um Acker mähte ich,
kein Halm war mein eigen.«

Während des Dichters Urlandschaft sich in seinen Versen
durch eine unvermutete Wortverschiebung öffnet, wenn in der
authentischen Deutschlandlandschaft 1945 eine Frau nicht
bloß aus einem Wald heraustritt, sondern aus dem wendischen
Wald, und anderswo – in Gedichten, wo alles nicht so augenscheinlich aussieht – das Gefühl der slawischen Urlandschaft
durch die Intensivierung des Blickes und Bildes entsteht, so wie
Sonnenglut für eine Sekunde das Auge blendet und durch diese
dunkle Sekunde Jahrhunderte überbrückt, während im Mini-
mum der Fälle die Mythologie aushilft, handelt es sich im Gedicht *Der polnische Schnitter* um einen anderen Prozeß. Die
Urlandschaft bekommt einen neuen Horizont, sie öffnet sich

»(. . .) heim ins östliche Land,
in die Röte des Morgens.«

Das ist eine Extensivierung und zugleich Präzisierung. Darüber hinaus ist dieses Gedicht aus dem ersten Teil des ersten
Huchel-Buches eigenartig »verfremdet«: es ist in freien unge-
reimten Rhythmen geschrieben, was in der Umgebung von

regelmäßig rhythmisierten und gereimten Strophen-Gedichten auffällig ist. Und es ist in der ersten Person verfaßt, in der Ich-Form, sozusagen im Namen des polnischen Schnitters – eine Personifizierung, die bei Huchel sehr selten vorkommt. So daß dann die Worte von der Rückkehr »heim ins östliche Land« einen ganz besonderen Sinn erhalten. Nicht minder der Zweizeiler

»O Feuer der Erde,
mein Herz hält andere Glut.«

Stellen wir daneben einen Zweizeiler aus dem Gedicht *Thrakien* aus *Chausseen Chausseen*:

»Das Rascheln des Sandes
Zerklüftet das Herz.«,

so sind wir in einer Welt, die überraschend die Welt eines anderen »östlichen« deutschen Dichters berührt – nur berührt, denn es ist eine Welt ganz anderer Wurzeln und Farben –, die Welt Paul Celans, »(...) aus östlichem: menschlichem Herzen (...)« steht in einer seiner Widmungen.

Angesichts der »wendischen« Motive des ersten Buches stehen die polnischen und bulgarischen des zweiten Buches in einem anderen Licht. Die »polnischen« Gedichte sind Urbilder des Winters und des nationalen Schicksals. Die »bulgarischen« Gedichte Huchels sind 1957 datiert, ihr Keim liegt aber volle dreißig Jahre früher. Nicht zufällig spricht das Motto der *Chausseen Chausseen* vom »großen Hof meines Gedächtnisses«. (Auch dieses Augustinus-Zitat ist alter Herkunft: Huchel benützt es am 28. 12. 1932 in seinem Rundfunkvortrag, der das Buch *Der Knabenteich* avisieren sollte. Der Text ist besonders aufschlußreich – auch darum, weil er die Wichtigkeit der Geruch-Assoziationen betont. Huchel gesellt sich so selbst zur raren Schar der »olfaktorischen« Dichter...) Wenn es auch am Balkan zum tatsächlichen Überqueren der Wege, auf denen Huchel zwischen den beiden Kriegen durch Europa wanderte, kommt, entstehen daraus keine »Erinnerungsgedichte« üblicher Art: für den Dichter sind wichtiger: Schnittpunkte im Gedächtnis. So wird der Balkan zum Brückenkopf der Entdeckung des wirklichen Südens ... In Huchels Gedichte treten Griechenland und Italien, und allmählich kommen so die stabilisierten Schichten seines Werkes unerwartet in Bewegung. Der Dichter des nördlichen Herbstes und Winters steht wie hypnotisiert vor dem Mittelmeersommer. Man kann wohl von der Bewegung der Schichten, nicht aber von ihrem hastigen Zusammenfallen oder Zusammenschrumpfen und ihrer Wandlung in Schluchten sprechen, weil dieser Süden schon in der Struktur des ersten Huchel-Bandes – so in den Provence-Gedichten – verborgen ist; »zigeunerisch« verborgen! Besonders im Schlüsselgedicht *Polybios* gelingt dem Dichter ein poetisches Wunder, das man in der Epoche der maximalen Spannweite der dichterischen »Wunder« heute nicht allzuoft antrifft: der brennende Sand Karthagos wird zur harten Schnee-Ebene der Mark ... (Von hier aus könnten wir dem Motiv des Sandes und des Staubes nachgehen – der Ertrag wäre nicht unbedeutend.)

Ähnliches auch in den *Gezählten Tagen*: im Gedicht *Ölbaum und Weide* verschiebt sich die südliche Meereslandschaft plötzlich in den Nebel der »märkischen Wiesen«! Und

»Sie kommen wieder, (...)
die wendischen Weidenmütter,
die warzigen Alten
mit klaffender Brust,
am Rand der Teiche,
der dunkeläugig verschlossenen Wasser,
die Füße in die Erde grabend,
die mein Gedächtnis ist.«

Das wendische Motiv hier, zum ersten Mal in der Mehrzahl, verläßt den Dichter also nicht einmal in den erträumten südlichen Landschaften. Der Titel des Gedichtes deutet die Polarität an, die zum dauerhaften und poesie- d. h. lebensspendenden Zwiespalt wird – wenn auch diesmal aus umgekehrter Sicht ...

Hier sei nun angemerkt, daß Peter Huchel, vor Jahren über seine literarischen Vorbilder befragt, diese »Liste« aufgestellt hat: Büchner, Baudelaire, Rimbaud, Trakl, Jessenin. Zur slawischen Welt knüpft hier nicht nur Jessenin an, sondern auch

Trakl, dessen halbslawische Herkunft man nicht mit dem Taufschein beweisen muß, das wäre allzu einfältig, sondern durch die Analyse seiner Dichtungen ...

In den inzwischen berühmt gewordenen Winterpsalmen des zweiten, aber auch des dritten Huchel-Bandes spürt man besonders stark, daß der Dichter den einsamen Traklschen Weg zur Grenze des NIHIL auf seine Art weiterführt. Hier sind wir unendlich entfernt von jenen auf Harmonie bedachten Versöhnungsspielen, von denen die Gedichte der notorischen »Überbrücker der Zwiespälte« strotzen. Man streut hier nicht das Vogelfutter des Trostes. Der eindeutig folgenschwerere Trost liegt doch in der puren Aussage. Im Augenblick, da man das Leid, bisher unbenannt, ja unbenennbar, plötzlich benennt, eröffnen sich neue Räume. Der tschechische Dichter František Halas (1901-1949) hat in seiner dichterischen Litanei *Nikde* (= Nirgends) vor Jahren in schier rasenden Superlativen den ganzen Schauder über sich selbst und sein Geschick in der Zeit und über die Zeit an sich ausgesprochen. Nur primitive Geister konnten über solcher Konsequenz mit den alleinseligmachenden Kategorien von Pessimismus und Optimismus herumhantieren. Aus eben diesen Geleisen schleudern sich Huchels Winterpsalme, eine Poesie der äußersten Konzentration, über die man nicht schlau räsonnieren kann: vom Objekt, vom Subjekt, von der Tragweite, die man bloß annehmen oder ablehnen muß. Annehmen: wie ein Geschenk, das dir heute vielleicht die Hand blutig reibt, morgen aber seine ganze kristallische Fähigkeit offenbart, um die vielwinklige Realität zusammenzufassen ...

Die Halas-Parallele ist keine zufällige: Das Gedicht *Die Engel* aus den *Gezählten Tagen*, das in seiner ersten Fassung (1966) nur in einer tschechischen Nachdichtung erschienen ist, war ursprünglich dem Gedächtnis des Dichters František Halas zugeeignet. In der zweiten Fassung, die wir in der Buchausgabe lesen, ist das Gedicht straffer, die Bilder des Feuers und des flüsternden Staubes sind zum »Rahmen« geworden. Fortgefallen sind zwei Stellen:

»Novembernässe,
Gefängnis der Toten (...)«

»Die mächtig gegabelte Weide
Hebt ihre Arme,
Gemartert vom Wind.«

Die Streichung der zweiten Sequenz ist eindeutiger: die Anlehnung an viele expressionistische »Baum-Gedichte«, die zum
Klischee wurden, störte den Dichter augenscheinlich. Man kann
zustimmen. Für unser Motiv, das allmählich zum stillen Leitmotiv wird, ist es aber von Bedeutung: man erinnere sich nur
der alten »wendischen Weidenmütter«! Die »Greisin« des
Gedichtes könnte vielleicht dem bekanntesten und mehr-
fach (zuletzt von Franz Fühmann, aber auch von Manfred
Peter Hein) ins Deutsche Übertragenen Halas-Gedicht *Die
alten Frauen* entsprungen sein. (Reiner Zufall? Das große
Halas-Gedicht sollte ursprünglich nur »Alte Frau« heißen.)
Hypothetisch können wir die erste Sequenz als eine sehr weite
Halas-Anspielung und ihre Streichung (eventuell das Einsetzen
von »Nebel« statt »Nässe«) als eine begreifliche Eliminierung
des literarischen »Ausgangspunktes« betrachten. Dies möge aber
nur als vage Vermutung zu verstehen sein, der einige Bilder
aus den Halas'schen *Alten Frauen* folgen sollen: segel des styx,
mitgift des todes, mosaiken der leiden, grabstätten des lä-
chelns ... Als weitere Hypothese seien noch zwei Bilder neben-
einandergestellt:

Bei Halas: »du haar der alten frauen
             (...)
             spärlicher rauch niederbrennender köpfe«

Bei Huchel: »Ein Rauch,
             ein Schatten steht auf,
             geht durch das Zimmer,
             wo eine Greisin (...)«

Der Titel endlich – *Die Engel* – berührt unvermutet die Halas-
sche Bilderwelt und geht zurück zu – Georg Trakl. Und Halas
ist doch – selbst mit chiffrierten Zitaten – ein unleugbarer
Trakl-Nachfolger.

In der ersten Fassung des Gedichtes *Eine Herbstnacht* schrieb
Huchel:

»In Bäumen und Büschen wehte dein Haar,
Uralte Mutter, die alles gebar,
Moore und Flüsse, Schluchten und Sterne.«

Der korrigierende Bleistift präzisierte später, als das Gedicht
in *Chausseen Chaussen* übernommen wurde:

»Urfrühes Dunkel (...)«

Eine winzige Nebenbeikorrektur? Viel mehr: das Gedicht ist
herangerückt in den Zeitraum – in den morgendlichen Bereich
der großen Helle...

(1962-1972)

Rudolf Hartung
»Gezählte Tage«

In einem vortrefflichen Aufsatz über Peter Huchel hat vor einigen Jahren der amerikanische Germanist Ingo Seidler festgestellt, daß dieser Lyriker nach seinem zweiten Band *Chausseen Chausseen* (1963) insgesamt knapp 120 Gedichte veröffentlicht habe; das ergäbe, wie der Germanist ausgerechnet hat, einen Durchschnitt von drei Gedichten pro Jahr. Eine gewiß kleine Ernte, und sie bleibt klein, auch wenn man jetzt die Gedichte des neuen Bandes *Gezählte Tage* dazurechnete. – Peter Huchel, der außer diesen drei Gedichtbüchern in den dreißiger Jahren nur einige Hörspiele geschrieben hat, wird im nächsten Jahr 70 Jahre alt. Dieser relativ karge Ertrag eines Lebens wirft Fragen auf. Eine Antwort versuchte ich in meiner Laudatio anläßlich der Verleihung des Fontane-Preises an Peter Huchel (1963) zu geben, als ich sagte, daß die quantitative Kargheit dieser Lyrik »als Zeichen für ein hochentwickeltes Verantwortungsbewußtsein« zu verstehen sei: »die Intention auf Genauigkeit und Bündigkeit der künstlerischen Gestalt, der beharrliche Verzicht auf jene Experimente, die spielerisch aus sich selber leben, legten diese Beschränkung auf«. Zur Erklärung wird man aber auch an die Ungunst der Zeiten zu denken haben, an die Jahre nach 1933, in denen, wie es in einem Gedicht Huchels heißt, »der Schlangen nackte Brut« zum Biß bereit war; es folgten die Kriegsjahre (Huchel war ab 1940 Soldat) und jene Zeit (1949 bis 1962), da Huchel das zeit- und kräfteraubende Amt eines Chefredakteurs von *Sinn und Form* innehatte.

Mit ziemlicher Hartnäckigkeit hat man Huchel das Etikett »Naturlyriker« angeheftet. Eine Charakterisierung, die ganz falsch nicht ist, nur daß der Begriff Naturlyriker im Laufe der Jahre zum Klischee geworden ist – vorausgesetzt, daß er es nicht schon von Anfang an war – und erst wieder mit Sinn gefüllt werden muß. Fraglos spielt in den frühen Gedichten und auch noch in den jetzt erschienenen die Natur eine bedeutende Rolle: was das Gedicht Huchels zu sagen hat, sagt es sozusagen an Hand der Natur, ihr Bestand ist auch der vieler seiner Gedichte. So war das Gedicht Huchels von Anfang an dicht und konkret wie die ländlich-bäuerliche Welt selber, wie die brandenburgische Heimat mit Äckern und Gras, Wasser und Schilf, den Mähern, die müde im Grummet ruhn, der Magd, die dem Kind »das Brot brockt und den Apfel schabt«. Die Menschen dieser Gedichte, landarmes Proletariat zumeist, lebten distanzlos in dieser Welt, was in der Lyrik Huchels, da sie sich ganz dieser Welt und ihren Menschen anheimzugeben schien, jenen epigonalen Lyrismus nicht aufkommen ließ, der von der Distanz zum Konkreten lebt. Substantiell wie die Erde selber war das Gedicht Huchels, es war gleichsam auch aus Erde gemacht. Eben darum weigerte sich das Gedicht Huchels von Anfang an und bis heute, den großen Städten und der modernen Zivilisation Einlaß zu gewähren: es hätte deren andere Substanz nicht nachbilden können.

Nichts aufschlußreicher für die Bindung dieser Lyrik an die Natur, als daß Peter Huchel, den ein starker Sinn für soziale Gerechtigkeit und der Abscheu vor dem Faschismus auszeichnet, noch seine politische Aussage weitgehend mit Hilfe der Natur artikuliert, Politisches gleichsam in Natur übersetzt.

»Horch, es rascheln Totenkronen,
Nebel ziehen und Dämonen«

lauten die letzten Verse des 1933 geschriebenen Gedichts *Späte Zeit*; auch eine Strophe aus dem fünf Jahre später entstandenen Gedicht *Zwölf Nächte* transponiert das politische Unheil auf ähnliche Weise:

»Du findest nur den Schmerz der Zeit,
die Erde feucht von Blut.
Und unterm Schutt, zum Biß bereit,
der Schlangen nackte Brut.«

Wofür in dem einen Gedicht die ziehenden Nebel stehen, in dem andern das Schlangengezücht, ist nicht zu verkennen. Falsch aber wäre es, hier von Allegorien zu reden. Es ist vielmehr so, daß Huchel kraft seiner Verbindung mit der Natur gleichsam in ihr aufspüren konnte, was die Zeit an Fatalem birgt und noch zeitigen wird. Natur war und ist für Huchel also nicht nur Heimat, die er im Gedicht rühmt

»Schön ist die Heimat,
wenn über der grünen Messingscheibe
des Teichs der Kranich schreit (...)«,

nicht ein Bereich neben anderen, sondern das Ganze. Aus diesem Grunde war das Gedicht Huchels, wie ich es seinerzeit in der Laudatio formulierte, »immer gefeit gegen den faschistischen Stumpfsinn von Blut und Scholle«.
Diese Bindung Huchels an die Natur, ans Irdische hat sich über die Jahre und Jahrzehnte erhalten; in dem Band *Chausseen Chausseen* sind zu der Landschaft der Mark nun noch südliche und östliche Szenerien hinzugekommen. Und wie früher werden auch in dem jetzt erschienenen Band *Gezählte Tage* die — im ganzen spärlichen — politischen Aussagen in konkrete Naturdinge übersetzt.

»Willkommen sind Gäste,
die Unkraut lieben«

heißt es etwa in einem Gedicht, und wer die Sprache dieser Lyrik zu lesen versteht, weiß, was gemeint ist: das Unkraut, für das in einem anderen Gedicht der Wegerich steht, wird als »Widerpart geharkter Ordnung« gesehen, als nutzloses Grün, das der vorgeschriebenen Ordnung widerspricht. Eine zwar verschlüsselte, aber jedem Kundigen lesbare Absage an die Funktionäre und insofern direkt an den Offenen Brief Huchels aus dem Jahre 1953 erinnernd, in welchem er dafür eintrat, daß es für den schöpferischen Menschen »mehr als einen Weg« geben müsse, und er sich gegen die »angemaßte Unfehlbarkeit« ostdeutscher Literaturfunktionäre aussprach. In einem anderen Gedicht mit dem sprechenden Titel *Exil* wird die eigene Situation, nämlich die eines »Verfemten,/der hinter der Mauer lebt«, noch deutlicher; aber auch hier ist es wieder die Natur, sind es Wasser, Schatten und Steine, die dem Dichter die Situation erhellen:

»Am Abend nahen die Freunde,
die Schatten der Hügel.
Sie treten langsam über die Schwelle,
verdunkeln das Salz,
verdunkeln das Brot
und führen Gespräche mit meinem Schweigen.

Draußen im Ahorn
regt sich der Wind:
Meine Schwester, das Regenwasser
in kalkiger Mulde,
gefangen
blickt sie den Wolken nach.

Geh mit dem Wind,
sagen die Schatten.
Der Sommer legt dir
die eiserne Sichel aufs Herz.
Geh fort, bevor im Ahornblatt
das Stigma des Herbstes brennt.

Sei getreu, sagt der Stein.
Die dämmernde Frühe
hebt an, wo Licht und Laub
ineinander wohnen
und das Gesicht
in einer Flamme vergeht.«

Fortgehen oder bleiben, diese uralte menschliche Alternative,
die in diesem Gedicht noch politischen Akzent trägt, wird hier
großartige künstlerische Gestalt. Das Gedicht ist (relativ) einfach und trotzdem vielschichtig, und wieder ist zu bewundern,
wie meisterhaft Huchel den Menschen und sein Geschick in
den Naturzusammenhang integriert. Unverhüllter politisch
und, was im Gedicht Huchels alles in allem selten ist, pole-
misch und anklägerisch ist das Gedicht *Das Gericht*, das wohl-
bedacht an den Schluß des Bandes gesetzt wurde und mit den
Versen beginnt:

»Nicht dafür geboren,
unter den Fittichen der Gewalt zu leben.«

Offen verurteilt Peter Huchel hier ein Regime, das ihn, wie er
es in einem Interview in der *Zeit* formulierte, dazu zwang,
»nahezu acht Jahre (...) in meinem Haus in Wilhelmhorst bei
Potsdam in vollkommener Isolation« zu leben: ohne Post,
ohne Bücher, mit einem Spitzel gegenüber, der die Autonummern der wenigen ihn besuchenden Freunde aufschrieb. Allerdings wendet sich Huchel in diesem Interview auch dagegen,
als Nicht-Marxist eingestuft zu werden – nur den Vulgär-
Marxismus habe er nicht »übernehmen« können.
Von dieser politischen Differenzierung findet sich kaum etwas
im Gedicht Peter Huchels, und dafür mag es einleuchtende
äußere und auch innere Gründe geben.
Huchel ist kein intellektueller Lyriker, sein Element ist nicht
die Luft – wie etwa für Krolow –, und sein Gedicht kennt
nicht den spirituellen Äther, sondern statt dessen Schneewind
und wäßrige Nebel, die Hitze des Mittags oder die
dämmernde Frühe über märkischen Wiesen. Daß angesichts
südlicher Landschaft vom »Geist der Steine« gesprochen, daß
die Erde »mein Gedächtnis« genannt wird, daß einmal (in
Chausseen Chausseen) sogar der Vers sich findet »Nackt und
blutig lag die Erde, der Leib des Herrn« –: dies alles ist im
höchsten Maße signifikant und fordert dem Autor äußerste
Genauigkeit in der Erfassung und Wiedergabe der irdischen
Dinge ab. Wunderbar konkret ist auch jetzt oft noch die Welt,
die das Gedicht Huchels aufruft.
Daß es gleichwohl späte Gedichte sind – spät, was den Dichter
betrifft, und auch weil die Welt älter geworden ist –, macht
zumal ein Vergleich mit den Arbeiten aus den zwanziger und
dreißiger Jahren deutlich, in die aus der erinnerten Kindheit
noch ein dunkleres Rauschen herüberdrang, das nun kaum
vernehmbar ist.

»Unter der blanken Hacke des Monds
werde ich sterben,
ohne das Alphabet der Blitze
gelernt zu haben.

Im Wasserzeichen der Nacht
die Kindheit der Mythen,
nicht zu entziffern.

Unwissend
stürz ich hinab,
zu den Knochen der Füchse geworfen.«

Und geltend macht sich natürlich auch, daß die beschreibba-
ren und aufrufbaren irdischen Dinge, auf die das Gedicht
Peter Huchels nach wie vor wesentlich angewiesen ist, in einer
immer abstrakter und technischer werdenden Welt nun weniger bedeuten und die Auslegung des Daseins im Horizont der
Natur ein immer einsameres Unterfangen wird. Das mag man
ein Verhängnis nennen, und es ist ziemlich sicher, daß der
Autor dieser Gedichte es so sieht. Aber das Verhängnis scheint
unaufhaltsam, auch Peter Huchel kann sich dieser Einsicht
nicht verschließen, wie schon im vorletzten Band die wunder-
baren Verse des Gedichts *Der Garten des Theophrast* bezeug-
ten:

»Ein Ölbaum spaltet das mürbe Gemäuer
Und ist noch Stimme im heißen Staub.
Sie gaben Befehl, die Wurzel zu roden.
Es sinkt dein Licht, schutzloses Laub.«

Verschwistert den sichtbaren und einst vom Menschen erfahrenen Dingen der Natur, steht auch das Gedicht Peter
Huchels im sinkenden Licht dieser Welt: schutzlos und
gefährdet und nur noch getragen von jener langen Geduld,
die diesen Lyriker immer ausgezeichnet und die er mit der
Natur gemeinsam hat.

(1972)

Helmut Mader
Abschied von den Hirten

Es sind in der deutschen Gegenwartslyrik vor allem drei Dichter, deren Anfänge noch direkt von der Naturlyrik Lehmanns und Loerkes, der sogenannten »natur-magischen Dichterschule«, geprägt wurden: Peter Huchel, Günter Eich und Karl Krolow. Krolow hat in seiner späteren Entwicklung sehr viele und sehr verschiedene Stilrichtungen verarbeitet. Eich hatte sich radikal von seinem Ausgangspunkt entfernt. Von Peter Huchel meint Hilde Domin, er sei Loerke am nächsten geblieben. Das stimmt eigentlich nur in einer Hinsicht: Huchel hat sich verhältnismäßig zögernd und nie völlig von den formalen Techniken seiner ersten Veröffentlichungen gelöst. Andrerseits war er von vornherein der eigenständigste der drei Autoren. Eine regelrechte Stilabhängigkeit hat bei ihm lediglich in ganz seltenen Fällen bestanden.

Verglichen mit Krolow haben Eich und Huchel wenig Lyrik publiziert. Bei Eich kommen sein umfangreiches Hörspielwerk und die Kurzprosa hinzu. Bei Huchel liegen die Dinge extrem. Die Funkdichtungen seiner Jugend müssen als verschollen angesehen werden. Mit 69 Jahren besteht sein poetisches Gesamtwerk aus drei Gedichtbänden. 1948 kam in Ost-Berlin die Sammlung *Gedichte* mit Texten aus den Jahren 1925 bis 1947 heraus (Westausgabe 1949, Neuauflage in veränderter und gestraffter Fassung unter dem Titel *Die Sternenreuse* 1968). Von 1949 bis 1962 war Huchel Chefredakteur der Zeitschrift *Sinn und Form*. Welche Bedeutung diese Tätigkeit für die deutsche Literatur hatte, wird noch zu klären sein. Einigen Aufschluß kann man von der Autobiographie erwarten, an der Huchel gegenwärtig arbeitet. Ein Jahr nachdem er die Redaktion von *Sinn und Form* niedergelegt hatte, erschien *Chausseen Chausseen*, diesmal nur noch im Westen. 1971 verließ Huchel die DDR. Jetzt liegt sein dritter Gedichtband vor.

Werfen wir einen Blick zurück. Was Huchel von den anderen Naturlyrikern grundsätzlich unterschied, war zunächst die enge Begrenzung seiner Gedichte auf die märkische Landschaft, in der er aufgewachsen war. Das war indessen keine Einengung der poetischen Thematik, im Gegenteil. Während die andern – um es mit einigen von Loerke für Lehmann formulierten Metaphern des gemeinsamen Programms zu sagen – der Natur in einer quasiwissenschaftlichen Haltung zu begegnen suchten, das »Miserable des privaten Grams und Glücks« möglichst ausklammerten, den »Gesang der Dinge« forderten, um den »Grünen Gott« auf seine »botanischen Fakten« (Robert Graves) zu überprüfen, und damit den Schwerpunkt auf den Horizont der Dinglichkeit der Welt verlagerten, verzichtete Huchel auf eine solche Schwerpunktverlagerung. Er übersah bei aller Genauigkeit der botanischen Fakten nicht den Horizont der Zeitlichkeit, der Geschichtlichkeit und der Gesellschaftlichkeit. Für ihn war das Ich nicht »in die Wesen ausgewandert«, wie Lehmann konstatierte, nicht ein bloßer Reflex der Dinge. Er hatte nicht jenen ›Partipris-des-choses‹-Grundsatz, der später Ponge Sartres Vorwurf der Verdinglichung des Menschen einbrachte und von dem sich auch Lehmann getroffen fühlte. Ihn betraf das nicht. Denn wie Hegel zu Recht die Echotheorie aufstellte, wonach das Naturschöne ein Reflex des Kunstschönen ist und nicht umgekehrt, so blieb auch für Huchel stets die Natur eine Metapher für den Menschen, ein Ausdruck dessen, der sie betrachtet, beobachtet und bewohnt.

»Wer Natur sagt, sagt Mythus«, heißt es bei Lehmann. Bei Huchel, gäbe es eine solche programmatische Aussage von ihm, würde sie lauten: Wer Natur sagt, sagt Mensch. Er mißtraute dem Mythos. Er war's, der wirklich bei den Sachen und Sachverhalten blieb und dadurch zum eigentlichen Realisten der Naturpoesie wurde. In seiner Landschaft ist das Ich und seine Erinnerungen ebensowenig wegzudenken wie das märkische Dorfproletariat jener zwanziger und dreißiger Jahre: ganz einfach die Magd, der Knecht von damals, der zigeunerische Kesselflicker, der wendische Landarbeiter, der polnische Schnitter und Saisonarbeiter. Kommentarlos und konkret registriert er ihre soziale Lage, ihr Leben, das Elend, die Freude, die Hoffnung, die Verzweiflung der Idylle der Felder, Teiche, Flüsse, Weiden, der Tiere, der Arbeit und des Menschen.

Bewußt stolprige Satzinversionen (nicht nur als Traklsches

Erbe), aufgerauhte Zeilen, Rhythmen und Reimschemen. Plötzlich (scheinbar plötzlich, weil in Wirklichkeit folgerichtig) das Gedicht über Lenz. Ein Historienstück über die geschundene Kreatur der bürgerlichen Bildungsschicht des 18. Jahrhunderts, einer der großen Höhepunkte in Huchels Werk. Trochäen – ganz ohne Beispiel der Atemwechsel in den eingerückten Anrufpassagen, der geradezu so etwas bewirkt wie einen »Rhythmuswechsel im selben Rhythmus«. – Dann die Zeitgedichte über die Misere vor und nach dem Krieg. Die Natur, nun öd und verzerrt, bleibt das Spiegelbild des Menschen:

»Ich sah des Krieges Ruhm.
Als wärs des Todes Säbelkorb,
durchklirrt von Schnee, am Straßenrand
lag eines Pferds Gerippe.
Nur eine Krähe scharrte dort im Schnee nach Aas,
wo Wind die Knochen nagte, Rost das Eisen fraß.«

1963: *Chausseen Chausseen.* Was sich vorher schon anbahnte, entwickelt sich weiter. Die Reimgedichte werden zu Ausnahmefällen. Andere Landschaften waren schon vorher hinzugekommen: Griechenland, Frankreich, Italien, der Balkan, das östlich der Oder Gelegene. Durch die abstraktere Metaphorik, die symbolhafte Einbeziehung antiker Mythologeme, hymnischer Stimmlagen werden auch die Landschaften abstrakter, skizzenhafter; auch leerer, insofern als sie Chiffren für Gedanken werden. Immer noch gibt es die alten ländlichen Bilder, sie sind manchmal ›klassisch überhöht‹ und dadurch auch unterhöhlt. Routine stellt sich allerdings nirgends ein. – Der Naturdichter wird zum poetischen Historiographen. Einige Titel am Ende des Buches zeigen das deutlich: *Bericht des Pfarrers vom Untergang seiner Gemeinde, Der Treck, Dezember 1942, Polybios* (der antike Geschichtsschreiber), *An taube Ohren der Geschlechter, Warschauer Gedenktafel.* Ganz am Schluß drei inzwischen berühmte Gedichte:

Winterpsalm. Darin die Zeilen:

»›Alles Verscharrte blickt mich an.
Soll ich es heben aus dem Staub
Und zeigen dem Richter? Ich schweige.
Ich will nicht Zeuge sein.‹
Sein Flüstern erlosch,
Von keiner Flamme genährt.

Wohin du stürzt, o Seele,
Nicht weiß es die Nacht. Denn da ist nichts
Als vieler Wesen stumme Angst.
Der Zeuge tritt hervor. Es ist das Licht.«

Der Garten des Theophrast. Mit den Versen:

»Wenn mittags das weiße Feuer
Der Verse über den Urnen tanzt,
Gedenke, mein Sohn. Gedenke derer,
Die einst Gespräche wie Bäume gepflanzt.«

Psalm. Der Schluß des Gedichts:

»Die Öde wird Geschichte.
Termiten schreiben sie
Mit ihren Zangen
In den Sand.

Und nicht erforscht wird werden
Ein Geschlecht,
Eifrig bemüht,
Sich zu vernichten.«

Es ist notwendig, Huchels dichterische Entwicklung wenigstens abrißhaft zu überblicken, um seinen neuen Gedichtband
Gezählte Tage zu verstehen. Er ist das zwingende Ergebnis
dieser Entwicklung. Das Ergebnis ist ein Rückzug. Ein Sichzu-
rückziehen, ein Vollzug vollkommener Isolation.
Am 22. Mai 1956 schrieb Brecht an Becher: »Die Zeit des
Kollektivismus ist zunächst eine Zeit der Monologe gewor-

den.« Auch das ein Rückzug. Schmerzhaft genug schon für
jemanden wie Huchel, der Gespräche wie Bäume pflanzen
wollte. Die Zeit trieb ihn noch weiter auf sich selbst zurück,
dahin, wo selbst Monologe für ihn unmöglich und sinnlos
wurden, und die Fähigkeit, die die Zeit verlangte, besaß er
nicht:

»Die Fähigkeit
der Dichterspinnen,
aus eigener Substanz
das dünne Seil zu drehen,
auf dem sie dann geschickt
mit zwei Gesichtern
und einer Feder
durch alle Lüfte balancieren.«

Huchel, wohlgemerkt, ist kein Antisozialist geworden. Der
Rückzug hätte ihm im Westen genauso passieren können, er
wird auch hier weitergehen. Ob ihm Sartres Hoffnung noch
bleibt, ist eine andere Frage: »La poésie, c'est qui perd
gagne. Et le poète authentique choisit de perdre jusqu'à
mourir pour gagner.«
Eine beinahe totale Öde und Verwüstung kennzeichnen die
neuen Landschaftsentwürfe Peter Huchels. Selbst der Süden
ist ohne Farben und frostig. Die Schlüssel- und Häufigkeits-
wörter heißen endgültig: Steine, Kälte, Öde, Sand, Winter,
Nordwind, Schatten, Licht – ein eisiges, klirrendes Licht.
Aber es fehlen der Zynismus und die Kalauer Eichs ebenso wie
die Flucht Erich Arendts in die Neutralität der klassischen
Griechenlandschönheit, der sich Huchel von Anfang an
widersetzte: – »eh nicht der Mensch den Menschen erlöst«.
Vereinzelt werden biblische Mythen bemüht, hier macht sich
zum erstenmal Leerlauf bemerkbar. Ab und zu besinnt sich
noch die Metaphorik auf früher, dann gewinnen die Mythen
der Antike noch konkrete Züge:

»(...) die Sibyllen
wohnen im Staub der Sensen«,

und

»die Ziege stößt
mit den Hörnern die Sonne fort
und sucht den dünnen Schatten«.

Doch der »Abschied von den Hirten« ist vollzogen: »Dies ist
dein Zeichen. Vergiß die Hirten«.
Aus der einstigen »Sternenreuse« ist eine »Stacheldrahtreuse«
geworden. Die Erinnerung an die Wirklichkeit gibt sich so
»Sie töten in der klaren Frühe des Taus«, – oder:

»Zwei Frauen
in schneeverkrusteten Schaffelljacken
gehen nach Norden
über das Eis.«

In solchen einfachen Aussagen komplexer und komplizierte
Sachverhalte ist offenbar der Gewinn zu suchen, den di
Poesie aus den permanenten Verlusten und Niederlagen noc
zu ziehen vermag. Gedichte wie dieses (über den großer
chinesischen Sozialkritiker der Tang-Zeit):

Pe-Lo-Thien

»Laß mich bleiben
im weißen Gehölz,
Verwalter des Windes
und der Wolken. Erhell
die Gedanken einsamer Felsen.

Aus eisigen Wassern
tauchen die Tage auf,
störrisch und blind.
Mit geschundenen Masken
suchen sie frierend
das dünne Reisigfeuer
des Verfemten,
der hinter der Mauer lebt
mit seinen Kranichen und Katzen.«

Pe-Lo-Thien, der Verfemte. Huchel. Sein in Anthologier
begrabenes Lenin-Gedicht, des verfemten Lenin im sibiri

schen Exil. – Das Ich als Wortlandschaft, die Poesie in die Enge getrieben, das Ich in die Enge getrieben, die Gedanken nur noch Worte, die Realität in den Zwischenräumen...

Die Fraglichkeit der Poesie auf einzelne Aspekte oder Sparten zu beziehen, also beispielsweise die Naturlyrik, wäre ein sinnloses Unterfangen. Das Problem ist längst ein generelles geworden. Es ist auch nicht nötig, auf Adorno zurückzugreifen. Die Kunstproduktion spiegelt oder betreibt ihre Fraglichkeit selbst. Der Kunstpessimismus reicht weit ins 19. Jahrhundert zurück. Über Kunst zu sprechen heißt, vom heutigen Standpunkt vor allem ihre Fraglichkeit mit einbeziehn.

»Schon in die Nacht gebeugt,
ins eisige Geschirr,
schleppt Hercules
die Kettenegge der Sterne
den nördlichen Himmel hinauf.«

– Noch einmal die alte Kraft der Metaphern, das undankbare und mühselige Geschäft des Dichtens, obschon »ein eisiger Hauch / fegt über die Tenne der Worte«.

Die Reimgedichte sind endgültig verschwunden. Die Schlüsse der neuen Gedichte Huchels sind oft nach der Art der chinesischen Dichter der Tang-Zeit.

(1972)

Peter Wapnewski
Zone des Schmerzes

So formulierte es 1967 der russische Lyriker Andrej Wosnes-
senskij: »Poesie steht heute dort, wo es schmerzt, wo schmerz-
hafte Empfindungen anklingen. Der Dichter sollte dort zu
finden sein, wo es den Menschen schmerzt.« Und Walter
Höllerer präzisierte: »(...) in der Zone des Widersprüchli-
chen und Unvermeidbarlichen, und damit in Ungelegenhei-
ten, ›dort, wo die Zone des Schmerzes ist‹.« Der Blick galt
Majakowskij, Jessenin, Pasternak, Lorca; er kann ebensowohl
gerichtet sein auf Peter Huchel: *Gezählte Tage*.

Um zu rekapitulieren: Peter Huchel, 1903 in Berlin geboren,
wuchs heran in der Mark Brandenburg auf seines Großvaters
Bauernhof, studierte Literatur und Philosophie, war fünf
Jahre Soldat und Kriegsgefangener, veröffentlichte seit 1924
Gedichte und wirkte seit 1949 als Herausgeber von *Sinn und
Form*: der seinerzeit bedeutendsten literarischen Zeitschrift
nicht nur der DDR, sondern des deutschen Sprachbereichs
überhaupt. Von ihr nahm er nach vierzehn Jahren 1962 seinen
erzwungenen Abschied (mit einem Heft berühmt gewordener
Beiträge, das Literaturgeschichte gemacht hat), lebte fast zehn
Jahre schweigend im inneren Exil. 1971 dann »ging« er in den
Westen, die Akademien in der Bundesrepublik und in West-Ber-
lin wie der PEN-Club halfen so leise wie tätig, arbeitete in der
Villa Massimo als deren Ehrengast; und heute lebt er in der Nähe
von Freiburg. (Ein knapper, gleichwohl vielsagender Überblick
findet sich in dem Buch *Traditionen und Tendenzen – Materialien zur Literatur der DDR* von Fritz J. Raddatz.) Huchels Werk
ist, wie man zu sagen pflegt, schmal. Besteht aus Lyrik (neben
weniger Prosa, einigen Hörspielen), aus (jetzt) drei Bänden
gesammelter Gedichte: 1948 der erste (weitgehend inhalts-
gleich dem 1967 bei Piper erschienenen Band *Die Sternenreuse*), 1963 der zweite *Chausseen Chausseen*; und jetzt, in der
neuesten Veröffentlichung weitere dreiundsechzig lyrische
Stücke: Insgesamt werden es etwa hundertachtzig sein, da
mag zählen, wer will, es sollte jedoch gewogen werden – und
wiegt schwer. Huchel ist heute, in der Zeit nach Celan, der

bedeutendste Lyriker deutscher Sprache neben Günter Eich und Ingeborg Bachmann).

Gedichte im siebzigsten Jahr – die Phrase von unseren Tagen, die gezählt sind, wird wörtlich gewendet, jedem von ihnen damit sein Gewicht gegeben. Zeit als die existenzielle Kategorie des Lyrikers, Erinnerung als deren materielle Füllung: Man denkt an Rilkes *Stunden-Buch*, an *Die gestundete Zeit* der Bachmann, an Celans *Mohn und Gedächtnis*. Und der Titel ist wie eine Antwort auf den Anruf des Gedichtes *Hinter den weißen Netzen des Mittags* (aus *Chausseen Chausseen*):

»Nicht zähle die Jahre, zähle die Stunden.«

Der Band gliedert sich in fünf Gruppen zu je zehn bis siebzehn Gedichten. Die zweite Gruppe wird eingeleitet durch Verse, die dem Ganzen seinen Titel gegeben haben:

»Gezählte Tage, Stimmen, Stimmen,
vorausgesandt durch Sonne und Wind«

Und über die Vergegenwärtigung der zu vergessenden Vergangenheit (»Vergiß die Stadt (...) Vergiß den Weg«) dann die Wendung von den gezählten Tagen in die nicht mehr eigene, also nicht mehr gezählte Stunde, von der Sonne in den sie aufsaugenden Nebel:

»Stunde,
die nicht mehr deine Stunde ist,
Stimmen,
vorausgesandt durch Nebel und Wind.«

Der Raum dieser Verse ist (so war es schon in Huchels früheren Gedichten) die Natur. Natur nicht als Gegenposition menschlicher Kultur; Natur nicht als mythisches Äquivalent des Individuums, nicht als das Szenarium der durch Salbei, Knöterich und Lorbeer huschenden Gottheit: sondern Natur als Sigel der Verkrustung, als Chiffre der Versteinerung, als Topos der Erstarrung, als Signal des Verstummens. Nicht Kulisse der Stimmung, sondern Materie der Entsprechung. Natur, das ist hier: Fels, Meer Mulde, Ahorngerippe, Nebel,

Asche, Schnee, Staub, Kalk, Eis. Das Jahr ist November, der Tag ist Nacht, die Luft Regen, die Sonne ist staubig, der Vogel die Krähe, die Erde Sand, der Sand Öde –

»Novembernebel, Regen, Regen
und Katzenschlaf.
Der Himmel schwarz
und schlammig über dem Fluß.«

Verse jenseits von Anfechtung und Trost; statische Gedichte arm an bewegenden Verben, reich an Metaphern – aber Metapher und Sache sind eines, es braucht nicht die dürftige Brücke des »wie« (auf diesen Prozeß der konzentrierenden Verknappung im Fortgang von Huchels Dichten hat Walter Jens bei der Besprechung des *Chausseen*-Bandes hingewiesen). Und kein Reim, wie er sich früher bei Huchel fand, bindet freundlich die Verse: denn der Reim garantiert zwar nicht das Prinzip Harmonie, gibt jedoch ihre Möglichkeit vor.

Zwar Sinn und Form. Aber Sinn nicht gleich Sinngebung, Form nicht gleich Harmonie. Sondern geronnene Sprache als Zähler, Erzähler stehender Zeit, unter deren gleichbleibendem Gesetz die Stunden verrinnen. Diese Gedichte sind als die Zeugnisse der totalen Isolation in den Jahren 1963 bis 1971 hörbarer noch als die früheren ein »Vermächtnis des Schweigens« (so überschrieb Peter Hamm 1964 seine Ehrung Huchels im *Merkur*). Ein Schweigen, dessen Partner die tote Natur und das Gedächtnis an einst Lebendiges sind: Odysseus und Shakespeare, Alkaios und Undine, Vergangenes aufgearbeitet in die Gegenwart, aufgehoben in ihr, die plötzlich und knapp eindringt mit den Schatten von Spitzeln und Häschern.

»Ein schwarzer SIS mit weißen Gardinen
rollt suchend die Straße hinab
und hält vor meiner Tür.«

Als wäre das zuviel schon der fatalen Realität des Aktuellen, verdinglicht sich sogleich das Schicksal des solchermaßen Gefangenen, Erstickten in der Chiffre:

Eine Granne,
nicht zugeweht
vom Sommer,
stachelt sich fest
in meiner Kehle.«

Huchels Traditionsverhaftung, sein »sense of past« (Eliot)
verfügt mit selbstverständlicher Gebärde über die alten
Namen und Begriffe und überführt so Geschichte in Geschehen, entlarvt den Wechsel als nur scheinhaft, erweist das Leid
als anthropologische Konstante.
Ophelia, lieblich-schreckliche Wasserleiche, von Shakespeare
über Brecht bis Huchel verbildlicht sie das Los des Schönen
auf der Erde, Märtyrerin »gesellschaftlicher Zwänge«. Huchel
fischt sie aus »schlammiger Stacheldrahtreuse« – Opfer des
Schießbefehls (Raddatz hat die ambivalente Beziehung dieser
Strophe zu der Ballade des Vorgängers Brecht überzeugend
herausgearbeitet):

»Später, am Morgen,
gegen die weiße Dämmerung hin,
das Waten von Stiefeln
im seichten Gewässer,
das Stoßen von Stangen,
ein rauhes Kommando,
sie heben die schlammige
Stacheldrahtreuse.«

Solche Technik eben des kontrapunktischen Verfahrens ist es,
mittels derer Huchel Dauer im Wechsel darstellt, will sagen
die Konstanz des Erbarmungswürdigen und Erbärmlichen im
Dahinrinnen der Tage zählt. So schon verfuhr er fast dreißig
Jahre zuvor im *Dezember 1942*:

Wie Wintergewitter ein rollender Hall.
Zerschossen die Lehmwand von Bethlehems Stall.

Es liegt Maria erschlagen vorm Tor,
Ihr blutig Haar an die Steine fror.

Drei Landser ziehen vermummt vorbei
(..)«

135

Am Anfang der Stall – am Ende der Galgen (Bloch). Am Anfang Bethlehem – am Ende Stalingrad, die Epiphanie Gottes in ihrer Schönheit als nur des Schrecklichen Anfang. Sind die Lettern der Geschichte zu dechiffrieren? Hat das Wort eine Antwort?

»Das Alphabet,
das du besitzt,
reicht nicht aus,
Antwort zu geben
der wehrlosen Schrift.«

Also warten – warten worauf? Und Unkraut, Gewächs der Einsamkeit, wuchert über den Weg:

»Willkommen sind Gäste,
die Unkraut lieben,
die nicht scheuen den Steinpfad,
vom Gras überwachsen.
Es kommen keine.«

Hochgemut bekannten Dichter einst, zu singen wie der Vogel singt. Huchel wünscht, er könne stürzen

»wie diese Wasseramsel
durch Erlenzweige,
die ihre Nahrung

vom steinigen Grund des Flusses holt.

Goldwäscher, Fischer,
stellt eure Geräte fort.
Der scheue Vogel

will seine Arbeit lautlos verrichten.«

Huchel bedient sich des altehrwürdigen Bildes vom Wort als Nahrung – es zu suchen ist Mühsal, es zu finden braucht es Glück, und Einsamkeit ist die Bedingung.

(1972)

Karl Krolow
»Gezählte Tage«

Der erste Gedichtband Peter Huchels nach seiner Übersiedlung in den Westen ist erschienen. Sein Titel *Gezählte Tage* deutet auf Spätes, Endgültiges: endgültige Einsicht wohl als späte Lebenserfahrung. So kann man das Buch verstehen, die einzelnen Gedichte ansehen. Wer die früheren kennt, alles, was Huchel seit langer Zeit in großen zeitlichen Abständen an Versen publiziert hat, bewundert nun wiederum den ihm eigenen folgerichtigen Mut, die ihn umgebende Einsamkeit, alle Isolation unter Menschen, Widerfahrungen mancher Jahre, im Gedichttext laut werden zu lassen. Laut heißt bei Huchel Naturlaut, jahreszeitliche Stimme, heißt Natur und Naturgeschehen.

Die *Gezählten Tage* sind von ihm erfüllt, aus Naturgeschehen wird unversehens Daseins-, Schicksalsgeschehen. Die Landschaft öffnet sich in vermehrtem Maße in den geschichtlichen Raum, in mythisch überhöhte Gegenwart, wird vegetativem Geschehen abgewonnen.

Huchel ist sich auf diese Weise treu geblieben. Er ist in den neuen Gedichten geblieben, was ihn bedeutend gemacht hat, ja, einzigartig. Er ist Landschaftsmund, Dickichtstimme, schwer von kreatürlichem Prozeß, einsam im Selbstgespräch. Die Zeitlosigkeit trügt. Zeit ist überall eingedrungen.

Man hat früher schon von den Landschaftsversen Huchels, soweit sie gegenwartsbezogen sind, als von apokalyptischen Versen sprechen können. Landschaft – so hat ein Chronist festgestellt – werde auf diese Weise zu einem »Katalysator des Grauens« (Ingo Seidler). Aber solchem, im Gedicht zu beobachtenden Zuwachs an Visionärem, an Bild und Inbild gewordenem Schrecken wird durch die sprachliche Behandlung – in der Form einer elegieverwandten »Überhöhung« – eine gewisse Mäßigung zuteil, die es nicht zum Äußersten, etwa zur Zerreißung der Gedichtstruktur, kommen läßt.

Das verbale Arsenal, das Huchel zur Verfügung steht, hat seiner Herkunft nach Abschirmungscharakter. Sein Verfahren ist das Verharren in großer Trauer in vielen der neueren Texte, Beharren im stillen Bescheidwissen. Huchel bleibt bei

der Umschreibung seines Ausgangspunktes: der Landschafts
idylle. Wie er Metaphoriker bleibt, jemand, der sich des dich
terischen Bildes als wichtigstem Bindemittel des Gedichte
weiterbedienen muß. Wenn es bei ihm so etwas wie artifi
zielle Veränderung im Sinne von Entwicklung gibt, so triff
das auf seinen Bild-Vorrat zu. Denn die Metapher erweiter
sich bei ihm mehr und mehr. In den Gedichten des letzter
Bandes *Chausseen Chausseen* (1963) und des vorliegender
Bandes liegt dieser Erweiterungsbereich im biblischen, auch
gelegentlich im mythisch-antiken Bildvergleich, der bis in der
Titel des Einzelgedichts reicht (*Am Jordan, Odysseus und di*
Circe, Aristeas, Alkaios).

Die Regionallandschaft von einst – Brandenburg, der Spree
wald, der deutsche Osten allgemein – dehnt sich aus und
verliert dadurch an Dominanz, daß Huchel westliche und
südliche Landschaften aufnimmt (*Vor Nîmes, Pensione Cigo*
lini, Venedig im Regen, Mittag in Succhivo, Subiaco).

Das »dünne Seil«, die ars poetica als Gedichtsubstanz, al
Lebenssubstanz ist bei Huchel immer wieder Ausdruck gewor
den in erschütternden Einsichten, wie etwa der folgender
(*April 63*):

»Ich bette mich ein
in die eisige Mulde meiner Jahre.
Ich spalte Holz,
das zähe splittrige Holz der Einsamkeit.«

Das ist Nachhall der Jahre der Isolation in der DDR, die der
einstige *Sinn und Form*-Chefredakteur durchzustehen hatte:

»Nicht dafür geboren,
unter den Fittichen der Gewalt zu leben,
nahm ich die Unschuld des Schuldigen an.«

Aber das letzte Bild bleibt doch bei diesem Lyriker dieses:

»die wendischen Weidenmütter (...)
die Füße in die Erde grabend,
die mein Gedächtnis ist.«

(*1972*)

Fritz J. Raddatz
Passé défini

Das in Buchform publizierte lyrische Werk des 69jährigen
Peter Huchel ist schmal: die 100 Gedichte der beiden Bände
Die Sternenreuse (eine kaum veränderte Neufassung des Bandes *Gedichte* aus dem Jahre 1948) und *Chausseen Chausseen*
sind nun durch 53 neue Gedichte des Bandes *Gezählte Tage*
ergänzt.

Es ist seine erste Veröffentlichung seit zehn Jahren – mit einer
Art »Endspiel«-Inszenierung verabschiedete sich der *Sinn und
Form*-Herausgeber Huchel nach vierzehnjähriger Redakteurs-
tätigkeit 1962 mit jenem letzten, selbstverbrennerischen
Heft, das heute schon denkwürdiger Teil jüngster deutscher
Literaturgeschichte ist: eröffnet von Brechts *Rede über die
Widerstandskraft der Vernunft*, beschlossen gleichsam mit
sechs eigenen Gedichten; dazwischen Beiträge von Paul Celan
und Günter Eich, Jewtuschenkos *Babij Jar*, Isaak Babels *Ende
des Armenhauses*, Sartres Moskauer und Aragons Prager Ko-
existenz-Reden; Essays von Hans Mayer, Werner Krauss und
Ernst Fischer. Und eben jene Huchel-Gedichte, zu denen *Winterpsalm* und *Der Garten des Theophrast* gehörten. Diese Arbeiten, zusammen mit einigen anderen des Bandes *Chausseen
Chausseen*, kennzeichneten die Phase von Resignation und
Illusionslosigkeit in Huchels Werk. Folgt man der Periodisie-
rung des kalifornischen Literaturwissenschaftlers John Flores,
dem die bisher ausführlichste und eindringlichste Studie zu
Peter Huchels Werk zu verdanken ist, so können die vier
Entwicklungsphasen mit vier Gedichttiteln angedeutet werden: »Herkunft, Zwölf Nächte« (nämlich der Hitler-Zeit),
»Das Gesetz« (der Zustimmung zu einem sozialistischen
Deutschland) und »Winterpsalm«. Mit diesen Gedichten aus
den 60er Jahren nahm Huchel gleichsam sein eigenes Weltbild
und eine durchgehende Konstituante seiner lyrischen Struktur
zurück: Natur war ihm immer positive Möglichkeit von
Geschichte gewesen. Huchel, keineswegs – wie es ein perpetu-
iertes Mißverständnis will – ein Wilhelm Lehmann der Mark
Brandenburg, sah *Aktivität* in der Natur. Sein Metaphernma-

terial von frühesten Gedichten an, seine spezifische Verwendung von Verbalformen weist Natur nicht aus als Idylle im Sinne des Rückzugs, sondern als Idylle im Sinne eines Zielpunkts, eines zu Erarbeitenden. Erst Tätigkeit – also Menschliches – gibt der Natur die Dimension der Kultur. Ende der 50er Jahre dann ist der Rückzug von Mitleid zu Leid zu beobachten; Prinzip Skepsis statt Prinzip Hoffnung. Das Gedicht zu Ernst Blochs 70. Geburtstag (1955) liest sich wie die Bitte eines erschöpften Stafettenläufers:

>Herbst und die dämmernden Sonnen im Nebel
Und nachts am Himmel ein Feuerbild.
Es stürzt und weht. Du mußt es bewahren.<

Die Theophrast-Parabel hat vielerlei Bezüge. Gewidmet ist das Gedicht »Meinem Sohn«. Man weiß, daß es dessen Situation vor allem war, die Huchel zur Verzweiflung und zum zehn Jahre währenden Versuch trieb, die DDR verlassen zu können.
Huchel, dem begabten Naturwissenschaftler, war das Studium verboten, später das Zwangsstudium – der Theologie – erlaubt worden. Theophrast, wohl der berühmteste Schüler des Aristoteles, war der erste Systemdenker pflanzlichen Lebens, der »Vater aller Gärten«. Die Endzeilen des Gedichts, Bild gemordeter, totgemachter Natur, sind nicht nur Negativ-Umkehrung der Huchelschen Aktivitätsidee, sind auch Warnung und Mahnung an die Generation der Söhne:

>Sie gaben Befehl, die Wurzel zu roden.
Es sinkt dein Licht, schutzloses Laub.<

Das korrespondiert mit den Endzeilen des *Winterpsalm*. Nature-morte-Begriffe überwuchern nun giftig und tötend, das Gedicht bezeichnet die Situation des Echolosen mit seiner Antwortlosigkeit:

>Atmet noch schwach,
durch die Kehle des Schilfrohrs,
der vereiste Fluß?<

Der DDR-Kritiker Dieter Schlenstedt formulierte die strikte Ablehnung, den Bann, mit dem man das verfemte Akademiemitglied belegte: »In einer komplizierten Wirklichkeit aber (...) erscheint ihm sein Erleben als die Zurücknahme der schönen Gespräche von früher: die gepflanzten Bäume sind ihm schon gerodet. Er sieht sich im Tellereisen, seine Träume sind gefangen, die Metaphern der Passivität dringen ein: Stürzen, Angst, Schweigen. Er glaubt, der Fluß sei vereist – und es ist doch nur der Bach.«

Huchels Gedicht *Psalm* liest sich wie eine Antwort darauf, zeigt die abgründige Menschenlosigkeit der Geschichte, einst Teil und Folge der Natur:

»Die Öde wird Geschichte.
Termiten schreiben sie
Mit ihren Zangen
In den Sand.

Und nicht erforscht wird werden
Ein Geschlecht,
Eifrig bemüht,
Sich zu vernichten.«

Danach kamen zehn Jahre Schweigen. Und nun, nach Huchels diskret von der West-Berliner und den Akademien in der Bundesrepublik arrangiertem »Umzug« in den Westen, ein Band mit dem moribunden Titel *Gezählte Tage*. Was liegt vor?

Peter Huchels »fünfte Phase« ist die restloser Bitterkeit. Die Klage ist nahezu stumm geworden, ein Schrei aus Stein. Diese Gedichte zeigen eine Verheerung, die an Celan und Beckett gemahnt: Passé défini.

Es gibt kaum mehr Verbalkonstruktionen – und wenn, dann solche negativer Tätigkeit; die karsthafte Entwicklung von Mitleid zu Leid hat eine weitere Steigerung erfahren, von Tat zu Un-Tat:

»Spinnen legen
aufs Räderwerk
die Schleier toter Bräute.«

Dabei fällt eine aggressive Präzision auf, die die Null-Situation eines Autors kennzeichnet. Der Band beginnt mit einem Ophelia-Gedicht. Bei einem Poeten so ausgeprägten literarischen Traditionsbewußtseins fraglos eine »Antwort« auf Brecht (Assoziationen zu dessen Werk durchziehen Huchels Arbeiten). Brechts Ballade *Vom ertrunkenen Mädchen* erfährt hier eine grausliche Zuspitzung: kein »Opal des Himmels sehr wundersam« – sondern eine böse »weiße Dämmerung«; nicht »Tang und Algen hielten sich an ihr ein« – sondern »Stoßen von Stangen, ein rauhes Kommando«; nicht »kühl die Fische schwammen an ihrem Bein« – sondern »sie heben die schlammige Stacheldrahtreuse«; kein »Gott, der sie allmählich vergaß, als ihr bleicher Leib im Wasser verfaulet war« – sondern:

»wo ein Schrei
das Wasser höhlt,
ein Zauber
die Kugel
am Weidenblatt zersplittern läßt.«

Hier ist kein Rimbaud nacherfahren – hier ist eine junge Frau erschossen worden beim Versuch, den ersten sozialistischen deutschen Staat zu verlassen. Dieses Gedicht, Ballade »Vom erschossenen Flüchtling«, will benennen, in gräßlicher Exaktheit. Huchels neue Gedichte sind Erlebnisgedicht und Lehrgedicht in einem, Bericht und Reflexion. Die Sprache dieses Poeten ist geronnen, Sonne ist »Urne aus Licht«, Menschen sind »frierende Schatten«, Leben ist »Stunde, die nicht mehr deine Stunde ist«; was bleibt, ist »eine Fußspur im Sand, vom Eis des Winters ausgegossen«, und was kommt, ist kaum mehr Frage:

»Sind es die Jahre,
dir zugemessen?

Sind es die Krähen,
die langsam näher kommen,
dich zu zerfleischen?«

Huchels Welt ist Hohlform geworden, sie ist besiedelt von Nachbarn, die der Besucher Autonummern aufschreiben, und durchkreuzt von jenen SIS-Limousinen mit weißen Gardinen, in denen die »Freunde« sitzen. Die Natur, dialektischer Widerpart der Menschenwelt einst, gute Möglichkeit innerhalb einer schlechten Wirklichkeit, ist jetzt der Töte-Spiegel für den Basiliskenblick, Negativ-Konterfei, katastrophenträchtig. Blitze, Fluten, Hagel, Donner fügen sich zur außergesetzlichen »Ordnung der Gewitter«: »Nicht reinigt der Regen die Atmosphäre«.

Ein Gedicht von 14 Zeilen wird getragen ausschließlich vom Wortraster »einsam-eisig-störrisch-blind-geschunden-frierend-dünn-verfemt.« Freunde sind nur mehr »die Schatten der Hügel«, der Sommer ist »eiserne Sichel«, der Herbst »brennt, ein Stigma«, »der Wald blickt mit den Augen des Marders«, »die Amsel liegt im Sand, die Krallen in die Luft gespreizt«, »der Abend fährt mit leeren Booten aus« – Huchels Natur ist Wüste.

Natur als Stalaktit – Geschichte als Stillstand. Huchels Skepsis ist Endzeitbewußtsein geworden, abgrundtiefe Hoffnungslosigkeit.

»Ich bette mich ein
in die eisige Mulde meiner Jahre.
(...)
Und siedle mich an
im Netz der Spinnen.«

Der Ton der Vergeblichkeit ist unüberhörbar, die Kraft zur Veränderung gleicht drei Kieselsteinen, vor eine Straßenwalze geworfen; und nicht nur Leben, der Tod ist sinnlos, ein Wegwurf:

»Unter der blanken Hacke des Monds
werde ich sterben,
ohne das Alphabet der Blitze
gelernt zu haben.
(...)
Unwissend
stürz ich hinab,
zu den Knochen der Füchse geworfen.«

Huchel denunziert das Rad der Geschichte als eines, auf das wir geflochten werden, erklärt sich für »nicht fähig, den blutigen Dunst noch Morgenröte zu nennen«. Peter Huchel klagt nicht einmal mehr an. Seine Gedichte haben eine geradezu maskenhafte End-Gültigkeit, ziehen die Summe des Lebens von einem, der nie dazugehörte. Schon 1931 beschrieb er sich:

»Denn er hat sich nicht an dem Start nach Unterschlupf beteiligt. Seine Altersgenossen sitzen im Parteibüro, und manchmal geben sie sogar zu, daß es aus irgendeiner Ecke her nicht gut riecht. Immerhin, sie haben ihr Dach über dem Kopf. Aber da ihm selbst die marxistische Würde nicht zu Gesicht steht, wird er sich unter aussichtslosem Himmel weiterhin einregnen lassen. Sie winken aus der Arche der Partei, und er versteht ihren Zuruf. Der lautet: ›Wir können dir an Hand des Unterbaues nachweisen, daß du absacken wirst, ohne eine Lücke zu hinterlassen‹. Aber dagegen hat er nicht viel einzuwenden, nichts zu erwidern. Sie müssen es wissen, denn sie haben die Wissenschaft. Doch unterdessen schlägt sein Herz privat weiter. Und er lebt ohne Entschuldigung.«

(1973)

Olof Lagercrantz
Ein großer deutscher Dichter

In den zwanziger Jahren fängt Peter Huchel zu dichten an. Er holt seine Motive aus der märkischen Landschaft seiner Kindheit, die er noch in vorindustrieller Zeit erlebt hat. Wetzsteine tönen auf gelben Kornfeldern. Schreiende Pumpen füllen die Eimer für das Vieh. Im Wald klagt ein Tier, das im Tellereisen gefangen ist. Die Nacht kommt und blakt das weiße Stallicht aus. Huchel zeichnet Gestalten aus einer zeitlosen bäuerlichen Lebensweise. Die alte Magd, der Knecht, der Öl in die Wagenlaterne füllt, der polnische Schnitter, der mit geschulterter Sense, umheult von Hunden, die helle Chaussee in der Dämmerung hinabgeht, vorbei an der rußigen Schmiede, wo der Amboß schläft.

Diese ganze Welt »schläft« und ist in der Erinnerung erlebt. Sie gehört dem Bedrohten oder Vergangenen an. In der Erinnerung aber ist sie ein Paradies, weil sie Geborgenheit gibt. Die Havel und die langsam zuwachsenden, schilfreichen Seen sind besonders bedeutsam. Im Fluß spiegeln sich nachts die Sterne und bilden eine Reuse von Licht. Der Dichter hebt die Reuse empor und sieht sie am Himmel schweben. In anderen Gedichten entstehen mit Bildern aus der Pflanzen- und Tierwelt der Seen romantisch-mystische Stimmungen, die an Gunnar Ekelöfs Gedicht *Nachts im Wald* erinnern. Der tote Vater stakt seinen schwarzen Kahn durch die Binsen, und Träume vom Leben ziehen wie Fische auf dem Grund.

Manchmal gibt es biblische Bilder in nördlicher Landschaft. Hirten sehen im Schneesturm der Heiligen Nacht durch die Stalluke, wie der Ochs die Krippe mit dem Neugeborenen darin warmbläst. Sie hören Joseph sagen, daß die Welt nun besser werde, und wünschen sich Geräte, Pflug und Stier. Dies ist das Lumpenproletariat der *Dreigroschenoper*, aufs Land übergesiedelt, hier wird das Evangelium als eine Forderung nach Gerechtigkeit betrachtet.

Nach der Machtübernahme will Huchel kein Stück publizieren. Er schreibt aber weiter Verse. In einem dieser Gedichte aus dem verhängnisvollen Jahr 1933 beschreibt er, wie ein fremder Hund hoch über allen Jägern jagt. Im Wald ist Pulverbrand, und im nassen Sand des Herbstes liegen die Eicheln wie Patronen. Es ist die Zeit der Ratten und der Wölfe. Die Landschaft ist dieselbe, aber die Perspektive ist neu. Jetzt entsteht bei Huchel die Technik der verborgenen Botschaft, die er in seinem Leben noch oft verwenden soll. Das Gedicht *Wintersee* lautet:

»Ihr Fische, wo seid ihr
mit schimmernden Flossen?
Wer hat den Nebel,
das Eis beschossen?

Ein Regen aus Pfeilen,
ins Eis gesplittert,
so steht das Schilf
und klirrt und zittert.«

Ein Stück Natur, aber gereinigt von der Mannigfaltigkeit der Jugend. Nun genügt, wie bei den chinesischen Meistern – Huchel hat sie studiert – eine einzige, scharf ausgemeißelte Einzelheit, und die ganze Landschaft wird sichtbar. Lyrik ist die Kunst, Parallelen zu finden. Dieses Gedicht hat viele Ebenen. Das Schilf wird mit Pfeilen verglichen, die, auch wenn sie ihr Ziel erreicht haben, von der Kraft zittern, mit der sie geschossen wurden. Der See und die Fische können als Bild eines verlorenen Kindheitsparadieses aufgefaßt werden. Aber wer hat geschossen? Wie der deutsche Kritiker Gert Kalow gezeigt hat, nimmt Huchel hier Bezug auf eine berühmte antike Schilderung der Alexanderschlacht und vielleicht auch auf die Schlacht bei den Thermopylen. Ein Regen von Pfeilen verdunkelte die Sonne und rief lähmenden Schrecken bei allen Schwachen hervor. Das Eis und der Nebel sind der Schrecken über Deutschland, und die Pfeile sind die Waffen des Terrors. Wo seid ihr, Fische? Gibt es noch eine warme Stimme und ein lebendiges Herz? Der vereiste See – zehn Jahre zuvor als schilfige Nymphe geschildert – leistet politischen Dienst.

In einem Gedicht, *Dezember 1942*, tauchen seine armen Hirten an einem zerschossenen Stall auf, jetzt in Soldatenmänteln. Am Tor liegt die totgeschlagene Maria, und ihr blutiges Haar ist an den Steinen festgefroren. Der Weg führt nach Stalingrad und in die Totenkammer aus Schnee.

Theodor W. Adorno, der Philosoph und Musiksoziologe, behauptete, daß nach Auschwitz keine Poesie mehr möglich sei. Ein sonderbarer Gedanke: Als ob die Poesie nur in Frieden, Glück und Wohlstand gedeihen könnte! Nelly Sachs beschrieb in deutscher Sprache den Untergang des jüdischen Volkes und gestaltete dann den Untergang, der uns alle erwartet – das Altern, der Wahnsinn, das Sterben. Peter Huchel nahm es auf sich, die Niederlage des deutschen Volkes zu schildern. Jetzt veränderte sich seine Landschaft, sie brach auf und blutete. Der Acker sieht den Himmel mit den Augen erschlagener Pferde. Die zerschossene Fähre treibt den Fluß hinab. Die Niederlage sinkt auf die gefrorenen Adern des Landes und auf die ledergepolsterten Sitze des alten Kremsers in der Remise, wo zwischen Pferdegeschirr und grauem Heu die Kinder schlafen.

In dem Gedichtzyklus *Der Rückzug* zieht ein Haufen toter Soldaten, gebeugt von modernder Last, über die ölig verbrannte Saat hinab zu dem zugewachsenen See und rastet hungrig an seinem Ufer. Ein ganzes Volk von Schatten vereinigt sich mit dem toten Vater.

Peter Huchel nimmt anfangs nicht ohne Begeisterung teil am Aufbau eines neuen sozialistischen deutschen Staates. Er ist einige Jahre Sendeleiter am Berliner Rundfunk. Bertolt Brecht kehrt zurück aus der Emigration und wird sein Freund. 1949 wird Huchel Chefredakteur der literarischen Zeitschrift *Sinn und Form*. Obwohl die Not groß ist, sind die späten vierziger Jahre eine Zeit der Hoffnung und des Tauwetters. Huchel debütiert endlich 1948 mit einem Buch, das sein ganzes lyrisches Œuvre enthält. Er wird ein anerkannter Lyriker.

Aber er ist Künstler und kennt die Bedingungen des Künstlertums. Es ist ihm unmöglich, den Doktrinen des offiziell proklamierten sozialistischen Realismus Folge zu leisten. Für die Literatur müsse es verschiedene Wege geben, behauptet er. Er hat einen festen, unbeugsamen Charakter. Sein Kopf sieht dem Kopf eines Römers der stoischen Schule gleich, Scipio Africanus etwa, den er in einem Gedicht, das auf dem des antiken Geschichtsschreibers Polybius fußt, als einen Mann schildert, der den Untergang Karthagos beweint, seine Tränen aber hinter dem Rauch der brennenden Stadt verbarg.

Huchel macht *Sinn und Form* zur führenden literarischen Zeitschrift der beiden Deutschland. Tagespolitik wird nicht diskutiert. Hier wird Literatur aus der ganzen Welt publiziert und diskutiert, und Qualität und Dauerhaftigkeit ist gefragt, nicht Treue der Partei gegenüber. Bald gibt es viel zwischen den Zeilen zu lesen. Das konnte nicht lange geduldet werden, und 1962 wurde Huchel entlassen. Acht Jahre sitzt er bedroht und isoliert in seinem kleinen Haus bei Potsdam. Seine Post wird konfisziert. Es ist gefährlich für seine Freunde, ihn zu besuchen.

Wieder dient ihm die Landschaft seiner Kindheit. Seine Sprache wird noch einfacher, und er dichtet ohne Reim und festen Rhythmus. In dem Gedicht *Ophelia* waten Stiefel in der weißen Dämmerung, im seichten Gewässer, Stangen stoßen, ein rauhes Kommando tönt, und die schlammige Stacheldrahtreuse wird gehoben. Kein Zauber ließ die Kugel am Weidenblatt zersplittern. Die Reuse, die früher Sternen gleichgesetzt war, verwandelt sich in eine Absperrung, hinter der das freie Wort gefesselt ist.

In einem anderen Gedicht, *Winterpsalm,* steht der Dichter am Fluß. Er nimmt wahr, wie das eisbedeckte Wasser immer noch schwach durch die Kehle des Schilfrohrs atmet. Das Schilf, das vor zwanzig Jahren die Pfeile der Feinde bedeutete, ist zur Kehle geworden, durch die das erstickte Wasser atmet.

Huchel protestiert nicht lauthals, sondern schildert seine Lage. In dem Gedicht *April 63* – er ist gerade entlassen worden – blickt er, das Beil in der Hand, vom Hauklotz auf, im leichten Regen, und sieht im Geäst fünf junge Eichelhäher. Er fühlt, daß er in der »eisigen Mulde meiner Jahre« – nun ist er sechzig – und in den politischen Spinnennetzen erstickt.

Im letzten Heft von *Sinn und Form,* das von Huchel redigiert wurde, veröffentlichte er u. a. Brechts satirische Phantasie aus dem Jahre 1936 *Über die Widerstandskraft der Vernunft.* Er publizierte auch einige seiner eigenen Gedichte. Eines dieser Gedichte heißt *Traum im Tellereisen.* Der Knöchel des Traumes brennt, zerschlagen im Tellereisen, das letzte Vermächtnis des Sterbenden heißt Schweigen. In seiner Jugend schrie ein Tier des Waldes im Tellereisen. Jetzt kommt er selbst nicht mehr los.

Peter Huchels lyrische Eigenart hängt zusammen mit seinem Sinn für Qualität und seiner Fähigkeit, sich zu begrenzen. Fast nie hat er sich auf Dinge eingelassen, die er nicht völlig beherrscht. Seine Gedichte widerspiegeln alle politischen Geschehnisse, die er miterlebt hat – sie sind in diesem Sinne Zeitgedichte. Sie haben aber alle verschiedene Ebenen, und der allgemeingültige Aspekt fehlt nie.

Acht Jahre lang war er gezwungen zu schweigen. Aber Einsamkeit und Schweigen sind zugleich die Voraussetzungen seiner Lyrik. In seiner Gedichtsammlung vom Herbst 1972, *Gezählte Tage,* zeichnet er sich selbst mit dem Bild eines Vogels der Flußlandschaft. Könnte ich, heißt es, wie die Wasseramsel, die ihre Nahrung vom steinigen Grund des Flusses holt, hinab ins fließende Dunkel stürzen, um mir ein Wort zu fischen.

»Goldwäscher, Fischer,
stellt eure Geräte fort.
Der scheue Vogel

will seine Arbeit lautlos verrichten.«

(1973)

Heinz-Joachim Heydorn
»Eine Fußspur im Sand, vom Eis des Winters ausgegossen«

Nach dem Tode Celans, so erscheint es dem Rezensenten, ist Peter Huchel an eine einsame Stelle gerückt. Form und Inhalt dieser Gedichte sind überaus stimmig, doch entsteht für keinen Augenblick schöner Schein, der die traumatische Besetzung löst, die in allem Bewußtsein ist, das unsere Zeit registriert. Die Form erlöst nicht, verweist nicht auf kommende Aufhebung jener Widersprüche, die sie in sich gebannt hat. Sie ist Eis geworden, es ist eine eisige Welt, die sie birgt. Abstraktion und Sinnlichkeit, Begriff, als offene Pforte für die Landschaft des Menschen und Landschaft, in der sich die Frage nach uns selber verbirgt, sind ganz miteinander; dies ist große Kunst. Sie ist ohne jeden Betracht auf Wirkung entstanden, innerer Monolog, schon in Todesnähe, mit der das Vorübergehende abfällt; sie ist ohne Dekor. Es ist dies eine puritanische Kunst, »pur« im französischen Sinne, aber nicht Kunst um der Kunst willen; sie fragt nach Wahrheit und verdeckt diese Frage nicht durch den Zauber der Gestalt; sie fragt nach der Möglichkeit des bewußten Lebens und ist Inbegriff von Bedrohung. Auch dort, wo der Spieltrieb für einen Augenblick fortführt, sich die Vorstellung über sich selber täuscht, ein geringes Zuviel an Farbe irritierendes Licht wirft, bricht dies inmitten der Zeile ab. In der Vielzahl seiner Verkleidungen erschien der Tod.

Landschaft und ihre Bewohnbarkeit bilden den Hintergrund, märkische Landschaft ist faßbar als Heimatzeichen, karger Sandboden. Frost, Kälte und Schnee kehren stetig wieder, selten hält der Mittag den Atem an, Krähe und Fuchs erscheinen, der Marder wartet auf Hilfloses, um es zu zerfleischen. Als Beispiel für den Zusammenhang von ästhetischer Befreiung und Heillosem, die als Fremde beieinander wohnen und doch eins sind, mag ein Gedicht dienen, das Hans Henny Jahnn zum Gedächtnis geschrieben ist.

»Der Schnee treibt,
das große Schleppnetz des Himmels,
es wird die Toten nicht fangen.

Der Schnee wechselt
sein Lager.
Er stäubt von Ast zu Ast.

Die blauen Schatten
der Füchse lauern
im Hinterhalt. Sie wittern

die weiße
Kehle der Einsamkeit.«

In diesem Lande, hinter dem eine archaische Dimension transparent wird, erscheint der Mensch, ohne den Mythos seiner Kindheit entziffern zu können, »die Seekarten schweigen«, »der Schwache mit schwärender Schulter führte mich«, die Begleiter sind stumm und taub.

»Im Fensterviereck
die spät geschnittene
Rose im Glas
wie eine Wunde in der Luft.
Wer stieß den Speer?
Mit leeren Booten
fährt der Abend aus.«

Leben ist Nachtrand, an dem die Frage der Schuld unauflösbar verbleibt und Vergangenheit keinen Aufschluß erteilt; es wird Aushalten, Nachtwache des Daseins, um mit Kierkegaard zu reden.

»Die Schüssel des Pilatus ist ohne Wasser
er kann seine Hände nicht waschen«

»Die Krähe strich
ins winterliche Tor,
strich durch verhungertes Gesträuch.

Frost stäubte auf.
Und eine dürre Zunge sprach:
Hier ist das Vergangene ohne Schmerz.«

Der Ausblick ist Warten auf den Tod, mit der Attitüde dessen,
der ihn aufrecht entgegennimmt. »Noch wehrt sich der Tag
mit seinen Disteln gegen den eisigen Anschlag der Nacht«;
»Ich bette mich ein in die eisige Mulde meiner Jahre«; »Willkommen sind Gäste, die Unkraut lieben, die nicht scheuen den
Steinpfad, vom Gras überwachsen. Es kommen keine«. Endlich: »An der rußigen Mauer der Abdeckerei neigt sich die
Sonne zur Unterwelt.« Mord und Erschießung sind knapp
neben uns, Verwüstung, mit der wir uns selber verwüsten,
Ende ist gegenwärtig. »Dann kam die Nacht, die wie ein
fallendes Wasser war.«

»Unglück,
mein Bruder
in schneeloser Kälte.

Über dem Wald
neun schwarze Punkte
im blassen Fleisch des Winterhimmels.

Sind es die Jahre,
dir zugemessen?

Sind es die Krähen,
die langsam näher kommen,
dich zu zerfleischen?«

Kunst versöhnt nun nicht mehr, gibt nicht mehr vor, zu er-
lösen; sie ist verzweifelte Wahrheit. »Keinem gelingt es, die
Münze zu prägen, die noch gilt in eisiger Nacht«; »Das Alphabet, das du besitzt, reicht nicht aus, Antwort zu geben
der wehrlosen Schrift.« Nichts bleibt zurück »als eine Fußspur
im Sand, vom Eis des Winters ausgegossen«. Die Bezeugung ist
ohne nihilistischen Charakter, wie er in der modernen Poesie
augenfällig ist; es ist die Verzweiflung des liebenden Menschen, die zu Eis gerinnt, ihre Versagung schleppen muß.

Es war keine Rede von Huchels ungewöhnlichem Lebenslauf; das Werk allein ist Gegenstand der Kritik, auf die der Autor Anspruch hat. Der neue Gedichtband, der langes Schweigen unterbricht, gehört unserer Literatur an, als Humanum und als Gestalt. Nichts ist in ihm, was nicht nachvollziehbar wäre, Wahrheit besäße. Die Absolutheit des Todes ist die Verzweiflung am Leben, an seiner menschlich-geschichtlichen Bewältigung. Sie ist unter Verzicht auf Täuschung ausgesagt, in dieser Sparsamkeit brennend. Uraltes, hilfloses Mitleiden ist darin, Mitleid der unterdrückten Klassen; zugleich auch Ende der bürgerlichen Kunst, ohne daß schon erkennbar würde, was sie ersetzt. Sie verbirgt dieses Ende nicht in der ästhetischen Wollust des Todestriebes, mit der er sich verklärt. Auch dieses Ende ist, im strikten Sinne, schon post festum, vorbei; ein eisiger Hauch fegt über das Wort, ist Sinnbild des Wesens.

Da Kunst nicht nur nach ihrer Aussage, sondern nach den Kriterien ihres eigenen Ranges bewertet sein will, besitzt der Band seltenen Rang. Kaum ein Wort zuviel oder zuwenig. Der Charakter der intellektuellen Anstrengung wird offenbar, der Dichtkunst heute ausmacht, eine zermürbende Arbeit als Auflösung von Unsagbarem und mühselige Wiedergeburt. Kein Intuitionsbegriff hilft darüber hinweg. Die Hoffnungslosigkeit des Inhalts darf gewiß nicht das letzte Wort sein, mit ihm bleibt die Kreatur erschlagen, die leben und von ihrem Kreuz genommen sein will. Dies als Aufgabe, als mögliche Rationalität von Geschichte zu verstehen und in ihr wirksam zu machen, ist unsere Pflicht, auch in dunkler Stunde. Gibt es von hier aus keine Bestätigung, so ist dies dennoch keine Negation dieser Kunst; sie hilft uns, uns selbst zu beantworten. Wir werden nicht irregeführt; »hier wartet einer mit Händen ohne Haut«.

(1973)

II. Materialien

Martin Raschke
Zu den Gedichten Peter Huchels

Der Leser der Gedichte von Peter Huchel sieht wohl zunächst eine Erscheinung voller Widersprüche. Ihm zeigt sich eine Welt, die sich vieler Begriffe aus ländlichen, aus bäurischen Bezirken bedienen muß, um sichtbar werden zu können, und doch alles andere als eine Natur bezeugt, alles andere als der Niederschlag eines im Überflusse schwelgenden Naturverbundenseins ist. Wie selten bei einem jungen Dichter fühlt er den Unterschied zwischen der Alltagsbedeutung eines Wortes und seinem gleichnishaften Werte im Bereiche des Dichterischen und kann auch den bei vielen Dichtern schon abgeschlosseneren Prozeß der Sinnraffung in einem Worte, der Sigelwerdung der Sprache noch im Flusse spüren.

Nur oberflächliche Betrachtungsweise wird sich verleiten lassen, Huchel eine rein ästhetische Erscheinung zu nennen, deren Gefühlsvorbilder in dieser Haussezeit der Naturdichtung leicht zu finden seien, obgleich Huchel oft Verliebtheit in die Sprache zur Schau trägt (schöne Worte wie Federn an den Hut gesteckt) und dazu neigt, auf der Sprache wie auf einem gutgestimmten Klavier zu spielen anstatt sie neu zu erschaffen. Doch nähern wir uns langsamer: Huchel, auf dem Lande aufgewachsen, studierte und lebt jetzt in Berlin. Er dichtet also mit den Begriffen einer Welt, die – äußerlich gesehen – nicht mehr die seine ist: Kalmus, Magd, Petroleumlicht (welche Fülle der Erinnerungen an Gerüche!), Bärlapp und Kröte, die man um viele gleichgeartete Begriffe vermehren kann. Diese Worte umschließen, besser: sie enthalten Erfahrungen der Kindheit.

»Einst waren wir alle im glücklichen Garten,
ich weiß nicht mehr, vor welchem Haus,
wo wir die kindliche Stimme sparten
für Gras und Amsel, Kamille und Strauß.

Da saßen wir abends auf einer Schwelle,
ich weiß nicht mehr, vor welchem Tor,

und sahn wie im Mond die mondweißen Felle
der Katzen und Hunde traten hervor.

Wir riefen sie alle damals beim Namen,
ich weiß nicht mehr, wie ich sie rief.
Und wenn dann die Mägde uns holen kamen,
umfing uns ein Tuch, in dem man gleich schlief.«

Geblieben aus dieser Zeit, da man alle Wesen beim Namen
rief, sind Huchel Begriffe, die den Zauber des Vergangenen
noch in ihren Falten wie einen Geruch zu bewahren scheinen,
und nun schreibt er beschwörend: Kalmus! oder: Oktober!
Die Worte öffnen sich wie Fächer, und es entfällt ihnen die
verlorene Zeit. Mit ihnen schlägt er an die verschlossene
Höhle der Kindheit, Sesam tu dich auf, und die Pforte öffnet
sich.
Aber sie öffnet sich nicht immer dem Klopfen seiner Worte;
dann erhalten wir jenen nur ästhetischen Eindruck, von dem
zu Beginn dieser Bemerkungen ohne nähere Begründung
gesprochen wurde. Und noch ein aufschlußreicheres Bild dieser »Methode« bietet sich an: die Worte wurden zu Drogen.
Sie erzeugen, richtig ausgesprochen, im Dichtenden und in
dem gleichgestimmten Leser einen rauschartigen Zustand des
Verbundenseins mit dem Urgrund aller Wesen, eingehüllt in
einen dumpfen sinnlichen Geruch. Die Stärke der wachsenden
Sehnsucht nach dem lange vermißten Eingeebnetsein (man
vergaß die Namen, diese Schlüssel zu jeglichem Geheimnis),
dazu die allmähliche Abstumpfung des Bewußtseins gegenüber dem Reiz der oft gebrauchten Worte, zwingen Huchel,
die Drogen der Erinnerung mehr und mehr zu vergrößern,
und so entstehen neben herrlich ausgeglichenen Versen
Gedichte von einem barocken Wortaufwand, die uns den Eindruck geben, es sei nicht mehr von Natur, sondern eben nur
von Drogen die Rede.
Huchel reiste viel im Süden. Er kennt die Landschaften ums
Mittelmeer. Dieses Süderlebnis erweiterte Huchels Gefühl:
wie oft genug das Sehen anderer Landschaften das Auge der
Maler für die schon gleichgültig gewordene Heimat. Die Fülle
einer sonnenwarmen Melone, honigtropfende Feigen und die
schöne, uns traurig erscheinende Lässigkeit der Frauen, das

verschmilzt hier bisweilen mit den Bildern unserer herberen Landschaft, bald besiedelt von Nymphen und heiteren Geistern.

Und die Erinnerung, gefärbt von vielen neuen Erlebnissen, vereint wieder die geschiedenen Erscheinungen, die das Bewußtsein trennte, hüllt sie ein in das »Tuch der Magd« und den »Milchgeruch« allen Lebens. Doch diese »Einheit des Lebens«, von der die Gedichte wie von einem Traume zu sprechen scheinen, wird nicht vom Dichter in einem naturburschenhaften Sinne erlebt, auch nicht umweglos empfunden, sondern sie kann nur als Illusion durch Beschwörung jener Zeit erreicht werden, in der noch alles Seiende dem schauenden Auge und dem scheuen Herzen eins schien, ruhend in dem großen Mutterleibe der Jahreszeiten: durch Beschwörung der Kindheit.

Jeder zehrt seine Kindheit auf wie ein Brot. Unablässig ruft Huchel mit erinnerungsträchtigen Worten diese Zeit zurück, und sie ersteht bisweilen vor uns in gültigen Bildern, Trost über die endlose Individuation alles Werdenden. So ist die Welt Peter Huchels alles andere als gestrig, als ländlich in einem herkömmlichen Sinne, wenngleich er sich hergekommener Vokabeln bedient; sie ist von unserem Blute, à la recherche du temps perdu wie alles menschliche Bemühen von jeher.

(1932)

Willy Haas
Ansprache*

Lieber Peter Huchel: Es ist gesagt worden, daß ich Sie in den zwanziger Jahren »entdeckt« habe. Sie und ich wissen, wie vollkommen unrichtig das ist. Dichter werden nicht endeckt, sie fallen bekanntlich vom Himmel – und ich möchte das Sprichwort, daß noch kein Meister vom Himmel gefallen sei, in das genaue Gegenteil abwandeln: daß bisher noch alle Meister vom Himmel gefallen sind, auch wenn sie später noch so sehr an sich selbst und ihrem Werk weitergearbeitet haben.

Das, nehme ich an, wußten wir beide immer, ausgesprochen und unausgesprochen. Unsere Beziehung war immer die denkbar einfachste. Sie kamen nach Berlin von irgendwoher und sandten Ihre frühen Verse an irgendeine Redaktion, die Ihnen aus diesem oder jenem Grund geeignet schien. Und ich, der zufällig in jener Redaktion saß, las diese Verse und wußte, daß hier in der Tat ein Meister vom Himmel gefallen war. Ich sandte das Papier in die Druckerei. Und das war alles. Ich habe diese spontane Reaktion auf Ihre Verse in den nächsten fünfunddreißig Jahren, rund gerechnet, niemals, auch nicht eine Minute lang, zu bereuen gehabt.

Allerdings, ich habe Sie entdeckt, und Sie haben sogar von mir gelernt – aber nicht als Dichter, sondern als Herausgeber einer Zeitschrift. Hier aber, das muß ich leider hinzufügen, hat der Schüler den Meister weit übertroffen.

Ich gab damals, nach 1925, die Wochenschrift *Die Literarische Welt* heraus, als Deutschland noch ein einziger Staat war. Sie geben jetzt, 1959, seit Jahren die Monatsschrift *Sinn und Form* heraus, im Osten Berlins, und haben in ihr die von uns beiden so tief bedauerte politische Zweiteilung Deutschlands ohne viel Umstände zu einer geistigen Einheit zusammengeschweißt: wie Deutschland mir damals, um 1925, eine selbstverständliche Einheit war als Hintergrund und, wenn ich so

* Gehalten bei der Verleihung der Plakette der Freien Akademie der Künste, Hamburg, an Peter Huchel am 7. 11. 1959.

sagen darf, als redaktionelle Ressource meiner Wochenschrift. Schon um dieser zusätzlichen Leistung willen ist Ihr Verdienst unvergleichlich größer als das meine.

Aber mehr noch: Sie haben diese Ihre Monatsschrift *Sinn und Form* zu einer der drei führenden geistigen Zeitschriften im gesamten Deutschland erhoben. Ihre Zeitschrift ist und bleibt – hoffentlich für lange – eine der sehr wenigen repräsentativen Zeitschriften Gesamtdeutschlands. Diese Feststellung ist so evident, daß sie kaum einer besonderen Begründung bedarf. Niemand von einiger Kompetenz wird sie bestreiten können.

Doch ungleich wichtiger ist Ihr dichterisches Werk. Heute, da ich dieses Lebenswerk einigermaßen überblicke, scheint es mir besonders wichtig, daß dieses dichterische Werk zunächst ein Produkt der Erde, des Pflanzenreichs, der Natur, der Landschaft war – ein Werk der chthonischen Alchimie, der Naturmystik, wenn man will, und – ich sage das nicht ohne geheime Bosheit – eine Dichtung von »Blut und Boden«, die einzige echte, die wir in der deutschen Literatur unserer Zeit mit Recht so nennen dürfen – neben der Lyrik des älteren Wilhelm Lehmann, den wir beide gleich stark geliebt haben und lieben –: diese gemeinsame Liebe hat uns übrigens sehr verbunden.

Sie können sich vorstellen, lieber Peter Huchel, mit welcher schadenfrohen Genugtuung mich die Erkenntnis erfüllt, daß der einzige jüngere Dichter, dem dieses Prädikat einer Dichtung von »Blut und Boden« gebührt, ein politisch linker Mann ist und nicht einer aus den Reihen derer, die dieses Schlagwort für sich annektiert zu haben glaubten – der Nazis und der Nationalisten.

Und hier will ich auch noch die Geschichte erzählen, wie wir auseinanderkamen, nur um endgültig zusammenzukommen – auch wenn wir uns nie mehr sehen sollten. Ich wanderte kurz nach dem Reichstagsbrand zurück in meine Vaterstadt Prag und wollte dort meine Wochenschrift *Die Literarische Welt* unter einem anderen Titel fortsetzen. Natürlich lud ich auch Sie, vor allem Sie, zur Mitarbeit ein. So naiv war ich damals noch, daß ich gar nicht ahnte, in welche Gefahr ich Sie damit brachte, als ich Sie 1933 zur Mitarbeit an einer deutschen Zeitschrift in Prag, der Emigrantenstadt, einlud. Sie antworteten mir ganz ruhig, Sie könnten mir leider keinen Beitrag schicken, weil Sie sich entschlossen hätten, bis auf weiteres nichts mehr zu veröffentlichen. Und das haben Sie in der Tat durchgeführt, lieber Peter Huchel. Sie haben, soviel ich weiß, im Nazireich nichts, rein gar nichts publiziert. Sie haben nicht einmal versucht, Ihre Verse in Goebbels' hochintellektueller Zeitschrift *Das Reich* unterzubringen, dieser Leimrute für allerhand zweitklassige intellektuelle Spatzen. Sie blieben stumm, ganz stumm, wie es sich einem Dichter von wirklich geradem Charakter ziemte. Ich liebe Ihre Gedichte; aber ich möchte Sie heute auch ehren wegen Ihres geraden, unnachgiebigen Charakters. Sie haben dem großmächtigen Herrn Goebbels die Waffe entgegengesetzt, gegen die selbst er machtlos war: die Waffe des Schweigens. Sie blieben in Deutschland – aber Sie schwiegen. Das ist großartig, wenn ich mir ein Urteil erlauben darf, der ich diesen Kampf nicht aufnahm, sondern in die Heimat floh. Doch sprechen wir über das Allerwichtigste: eben über diese Ihre Dichtung. Wenn die Bezeichnung einer tiefen und wahren Vergeistigung noch heute einen Inhalt hat, dann hat sich Ihre Dichtung wahrhaft vergeistigt, von Schritt zu Schritt, von Jahr zu Jahr, in dem Sinne, daß immer heller, immer tiefer die Macht und die Magie des Wortes in Ihnen erwacht ist, wie im späten Hölderlin, als Sie mit den Jahren wuchsen und als die Stimme der Erde, die Stimmen der Pflanzen und Bäume und ihrer Wurzeln sich vermählten mit der reineren Sphäre des Geistes und des inspirierten Wortes in seiner vollkommenen Reinheit und Freiheit, und Verse offenbarten, die ihresgleichen nicht haben in der gegenwärtigen deutschen Literatur. Es ist eine der unbegreiflichen Absurditäten unserer Zeit, daß diese Verse dem westlichen Teil unseres Landes so gut wie unbekannt geblieben sind. Sie sind Volkslieder unserer Zeit, die Glockenschläge der »Ammenuhr« aus *Des Knaben Wunderhorn* hört man hindurch schlagen.

Weil Ihre Dichtung, Peter Huchel, durch tausend Fäden, über die Naturmystik hinaus, mit der Natur selbst und ihrem Schicksal verbunden ist, die durch das Göttliche geheiligt, durch den Menschen gedemütigt, durch die Hölle vernichtet wird, und doch immer wieder aufersteht – deshalb hat die Freie Akademie der Künste in Hamburg dem Dichter und dem Herausgeber der Zeitschrift *Sinn und Form,* Peter Huchel, die Ehrenplakette – entworfen von unserem Mitglied Alfred Mahlau – verliehen, die Ihnen sogleich unser verehrter Präsident, der Dichter Hanns Henny Jahnn, überreichen wird. Darf ich Sie, lieber alter Freund, als erster dazu beglückwünschen?

Lassen Sie mich noch am Ende einige Verse von Ihnen verlesen, die zeigen, daß Sie dieser und jeder anderen großen Auszeichnung für deutsche Dichter in unserer Zeit würdig sind wie kein anderer:

»Damals ging noch am Abend der Wind
Mit starken Schultern rüttelnd ums Haus.
Das Laub der Linde sprach mit dem Kind,
Das Gras sandte seine Seele aus.
Sterne haben den Sommer bewacht
Am Rand der Hügel, wo ich gewohnt:
Mein war die katzenäugige Nacht,
Die Grille, die unter der Schwelle schrie.
Mein war im Ginster die heilige Schlange
Mit ihren Schläfen aus milchigem Mond.
Im Hoftor manchmal das Dunkel heulte,
Der Hund schlug an, ich lauschte lange
Den Stimmen im Sturm und lehnte am Knie
Der schweigsam hockenden Klettenmarie,
Die in der Küche Wolle knäulte.
Und wenn ihr grauer schläfernder Blick mich traf,
Durchwehte die Mauer des Hauses der Schlaf.«

(1959)

Rudolf Hartung
Laudatio*

Mit dem »Berliner Kunstpreis« für das Gebiet der Literatur, der in Erinnerung an Werk und Person des Dichters Theodor Fontane den Namen Fontane-Preis führt, wurde der in Wilhelmshorst bei Potsdam lebende Schriftsteller Peter Huchel in Würdigung seines lyrischen Gesamtwerkes ausgezeichnet. (Mitglieder der Jury waren: Dieter Hildebrandt, Kurt Ihlenfeld und Rudolf Hartung.)

Sieht man von den dörflich-balladesken Hörspielen ab, besteht das Werk Peter Huchels, der zu Beginn dieses Monats seinen 60. Geburtstag beging, aus einem einzigen, hüben wie drüben vergriffenen Gedichtband; ein zweiter Band mit neuen Gedichten soll, voraussichtlich, in diesem Herbst erscheinen.

Wer das vorliegende Werk kennt, wird die quantitative Kargheit dieses Lyrikers als Zeichen für ein hochentwickeltes Verantwortungsbewußtsein verstehen: die Intention auf Genauigkeit und Bündigkeit der künstlerischen Gestalt, der beharrliche Verzicht auf jene Experimente, die spielerisch aus sich selber leben, legten diese Beschränkung auf. Was entstand, mag als Naturlyrik verbucht werden: als Versuch, das schmale und zumeist dunkle irdische Gefilde unter sommerlichem oder herbstlichem Himmel ganz zu erfassen, die treue Mühsal und die Trauer der Vergänglichkeit, das Raunen und die Stimmen in der nie preisgegebenen Landschaft der Kindheit – jener Landschaft, in der Peter Huchel nach Jahren des Reisens und nach dem Krieg wieder lebt. So ging, wenn man will, ins Gedicht Peter Huchels, in die reiche und sensible Musikalität seiner Strophen nur eine kleine, umgrenzte Welt ein; trotz jener Gedichte, welche die Landschaft der Provence oder des Balkans aufrufen, könnte man ihn fast einen Dichter der Heimat nennen –

* Gehalten bei der Verleihung des Fontane-Preises an Peter Huchel im April 1963.

»Schön ist die Heimat,
wenn über der grünen Messingscheibe
des Teichs der Kranich schreit
und das Gold sich häuft
im blauen Oktobergewölbe.«

Hinzuweisen aber ist darauf, daß das solchermaßen die Heimat rühmende Gedicht Peter Huchels immer gefeit war gegen den faschistischen Stumpfsinn von Blut und Scholle, ebenso wie gegen eine Kulturindustrie, welche das Wort Heimat hartnäckig verhunzt. Umdrängt von diesen Gefährdungen, lebt das Gedicht Peter Huchels, indem es lauter und kraftvoll die nahen irdischen Dinge aufruft, die mit uns in der Zeit sind und uns anrühren; lebt das Gedicht Peter Huchels kraft seiner suggestiven und wahren Sprache, welche alle Trennung überbrückt.

(1963)

Ernst Bloch
Ein Essay des Vorbewußten nach vorwärts

Für Peter Huchel herzlich

Wir leben und blicken über uns hinaus. Das macht uns menschlich, der Leib zwingt nicht mehr unseren Kopf zu Boden. Leiden wir, daß wir leer wurden, und wird dadurch die äußere Leere desto empfindlicher, so brennt doch gerade in diesem Leiden noch ein rotes Licht. Auch der Verzweifelte hat immer noch die Kraft, zu fühlen, daß er verzweifelt ist. Dieses wenigstens fühlt er, und der Zustand ist nicht einfach; er erlebt an ihm, liest an ihm umkehrend ab jenes Andere, das mitgegeben sein muß, damit ein Zurückbleiben überhaupt noch gefühlt werden kann: das Besserwissen, die Ahnung vom möglichen Bessersein. Irgendwo sind wir ungetan gut, uneingelöst, unbekannt jung. Alles hier unten, ist es erreicht, so ist es nicht das, was gemeint war, aber selbst wenn wir in der Vereitlung zerbrechen, so können wir nicht gänzlich mitversinken. Es gibt einen Kern in uns, der scheint und ist beschienen von dem, was noch nicht ist, was noch nicht bewußt wurde und trotzdem bereits einwirkt.

Nun ist wichtig, hier zunächst, wenn auch noch so andeutend und skizzenhaft, einige Äquivokationen im Begriff des allgemein Nicht-Bewußten auszuscheiden, damit der Zustand des *Noch-Nicht-Bewußten* möglichst unverwechselbar notiert werde. Wir sind unserer nie selber, als gerade erlebend, inne. Nicht einmal das Jetzt, daß wir rauchen, schreiben, genau dieses nicht, ist uns an sich bewußt. Erst unmittelbar danach stellt sich das vor uns hin: so ist uns stets nur ein soeben Vergehendes gegenwärtig, deckt sich mit dem, was wir als scheinbar gegenwärtig erfahren. Aber unaufhörlich verändert sich auch der wollende, aufmerkende Blick darauf, es versinken ihm selber seine gerade erfahrenen Inhalte. Wir können sie ebenfalls nicht mehr aktuell besitzen, nicht mehr wollen, empfinden oder fühlen, sondern nur noch als Erinnerung vorstellen oder, in noch unanschaulicher Weise, um sie wissen. Indes das vergangene Wollen, vergangene Erleben hört nicht auf zu bestehen und nachzuwirken, auch wenn es nicht mehr zum gegenwärtigen Blickkreis gehört. Im Traum vor allem kehrt das wachend untergegangene Wollen wieder, bemächtigt sich ohne alle motorische Kraft halluzinierter Erinnerungsinhalte, sie »symbolisch« gebrauchend für einen vergessenen oder unerledigten oder vom moralischen Wachsein, Erwachsensein überhaupt nicht mehr bewußt zugelassenen Wunsch. Das Unbewußte, wie es dieser Art im Traum und in manchen Psychosen durchbricht, sich bewußtseinsfähig macht, hat als Triebfeder, Triebkraft den Geschlechtswillen, den Machtwillen, oder in welcher Reihe immer man die noch kreatürlichen Weisen unserer Sehnsucht dominieren ließ. Bei Freud geschlechtlich bestimmt, erfüllen hier vor allem infantile Wünsche den Abgrund des Unbewußten traumhafter Art. Und das eben ist insofern ein glücklicher Ausdruck, als damit angezeigt wird, daß nichts in dieser Art Unbewußtem, im psychoanalytisch zugänglichen Unbewußten wohnt, was nicht bereits einmal, in früherer Zeit, bewußt war und nun herabgesunken ist, verdrängt oder verschüttet. Nur wenn sich das Tages-Ich ausschaltet, können die »niederen«, sonst wie überblendeten Seelenregionen phosphoreszieren; und vermutlich reicht – bereits außerhalb des lediglich nicht Abreagierten – diese Fähigkeit traumhafter Halluzination so tief herab, daß alles willensmäßig »Infantile« in uns: das Tierische, Pflanzenhafte in unserem kompendiösen Aufbau, derart »geträumt« im Traum bewußtseinsfähig werden könnte, sich in menschliche Erinnerungsinhalte bildhaft, symbolhaft einschlagend. Das wäre also ein grundsätzlich mögliches Rezentwerden des uns vergessensten Intendierens, nicht anders wie die Triebe und Wunschinhalte unserer menschlichen Kindheit im Traum zur symbolischen Scheinerfüllung gelangen. Indem fernerhin die Vergangenheit vieles besaß, was sich jetzt aus unserm Blickkreis zurückgezogen hat, substantiell abgelaufen ist, kann der Traum sogar unter Umständen – trotz der zumeist sehr modernen Symbolgrundlagen – eine Art Erfüllungs-Umwelt, wo nicht Erfüllungs-Hinterwelt halluzinieren, die nicht mehr besteht, die unser Leben nicht mehr regiert, von deren, im Traumemblem möglicherweise noch immer angezeigten, Kräften unsere Zukunft nicht mehr bestimmt wird. Nirgends aber gibt es ein Gesicht in solch abgeleiteter Mondscheinlandschaft, das nicht bereits einmal in unserem Wollen und seinem ihm zugänglichen Material, also in der bereits gegebenen, meist abgelaufenen Welt vorhanden war. Aus alldem ergibt sich, daß das Unbewußte, wie es so über die Traumschwelle tritt, nicht die enthüllten Willensrichtungen und neugeschaffenen Erfüllungsinhalte der *Zukunft,* dieses anderen »Unbewußten«, enthält, sondern (seltsame, zum reinen »Wachtraum« übergleitende Zustände ausgenommen) durchaus nur halluzinierte Vergangenheit; und daß der Traum selbst in den »okkulten« Partien dieser Vergangenheit (aus Zeiten, wo die Welt in gewissen, mythisch bezeichneten Gegenden weiter hinein sichtbar sein mochte als heute) keine Phänomene zeigt, die auch noch diese jetzige Welt und ihre Zeit, ihre Zukunft übergreifen. Wie man den Nachttraum als ein Stück überwundenen infantilen Seelenlebens mit Recht bezeichnet hat, so steigen auch die allermeisten seiner Inhalte aus bloß irdischer Verdrängnis empor, und die »Infantilität« des Funkens, die sich von der Welt nicht abweisen ließ, Gott zu wollen, wie es in Mahlers »Urlicht« heißt, mischt sich nur in seltenen Fällen mit jener anderen, niederen, gewohnteren »Infantilität« des Traums, die umgekehrt von der Welt abgewiesen wurde, und die sich deshalb aus erinnertem Gold und erinnertem Berg nichts als goldene Berge, also intermundane Schadloshaltungen oder Sprache abgelaufener, noch kreatürlicher Götter gewinnt.

Da wir selber aber uns noch niemals sahen, können wir dessen uns auch nicht erinnern. Was niemals bewußt war, kann auch nicht unbewußt werden; weder unser »Wollen« als »solches« noch das ganze übrige Dunkel des gerade gelebten Augenblicks ist gegeben. Wir leben uns, aber erleben uns nicht, und es ist derart sicher, daß wir uns an uns selber weder in der scheinbaren Gegenwart noch vor allem in irgendeinem Abschnitt der Erinnerung besitzen. Anders jedoch steht es mit dem Hoffen, vor allem mit dem, was in uns als »stillste«, »tiefste« Sehnsucht, als der uns fast unablässig begleitende »Wachtraum« einer uns einzig adäquaten Erfüllung lebt. Dieses Hoffnungswesen, im Grund des »Wachtraums« und vor allem seiner reinigenden, erhöhenden, genialen Fassung, ist seinen Weiterungen nach keineswegs mit dem uns bekannten kreatürlichen Wollen und mit den es sättigenden Erfüllungsinhalten der verflossenen oder noch gegebenen Welt verwechselbar. Vielmehr wirkt hier in Wahrheit ein originärer Punkt, und nichts scheint zu dessen Erfassung untauglicher (denn hier ist nicht von Therapie und Neurose die Rede) als jene psychoanalytische Problemverengerung und allzu ausgedehnte Kunst enthüllter Anfänge, die die Ohrenbeichte mit Leibnizens petites perceptions verbunden hat, um dazu noch im Fundus des Unbewußten lediglich Schopenhauers medizinisch gemachten Willen zum Leben als Triebkraft zu installieren. Zweifellos kam damit ebenso eine Einengung der in uns wühlenden, nicht nur animalischen Antriebe, wie eine Begrenzung des Unbewußten auf bloßes rückwärts Gelegenes, auf bloß Nicht-Mehr-Bewußtes und seine Mondlandschaft. Es kommt aber nicht darauf an, dahin regredierend, gar archaisch zurückzutauchen, es ist vielmehr wichtig, sich vom alten Adam der sogenannten Libido nicht den Trieb, der ins Helle streckt, den Lichttrieb nicht verdecken zu lassen und vom bloß Nicht-Mehr-Bewußten nicht das Noch-Nicht-Bewußte, das ebenfalls im Unbewußten steckt und dessen ganz andere, gerade aurorische Seite ausmacht. Auf neu gesetzte Anfänge kommt es an, statt archaischer, auf ein Noch-Nicht-Bewußtes und seine Inhalte über den *Höhen* des vorhandenen Bewußtseins, statt eines nur Nicht-Mehr-Bewußten im psychisch- archaischen *Keller*. Wird hier zu bloß animalisch-kreisendem Trieb der, ihn gegebenenfalls sprengende, Lichttrieb gesetzt, dann wird jene Fähigkeit zur Morgendämmerung frei, die im wesentlichen Bewußtsein arbeitet und es – so ganz unpsychoanalytisch – vom tierischen, eingebundenen, rückwärts gebannten unterscheidet. Vor allem in Tagen der Erwartung, wo nicht ein Gewesenes, sondern das Kommende selber einwirkt, in empörtem Leid, in der Dankbarkeit des Glücks, in der Vision der Liebe, rezeptiv am stärksten in der Musik, die von Anfang bis Ende unsere seelische Latenz zum Ziel hat und ihr das Wort gebären will, vor allem aber in der schöpferischen Arbeit selber wird die eindrucksvolle Grenze zu einem noch nicht bewußten Wissen deutlich überschritten. Als wühlendes Dunkel, krachendes Eis, als Aufwachen und sich annäherndes Vernehmen, als Zustand und Begriff, der, nachdem Leibniz die seelischen *Wurzeln* zeigte und derart dem Sturm und Drang (auch den Nachtzeiten der

Natur) den Fundus animalis der petites perceptions eröffnet hatte, nun der höher hinauf leuchtenden Denkart, der von Unabgeschlossenheit umwitterten Seele das »Unbewußte« prozessualer Ordnung, den Fundus intimus, das schöpferisch Unbewußte in den *Wipfeln,* der *Krönung* zugänglich macht.

So hoch dieser Zustand des Ahnens aber auch hinausweist, so findet er doch unterwegs nicht nur in seiner »unbewußten« Intention, sondern auch in seiner »Adäquation«, auf seiner *Objektseite* allerlei täuschende Lösungen, die anhalten, die immer wieder stehende Formen ausbilden, den utopischen Überschuß in diesem unserem Dasein verschleudernd und mit Routine, stilistisch, nivellierend. Das erst recht kann nicht weit genug von uns gewiesen werden. Der junge Mensch etwa reift, Äußeres kommt ihm glücklich entgegen, und dieses scheint nun zu sein, was vorher in ihm trieb. Aber bei allem, was so als Erfüllung erschien, bleibt der Aufnehmende hier und die Antwort dort. Man kann nicht in die Liebe, nicht in das Wort, den Klang, die Lehre ganz hineingehen; und dieses zeigt im Gewissen jedes Sehnsüchtigen und Radikalen die falsche Lösung an oder mindestens, daß sie noch gar nicht unsere ganze Lösung sei. Denn der gerade gelebte Augenblick selber muß es sein; er allein, sein vergrößertes, distrahiertes Dunkel ist auch die echte, das bedeutet stets: die unbekannte Zukunft, und die Lösung dieses Dunkels, sein Sich-Haben, das endlich aufgedeckte Gesicht in unser aller unaufhörlich nächster Tiefe ist die noch nie erfahrene, allein wahrhaftige Wahrheit, gänzlich ohne den öden Bogen der Anamnesis. Am wesenhaftesten kehrt derart das unbetrogene Ahnen, als es selber, das ist: als existenziell und Selbstproblem, am nächsten zugleich seiner Objektseite – in der Gestalt der unkonstruierbaren (der auf keine weltlich mögliche Antwort hin zu biegenden, zu konstruierenden) Frage wieder. Diese aber hat zahllose, oft unscheinbare, jedoch uns stets gleichartig erschütternde Erscheinungsweisen, und eben das wartende Dunkel des gelebten Augenblicks erfährt daran, an den wehenden, verständlich-unverständlichen, offenen Symbolerlebnissen, wenigstens die Lichtung des allerunmittelbarsten Erstaunens. Rilke (letzte Verse des Gedichts *Der Fremde*), Hofmannsthal (Brief des Lords Chandos an Bacon oder die sprachlos machende Sprache, »in welcher die stummen Dinge zu mir

sprechen«), Huchel (in dem Gedicht *Widmung*: »Der Sinnende sucht andre Spur./ Er geht am Hohlweg still vorbei,/ Wo
goldner Rauch vom Baume fuhr.«) waren, mit solchen Arten
Betroffenheit genau in diesem Erstaunen, ohne zu wissen,
welche Gesamtheit darin plötzlich erscheint, noch nicht
erscheint. Man ersieht daran zugleich, wie wechselnd, ja belie-
big das Unscheinbare sein kann, woran sich unser aller
gelebtes Dunkel staunend entzündet, und wie identisch sich
trotzdem die Richtung, die noch unentdeckte, unsagbare
Adäquation unseres Überhaupt-Wollens an sich selbst
bewährt. Nicht minder, wie in allen Objekten der Welt, in
dem »Nichts«, um das sie gebaut sind, ein essentielles
Erstaunen als vorerst einzige Objektivität ihres Kerns
herrscht, jene Dämmerung, worin sich Abstand und dennoch
merkwürdiges Dasein der in Blätter, Tiere, Basaltstücke noch
verschlagenen, verschlossenen Goldkeime mischt; Dunkel des
bloß »gelebten«, des unerschienenen, ungekrönten, noch
unobjektivierten Wesens.

Daran allein muß sich das gedachte Sehnen festhalten und in
sich heben. So erst wirft das Denken des Herzens seinen
Lichtschein voraus in das wetterleuchtende Land, in dem wir
alle treiben, in das wir endlich entscheidend fahren, unserer
Ankunft, unserem Lösewort entgegenhörend. Hier ist nicht
bloß neuer Weg ins alte feste Wirkliche, sondern das Wirkliche selber zeigt sich aufgebrochen, so, daß der Fundus
intimus endlich in allen Zentren erscheint. Wie im Märchen
und der erloschenen Epopöe geht der Mensch, unendlich viel
kräftiger als er selbst, wieder in die unbekannte Welt, bereit
zu suchen, zu irren, zu rufen, Unbeschreibliches zu finden, in
das direkte Handeln und das direkte Sprechen, in die
simultane Zeit und die neuen »verzerrten« Korrespondenzen
eines sich bis ans unbekannte Ende ausdehnenden Seelen-
raums. Erst recht aber ist die philosophische Erkenntnis, die
hier gemeint ist, Lampe, die in Edelstein verwandelt, Ankunft
des Ministers in den Gefängnissen des demiurgischen Pizarro;
sie ist *Eroberung* des Dings an sich, das nur dieses ist, was noch
nicht ist, was letzte Zukunft, endlich echte Gegenwart ist, als
noch unbekannte, unfertige Utopie. Wiederum zeigt sich das
Denken der Philosphie zum »Mythos« hingewendet, zu einem
anderen aber als bisher, zu dem letzten vor der großen

Biegung, zu jenem Mythos an Utopie, der Juden wie Philosophen bewegt hat. Aber nicht, als ob das geheime Fach in jedem Objekt noch große Entrollungen und Dokumente enthalten müßte, wie in früheren Zeiten, als eine riesenhafte Emballage noch mit aller Tiefe mitgegeben und dieser – als Götter, Himmel, Mächte, Herrlichkeiten, Throne – für wesentlich gehalten wurde. Sondern schlafend, lautlos kam Odysseus nach Ithaka, gerade nach Ithaka kam er schlafend, jener Odysseus, der Niemand heißt, und in jenes Ithaka, das eben die Art sein kann, wie diese Pfeife daliegt, oder wie sich sonst ein Unscheinbarstes plötzlich gibt, daß das Herz stockt und das stets Gemeinte sich endlich anzublicken erscheint. So fest, so unmittelbar evident, daß ein Sprung ins Noch-Nicht-Bewußte der Dinge getan ist, der nicht zurückgeht; daß mit der plötzlich letzten Bedeutungsintention des Beschauers am Objekt zugleich das Gesicht eines noch Namenlosen – bedroht und flüchtig – in der Welt aufgeht und diese nicht mehr verläßt. Das gedachte Ahnen durchläuft zwar die kreatürlichen Sehnsüchte und vor allem die weltmöglichen Erfüllungen, wird aber weder emotional noch philosophisch daran entspannt. Sucht vielmehr unaufhaltsam, von seinem originär menschlichen Ausgangspunkt, sowohl die brennende Intention wie deren gegebenheitsüberlegene Adäquation. Dies noch nicht bewußte Wissen innerviert offene Expressionen, formüberlegen gleich der Tat, und ihnen entsprechend – mit fernen, dämmernden Korrespondenzen – die Wunder der Wahrheit.

(1968)

Hans Mayer
Erinnerungen eines Mitarbeiters
von »Sinn und Form«

Das begann – daran kann ich mich genau erinnern – auf der Treppe des Ost-Berliner Kulturbundhauses in der Jägerstraße. Das Gebäude des ehemaligen Herrenklubs, durch Herrn von Papen und seine ebendort geschürzten Intrigen unrühmlich bekannt, war beim Kampf um Berlin glimpflich davongekommen. Als Präsident des neugegründeten Kulturbundes zur »demokratischen Erneuerung Deutschlands« nahm sich – gleich nach Kriegsende – Johannes R. Becher dieser Erbschaft an. Statt der Gefährten Franz von Papens residierten dort nun die »Meister der Kultur«. Man bekam gutes und markenfreies Essen, traf in jenen ersten Nachkriegsjahren und in der noch ungeteilten Stadt mit Leuten des Westens wie des Ostens zusammen: Theater und Zeitschriften wurden gegründet, Existenzen gefördert oder vernichtet, nicht selten auch Projekte zu Fall gebracht, die der kulturpolitischen Linie zu widersprechen schienen. Entschieden wurde in Karlshorst: dem Sitz der Sowjetischen Militäradministration.

So nüchtern repetiert, klingt das nach Gängelung, Enge, nahezu unverhüllter Diktatur. Der Fall aber war verzwickter, denn von dort aus wurde auch die Berufung Ernst Blochs nach Leipzig vorbereitet; hier fanden erste Gespräche über die Gründung einer »Komischen Oper« mit Walter Felsenstein statt. Gegen Ende des Jahres 1948 tagte in der Jägerstraße ein Kongreß des Kulturbundes. Als Ehrengäste nahmen Arnold Zweig und Bertolt Brecht daran teil; der eine kam aus Israel, der andere von der Zürcher Uraufführung des Volksstücks vom Herrn Puntila. Zu ihren Ehren fanden im einstigen Herrenklub an zwei Tagen hintereinander Empfänge statt. Ich höre noch den stark erkälteten, aber beglückten Arnold Zweig mit seinen Dankesworten, sehe den verlegenen, irritierten, aber doch hoffnungsvollen Brecht. Zuckende Halsbewegungen in der grauen Litewka. Auch das »Berliner Ensemble« ist dort in der Jägerstraße gegründet worden.

Ebenso wie die Zeitschrift *Sinn und Form*. Der Anstoß ging – wie hätte es anders sein können? – von Becher aus. Der einstige Rebell, Expressionist und Dadaist erglühte seit je in geheimer Liebe zu traditionellen Ordnungen und Ritualen. Er hatte sich aus alledem eine sonderbare Synthese zur Lebens- und Kunstführung zurechtgemacht: lange vor der offiziellen Wendung sowjetischer Kulturpolitik zum Neoklassizismus. Der Kommunist Becher hatte dem Insel Verlag Anton Kippenbergs die Treue gehalten; noch aus der Dadaistenzeit stammte Bechers Verbindung zum Grafen Harry Kessler.

Nach dem Zweiten Weltkrieg und der Rückkehr aus Moskau traf es sich, daß Bechers »subkutaner« Konservativismus in idealer Weise mit den Tendenzen der Leute um Ulbricht korrespondierte, den Bereich Deutschlands, den sie zu regieren vermochten, so stark wie möglich durch bereits vorhandene und im Volk bekannte Zeichen, Chiffren und Symbole kenntlich zu machen. Deshalb Wehrmachtszuschnitt bei der Volksarmee, Beibehaltung von Namen wie Reichsbahn und Mitropa, peinliches Kleider- und Titelritual, bürgerlich-epigonaler Zuschnitt der amtlich etablierten Festivitäten.

Die Zeitschrift *Sinn und Form* sollte dabei mithelfen. Becher besaß Reminiszenzen an das Inselschiff, an Martin Bodmers *Corona*, an Thomas Manns Exilzeitschrift *Maß und Wert*. Huchel erzählte mir später einmal: zuerst habe Becher als Herausgeber den Titel *Maß und Wert* einfach usurpieren wollen. Der Plan zerschlug sich, aber unter dem schönen klassizistisch gedruckten Zeitschriftentitel *Sinn und Form* war Thomas Manns Modellbezeichnung immer noch als Palimpsest sichtbar. Peter Huchel grinste in solchen Fällen. Dann legte sich sein Bauerngesicht in Fältchen. Um die Augen zog es sich besonders eng und vielfältig zusammen. Er ließ Becher gewähren. Dies alles war ihm nicht unlieb.

Ihn nämlich, den Lyriker und ersten Nachkriegsredakteur für Kulturpolitik am Berliner Rundfunk, hatte Becher dazu ausersehen, die Chefredaktion der neuen Zeitschrift zu übernehmen. Als Herausgeber zeichnete Becher selbst, zusammen mit dem langjährigen Literaturhistoriker des Ullstein-Verlages Dr. Paul Wiegler. Warum gerade Wiegler, der zwar lesbare und kenntnisreiche Arbeiten zur deutschen und außerdeutschen Literatur veröffentlicht, aber doch nicht viel mehr geleistet hatte als Vermittlung überlieferter und durchaus nicht in Frage gestellter Forschungsmethoden und Wertsysteme? Vermutlich wußte Becher das auch, denn er war klug und verfügte, wofern sein eigenes Schaffen nicht betroffen war, insgeheim sogar auch dort, über ein scharfes kritisches Urteil. Wiegler war ihm als Partner recht. Der hatte einen angesehenen bürgerlichen Literatennamen. Störungen bei der Redaktionsführung waren von dorther nicht zu erwarten. Übrigens ist Wiegler, damals ein betagter Mann, bald darauf gestorben. Er wird aber, zusammen mit Becher, auch heute noch als Begründer der Zeitschrift geführt.

Herausgeber: Johannes R. Becher und Paul Wiegler. Chefredakteur war Peter Huchel. Auf der Treppe in der Jägerstraße, es wird um die Jahreswende 1948/49 gewesen sein, teilte er mir das neue Projekt mit. Auch ich müsse mitarbeiten. Übrigens habe er mein Einverständnis vorausgesetzt: ein Prospekt mit den vorgesehenen Mitarbeitern werde schon gedruckt, auch mein Name sei da genannt. Natürlich war ich einverstanden. Ebenso natürlich hatte ich Bedenken gegen eine mit Bechers Namen und unter seiner Verantwortung herausgegebene literarische Revue. Aus seiner Zeitschrift des Kulturbundes, dem *Aufbau*, hatte Becher in wenigen Jahren ein Blatt der Langeweile gemacht, worin politische Schulmeister die jeweils letzten Moskauer Direktiven für Kunst und Wissenschaft drohend zu kommentieren pflegten. Shdanow war im Sommer 1948 gestorben, aber sein Geist blieb lebendig. Sollte die Zeitschrift *Sinn und Form* dazu bestimmt sein, den Weg des *Aufbau* gehen zu müssen? Und dann: eine von Becher herausgegebene Zeitschrift, das hieß: eine Zeitschrift, worin unentwegt etwas von Becher gedruckt werden mußte, und Becher schrieb viel, gereimt und ungereimt.

Huchel beruhigte mich auf der Treppe. Die Fältchen. Diese Gefahr sei beschworen. Man habe für den ersten Jahrgang auf Beiträge der beiden Herausgeber und des Chefredakteurs verzichtet. Der Lyriker Huchel entsagte dem Abdruck eigener Gedichte in seiner Zeitschrift, um Bechers Versen für eine Weile den Weg zu versperren. Becher erscheint in der Tat als Autor erst im Schlußheft des Jahrgangs 1949.

Dafür stand die Zeitschrift vom ersten Augenblick an im Zeichen Bertolt Brechts. *Sinn und Form* debütierte nicht mit dem 1. Heft des 1. Jahrgangs, sondern mit dem inzwischen berühmt gewordenen *1. Sonderheft Bertolt Brecht*. Die Entstehung dieses Heftes habe ich miterlebt. Es wurde teils in der Jägerstraße vorbereitet, teils in Brechts Hotelzimmer im 1. Stock des Hotels Adlon in der Wilhelmstraße: in einem unzerstört gebliebenen Seitenflügel des einst so berühmten Berliner Hotels. Zu Adlons Glanzzeiten hatte Hofmannsthal – in seinem Briefwechsel mit Richard Strauss steht darüber zu lesen – im »schönen« Hotelteil am Pariser Platz residiert. Jetzt wohnte Brecht im Seitenflügel und in einem Hotelzimmer von einst mittlerer Pracht. Dort stellte er seine Beiträge für das Sonderheft zusammen. So kam es zum Erstdruck des *Kleinen Organons*, der Fragmente aus dem Cäsar-Roman, zur ersten Publikation des Schauspiels vom *Kaukasischen Kreidekreis*. Auch Gedichte hatte Brecht für dieses Heft ausgewählt. Dazu drei essayistische Brecht-Studien. Die Auswahl hatten Brecht und Huchel getroffen: Herbert Ihering, Ernst Niekisch, schließlich mein Versuch über die *Plebejische Tradition* im Werk von Brecht. Den Aufsatz haben wir in jenem Hotelzimmer miteinander durchgesprochen. Von diesem Heft datiert eigentlich Brechts literarische Rückkehr nach Deutschland.

Es stellte sich heraus, daß Huchel, dieser scheinbar so unpolitische Lyriker, ein Mann der Weisheit sein konnte, wenn es darauf ankam. Die enge Freundschaft zwischen Brecht und ihm hing mit solchen Affinitäten zusammen. Vorsorge war getroffen nicht nur gegen eine Becher-Inflation. Chefredakteur Huchel hatte sich auch gegen die ideologischen Besserwisser dadurch gesichert, daß er in der neuen Zeitschrift schlechthin auf aktuelle Literatur- und Kulturkritik verzichtete. Er wollte Essays und theoretische Analysen veröffentlichen: ihnen gedachte er sogar, wie sich gezeigt hat, viel Platz einzuräumen, doch die aktuelle Kritik blieb ausgesperrt. Das wäre unter anderen Umständen verhängnisvoll gewesen, was Huchel wußte. Hier erwies es sich, in Ost-Berlin und im Jahr 1949, als weitblickende Entscheidung. Es gab nur eine Ausnahme: Herbert Ihering durfte für jedes Heft eine Überschau des Theater- und Filmlebens schreiben. Ihering nahm unbekümmert einen universellen Standpunkt ein und berichtete nebeneinander über Premieren in Frankfurt und Leipzig,

Zürich und Wien. Daß er im Sinne Shdanows schreiben könnte, war also keineswegs zu befürchten.

So ist verhindert worden, daß *Sinn und Form* überschwemmt wurde mit ideologischem Gezeter. Der Streit in den Ost-Berliner Zeitschriften über Fortschritt und Dekadenz, Realismus und Formalismus spiegelte sich bei Huchel nur insofern, als gelegentlich eine theoretische Bemühung veröffentlich wurde, die Klarheit zu schaffen versuchte. Dann schrieb Brecht aus Anlaß einer Barlach-Ausstellung über die Bedeutung Barlachs, der soeben im *Neuen Deutschland* von irgendwem halbamtlich abgetan worden war. Brecht und Huchel wußten auch, warum sie Brechts Aufsätze aus den dreißiger Jahren über Realismus und Volkstümlichkeit und über die vielfältigen Möglichkeiten einer realistischen Schreibweise publizierten. Als Gegengewicht gegen den damals übermächtigen Einfluß von Georg Lukács auf die Kulturpolitik in der DDR. Lukács war Lehrer und Freund des Herausgebers Becher; die Auseinandersetzungen über Dekadenz in den dreißiger Jahren waren von Moskau aus, im Exil, zwischen Brecht und Bloch auf der einen Seite, Becher und Lukács auf der andern geführt worden. Nun kam die Gegenposition zu Becher und Lukács in Bechers Zeitschrift zu Wort. Was nicht ausschloß, daß Peter Huchel sehr gern und regelmäßig auch Beiträge veröffentlichte, die Lukács aus Budapest sandte.

Huchels Redaktionsführung war universell und autoritär in einem. Er reiste nicht. Im Wald vor den Toren von Potsdam vollzog sich die Selektion gegenwärtiger Weltliteratur. Huchel hat nur an wenigen Zusammenkünften von Schriftstellern teilgenommen. Einmal fuhr er nach Bayern zu einer Tagung der Gruppe 47. Aber damals fror alles im kalten Krieg. Der Gast aus Potsdam und Nationalpreisträger der DDR geriet – ausgerechnet – mit seinem alten Freund und geheimen Partner Günter Eich hart aneinander. Peter Huchel hat später keine Einladung Hans Werner Richters mehr angenommen. Nach Amsterdam kam er im Juni 1954 als Teilnehmer eines internationalen PEN-Kongresses. Immer noch kalter Krieg. Hermann Kesten schrieb nach dem Kongreß irgendwo, die östliche Delegation der deutschen Schriftsteller habe sich wenig eindrucksvoll präsentiert. Immerhin gehörten zu ihr Brecht, Huchel, Arnold Zweig. Über Repräsentation läßt sich streiten. Brecht blieb damals in den Niederlanden weithin unbeachtet. Strahlender Glanz schien, wollte man den Berichterstattern und Fotografen glauben, vom Engländer Charles Morgan auszugehen. Wer war Peter Huchel?

Dann habe ich im Oktober 1957 mit Huchel an einer Tagung über Probleme der Literurkritik teilgenommen, die nach Wuppertal einberufen worden war. Ein Abend im kleinen Kreis und außerhalb des Tagesprogramms: mit Huchel und Ingeborg Bachmann, Walter Jens und Heinrich Böll, mit Paul Celan und Hans Magnus Enzensberger. Da wußte jeder, wer Peter Huchel war.

Auch sonst waren viele in aller Welt, jenseits des PEN-Clubs, gut unterrichtet. Der Herausgeber Huchel, als Briefschreiber wohl nur mit dem Fachausdruck »aleatorisch« zu kennzeichnen, hatte immer dort den richtigen Brief an den richtigen Adressaten geschickt, wo es galt, wertvolle Manuskripte zu entdecken. Blättert man heute in den ersten Jahrgängen von *Sinn und Form,* den Heften also aus der Stalin-Ära, so muß man bewundernd feststellen: die Zeitschrift hat all jene »östlichen« und vor allem russischen Autoren gedruckt, Konstantin Paustowskij zum Beispiel, die auch damals Gültiges zu schreiben vermochten, diejenigen aber negiert, die sich im Glanz der Stalin-Preise und verzückter Kunstbetrachtungen präsentierten. Welche Spannweite auch im Bereich der Essayistik: Lukács und Adorno, Bloch und Ernst Fischer, sehr früh schon Abdrucke von nachgelassenen Arbeiten Walter Benjamins, Konrad Farner, Wolfgang Harich, Max Horkheimer, Paul Rilla, russische Formalisten, viel romanistische Studien von Werner Krauss, amerikanische Negerdichtung, Afrikanisches und Fernöstliches. Peter Huchel war draußen im Walde von Wilhelmshorst, nichtreisend und scheinbar unbeweglich, den viel emsigeren literarischen Zeitgenossen um ein Jahrzehnt voraus. Er war universell.

Und autoritär. Von der Gründung bis zum letzten von Huchel verantworteten Heft des Jahrgangs 1962 ist *Sinn und Form* das Blatt eines einzigen gewesen. Nur er entschied über Aufnahme und Ablehnung von Manuskripten. Seinen Herausgeber Becher fragte er nur, wenn ein besonders heikles Manuskript die Grenzen behördlicher Duldung zu überschreiten schien. Dann mußte er, falls Becher abwinkte, für den

Augenblick verzichten. Er konnte es sich nicht leisten, nach den ungarischen und deutschen Ereignissen im Herbst 1956, weiterhin Beiträge von Lukács oder Bloch, ganz zu schweigen von dem verhafteten Wolfgang Harich, zu publizieren. Diese Limitierung war unvermeidlich. Huchel schickte sich darein. Die Zeitschrift war für ihn wichtiger als all ihre Mitarbeiter. Denen schrieb er, falls es nicht anders ging, kleine lockende Briefe. Lieber waren ihm endlose abendliche Telefongespräche auf Redaktionskosten. Ob ein Manuskript angenommen worden war, erfuhr man nicht. Da mußte einer schon bis zum Erscheinen des Heftes warten, denn Huchel schickte auch keine Korrekturfahnen. Die las er selbst. So entging er allem Ärger mit Autoren, deren Text er – nicht oft und stets sehr vorsichtig – redigiert hatte. Autoritär und ohne Berufungsinstanz. Als der oberste ideologische Wächter, Professor Kurt Hager, der Huchel später zu Fall brachte, noch vorsichtig mit dem bedeutendsten Lyriker und Nationalpreisträger, dem Schützling Bechers, umzugehen bemüht war und lediglich in einer Rede die Besorgnis äußerte, das Gehaben der Zeitschrift *Sinn und Form* erinnere stark an einen »englischen Lord«, antwortete ihm Huchel kurz darauf im Gespräch: »Sehen Sie, Herr Hager, in einem Manuskript hätte ich Ihnen das Adjektiv ›englisch‹ sogleich gestrichen.«

Seit Errichtung der Mauer war die Zeitschrift unter Huchels Leitung und nach Bechers Tod ein Anachronismus in der DDR. Huchels Freunde waren entmachtet, seine Feinde, voran Alfred Kurella und Kurt Hager, mächtiger denn je. Die Zeitschrift hatte man inzwischen der Deutschen Akademie der Künste in Ost-Berlin unterstellt. Akademiemitglieder aber waren Abusch, Kurella und Hans Rodenberg.

Huchel hat keine Zugeständnisse gemacht. Er redigierte weiter auf der Grundlage der kulturpolitischen Beschlüsse von 1949. Er hielt sich an den Auftrag, den man ihm damals erteilt hatte. Im Westen hat man geschrieben, dieser Lyriker und Redakteur habe seine Revue als Blatt irgendeines »Widerstandes« geleitet. Das ist ein arges Mißverständnis. Huchel hatte einen Auftrag übernommen und ehrlich ausgeführt: diejenige Weltliteratur unserer Zeit bekanntzumachen, die Ausdruck des Veränderungswillens war. Er entdeckte, zusammen mit seinen Essayisten und Theoretikern, diejenigen Zeugnisse der Vergangenheit, die wichtig wurden als Indizien für die Gegenwart. Wie es Brecht in seinem Gedicht *Die Literatur wird durchforscht werden* postuliert hatte: »Ganze Literaturen / In erlesenen Ausdrücken verfaßt / Werden durchsucht werden nach Anzeichen / Daß da auch Aufrührer gelebt haben, wo Unterdrückung war.«

Dies Programm war real zur Gründungszeit des Blattes, so wie auch die Gründung dieser Akademie der Künste in Ost-Berlin in ihren Anfängen sinnvoll gewesen war. Brecht hat nicht grundlos dieser Adademie, der er seit ihrer Gründung angehörte, sehr viel Zeit und Kraft geopfert.

Zwischen dem 17. Juni 1953 und dem Oktober 1956 schien die weltpolitische Entwicklung dieses Gründungsprogramm nachträglich zu rechtfertigen. Damals hat Huchel, nach Stalins Tod und vor dem ungarischen Aufstand, ganz universal (und ganz autoritär) schalten können. Dann gab es noch sechs Jahre der Agonie. Schließlich wurde Huchel als Redakteur abgesetzt. Der Schriftsteller Bodo Uhse, der bald darauf starb, übernahm im Parteiauftrag – sichtlich geniert und mit gutem Willen, aber bedrückt durch den Anspruch, diesen Vorgänger ablösen zu müssen – die Redaktionsführung. Nach wie vor erscheint die Zeitschrift: jetzt im zwanzigsten Jahr. Sklavisch hält man sich, auch noch im Umbruch, an Peter Huchels Modell, aber das ist längst belanglos geworden, auch wenn dort einmal ein interessanter Text auftaucht. Unter Peter Huchels Leitung war das ein Blatt, das geistige Entwicklungen vorwegnahm. Jetzt wird hier, wie allenthalben sonst, das bloß Gegenwärtige registriert. Man fragt nicht mehr nach den künftigen Kenntlichkeiten. Die möchte man gar nicht so genau vorausahnen.

Peter Huchel sitzt in Wilhelmshorst in der Mark Brandenburg. Noch ist er Mitglied einer Akademie, deren Räume er nicht mehr betritt. Nun möchte er reisen, aber man erlaubt es ihm nicht. In dem Staat, zu dessen Bürgern er zählt, hat man seit mehr als sechs Jahren keine Zeile von ihm gedruckt. Seine Gedichte erscheinen dort nicht. Was man ihm angetan hat, kann nicht verziehen werden.

(1968)

Siegfried Unseld
Peter Huchel

Ich sehe Anzeichen, daß die Stunde des Gedichts wiederkommt. In diesem Herbst erscheinen nicht weniger als drei bedeutende Gedichtbücher: von Marie Luise Kaschnitz, Karl Krolow und Peter Huchel. Weil Peter Huchel jetzt endlich die DDR verlassen durfte und bei uns wohnen kann, sei auf seinen Gedichtband *Gezählte Tage* verwiesen. Seine zwei früheren Gedichtbücher waren 1963 und 1967 erschienen, das letztere eine revidierte Neufassung des ersten Bandes von 1948. Alles in allem umfaßt das Œuvre des siebzigjährigen Lyrikers kaum zweihundert Gedichte, doch in der Poesie gelten die Zahlen der Quantität nicht.

Peter Huchel wurde immer wieder als Naturlyriker eingestuft. Gewiß, die Bilder der märkischen Landschaft bestimmen sein Gedicht, und ebenso gewiß besitzt Huchel die große Geduld der Natur, den Sinn für das Kommen und Gehen, für das Gewordene wie für das Vergängliche. Doch der, der diese Gesetze durchschaut und sie im Bilde festhält, braucht kein Sänger der Scholle zu sein. Huchels Gedichte, insbesondere die des letzten Bandes, zeigen, wie sehr bei ihm die Topoi der Natur zu Beispielen und Bildern der Dialektik der Geschichte werden und zu Menetekeln der Gegenwart. Ich möchte nur auf die beiden Gedichte *Exil* und *Das Gericht* des neuen Bandes verweisen. Die Anfangszeilen von *Exil* lauten:

»Am Abend nahen die Freunde,
die Schatten der Hügel.
Sie treten langsam über die Schwelle,
verdunkeln das Salz,
verdunkeln das Brot
und führen Gespräche mit meinem Schweigen.«

Hier ist der Zusammenhang von Natur und der Situation des Lyrikers Huchel evident. Die Gegenstände der Natur werden zum Vermächtnis seines Schweigens. Jahrelang mußte Huchel

Gespräche mit seinem Schweigen führen; es gab ihn nicht mehr, oder er war von der offiziellen Literaturgeschichtsschreibung abgeschrieben: »Die komplizierten Probleme des sozialistischen Aufbaus im gespaltenen Deutschland hat Huchel nicht mehr zu bewältigen vermocht.« Was Huchel »bewältigt« in der schönen Beherrschung lyrischer Form und in der Musikalität seiner Sprache, ist eben die Situation des Menschen in seiner, in unserer Umwelt. Das Schlußgedicht des neuen Bandes, mit dem bezeichnenden Titel *Das Gericht*, beginnt mit den Zeilen:

»Nicht dafür geboren,
unter den Fittichen der Gewalt zu leben,
nahm ich die Unschuld des Schuldigen an.«

und es endet mit den Zeilen:

»Unergründlich,
was sein Gesicht bewegte.
Ich blickte ihn an
und sah seine Ohnmacht.
Die Kälte schnitt in meine Zähne.«

Peter Huchels Lyrik ist dem singulären Menschen gewidmet, dem Menschen in seiner Ohnmacht, »geknetet in Gleichmut«, dem Menschen mit seiner »wehrlosen Schrift«, der unter der »weißen Kehle der Einsamkeit« leidet. In einer Gedenkrede auf Hans Henny Jahnn, die Hans Mayer, der genaueste Kenner Huchels, aufgezeichnet hat, spricht Huchel vom »Urgrund der dichterischen Potenz«: »Den unverfälschten Menschen sichtbar zu machen, den Menschen, in dem sich Geist und Sinne innig verbinden.«
Diesen »unverfälschten« Menschen sichtbar zu machen, wird eine immer dringlichere Aufgabe angesichts unserer immer totaler verwalteten, computergesteuerten Umwelt. Das Gedicht vermag es am intimsten. Seine Stunde wird wiederkommen.

(1972)

Karl Alfred Wolken
Zwiesprache mit der Wirklichkeit

Widersprüchliches

Es gibt viele einander widersprechende Wertungen der Lyrik Peter Huchels – und ein Einverständnis unter den Wertenden: daß es sich um bedeutende Lyrik handelt. Fritz J. Raddatz, ausgewiesener Kenner ostdeutscher Literaturprobleme, räumt Huchel eine Sonderstellung innerhalb der deutschen Gegenwartsliteratur ein, Hans Egon Holthusen, daß Titel wie *Damals, Caputher Heuweg, Letzte Fahrt* und *Die Magd* »sein eiserner Bestand und seine Legitimation für die Zugehörigkeit zum Kreise derer, die wirklich zählen«, sind. Hans Mayer rügt leise Hermann Kesten, der auf einer PEN-Tagung Brecht und Huchel als Mitglieder der DDR-Delegation nicht repräsentativ genug fand, und rühmte u. a. Hans Magnus Enzensberger als Kenner des Huchelschen Werkes und Wertes – aber Enzensberger nahm Huchel nicht auf in sein *Museum der modernen Poesie.* Rudolf Hartung fand Huchel »fast (...) einen Heimatdichter«, wenn auch »gefeit gegen den faschistischen Stumpfsinn von Blut und Scholle«. Curt Hohoff definiert ihn als »bedeutenden, von der Modernität der Formen weitgehend unberührten Dichter« und nennt zugleich als Vorbilder seiner späteren Verse Brecht und Eluard, die in Enzensbergers Anthologie aufgeführt sind als Mitbegründer einer Weltsprache der modernen Poesie. Gert Kalow scheint es »unerlaubt, Huchels Dichtung, in der immer Landschaft vorkommt, dessen Vokabeln Termini der Natur sind, als *Naturlyrik* zu bezeichnen«, und Ingo Seidler findet in seiner gründlichen Arbeit *Peter Huchel und sein lyrisches Werk* dessen Behauptung, er habe eine bewußt übersehene unterdrückte Klasse im Gedicht sichtbar machen wollen, als etwas zu sehr post festum, um ein überzeugendes Programm für seine Lyrik abzugeben. Schließlich bescheinigt Jochen Lobbe in *Spiegelungen des politischen Bewußtseins in Gedichten des geteilten Deutschlands* anhand einer Interpretation des Gedichtes *Dezember 1942* mangelndes politisches Bewußt-

sein; Huchels poetische Verschlüsselungsarbeit, durch Poetisierung mittels Metaphern, öffne nicht die dokumentarisch analysierbare historische Situation des Falles Stalingrad. Walter Jens hingegen rühmt bewegt und schwungvoll: »Ein Mann vor dessen Kunst wir uns verneigen, hat gezeigt, daß es auch in unserer Zeit noch möglich ist, das Schwierige einfach zu sagen; er hat bewiesen, daß die Dunkelheit dort endet, wo Genialität und moralische Kraft, Kalkül und Zeugnis sich vereinen. Wo endlich wieder Ernst gemacht wird und wo man den Glanz der Hoffnung so wenig leugnet wie die Melancholie des Erinnerns und, Polybios unter den Römern, die Verpflichtung zum Belehren so ruhig anerkennt wie die Verzweiflung und die Würde des Todes.«
So viele Stimmen, so wenig Übereinstimmung.
Es ist zu erwarten, daß der in diesem Herbst erscheinende Band *Gezählte Tage*, Huchels dritter, die Schwierigkeiten nicht verringert, welche die Zuordnung seiner Gedichte schon bisher bereitete. Denn zusätzliche Auslegungsschwierigkeiten werden sich ergeben aus der Tatsache, daß es sich bei diesen neuen Gedichten nicht, wie man bei einem Siebzigjährigen erwarten könnte, um Alterslyrik handelt, in der die Thematik vorangehender Schaffensperioden noch einmal in gleichsam so verdünnter wie vergeistigter Form erscheint.

Wechselseitige Duldung, gelebt und geschrieben

Sucht man die psychische Ausgangslage aus seinen frühen und mittleren Gedichten zu rekonstruieren, zeigt sich, daß sie glücklich-ausgewogen genug war, um Huchel als jungen Poeten von unkritischen Idealisierungen seiner literarischen Vorbilder abzuhalten. Er geriet weder durch persönliche noch durch literarische Bindungen in für sein Talent verhängnisvolle Abhängigkeiten, sondern setzte das, was wir heute seinen eigenen Ton nennen, nach freiem Ermessen zusammen aus den verschiedensten Aneignungen und Weiterentwicklungen gegebener Muster. Um den Lyriker Huchel, wie er sich heute, aufgrund seiner Gedichte und seiner politischen Entscheidungen in den Jahren zwischen 1933 und 1971, darstellt, möglichst realitätsgerecht wahrzunehmen, scheint die Einführung eines Begriffs aus der Sozialpsychologie, die wechselseitige Duldung, ein geeignetes Mittel, persönliches Schicksal und lyrisches, editorisches Werk auf seinen Grundcharakter deutlicher zu bestimmen.

Geht man einmal davon aus, daß Huchels eigener Ton sich zusammensetzt aus der eigenen Mitgift plus individuellen Ableitungen vorliegender Muster, darf man weiterschließen, daß es schon für den jungen Huchel zu jeder überzeugenden lyrischen Leistung gültige gleichwertige Alternativen gab. Die frühen Gedichte zeigen in der Tat, daß mehrere Vorbilder darin ihre Erinnerungsspuren hinterlassen haben. Nicht nur eine, mehrere innere Stimmen melden sich zu Wort. Und es wäre sicher von grundsätzlichem Interesse, zu ermitteln, wieviel Anteile Trakl, Georg Heym, Hofmannsthal, Loerke, Lehmann, Brecht und andere der eigenen Begabung beigemischt wurden. Aber das erforderte eine Untersuchung für sich, die mit den Zielen dieser Besprechung nicht zu vereinbaren ist, die vor allem Vorbehalte anmelden möchte gegen Huchels Einstufung als Naturlyriker, als der er mit Vorliebe verbucht wird. Entweder, weil diese eine Komponente seiner Kunst unzulässig verabsolutiert wird, oder weil sie benutzt wird, um den mittleren und späten Huchel, der sich, laut Holthusen, »wie kein anderer der Naturlyriker zu seiner geschichtlichen Pflicht, ja zum strikten politischen Engagement bekannt hat«, zwar das Höchstleistungsgedicht als Resultat einer »vollkommen sinnlichen Rede« zu attestieren, das geschichtlich-engagierte aber als oft mindere Leistung anzulasten.

Nun ist es jedoch nachweislich so, daß sich auch unter der sogenannten reinen naturlyrischen Produktion schwächere Stücke befinden und daß in deren beispielhaften Stücken, die dem unvergänglichen Vorrat deutscher Poesie zugerechnet werden, das naturlyrische Element keineswegs derart überwiegt, daß man den Anteil geschichtlichen Verpflichtetseins darin übersehen dürfte. So gilt etwa *Die Magd* von 1926 als ein Muster an Naturlyrik. Die neun Vierzeiler bringen sechzig Substantive der ländlichen Welt, von Acker bis Wahrsagerei, und doch ist sein thematischer Kern die Ablösung der Mutterbindung durch eine frühkindliche Liebesbeziehung: »Die Magd ist mehr als Mutter noch«. Es handelt sich mithin um ein mit naturlyrischer Metaphorik verkleidetes Liebesgedicht, in dem ein Kleinkind infantile Wunschbefriedigungen und Anklammerungswünsche durch Schultertuch, Milchgeruch Brei im Kachelloch, die heiße Kruke im Bett, durch Hemdwärmen und schließlich durch Küsse auf sein Gesicht erfährt Landluft machte das Gedicht frei für die Vermittlung einer frühen existenziellen Erfahrung, die Technik der idyllischbukolischen Naturpoesie wird benutzt, um über deren Zielsetzungen hinauszugelangen. Diese definiert Holthusen als Wiederentdeckung der Natur zum Zweck der Abwendung von historischer Zeit und damit von der Welt als Geschichte und Gesellschaft, der sich das lyrische Ich dieses Gedichts gerade zuwendet. Auch der *Caputher Heuweg*, ebenso oft als ein Muster der Naturlyrik bezeichnet, ist in seiner geistigen Quintessenz nicht Negation der »Dimension der geschichtlichen Zeit«, sondern geduldige Erwartung ihrer Herausforderung:

»(...) Heuweg der Kindheit, wo ich einst saß,
das Schicksal erwartend im hohen Gras,
den alten Zigeuner, um mit ihm zu ziehn.«

Ist es also so, daß die Gedichte des frühen und mittleren Huchel, die uns die Spitze seines Werkes auszumachen scheinen, Natur und Geschichte in wechselnden Mischungsverhältnissen enthalten? Titel wie der *Polnische Schnitter*, *Bartok*, *Der Ziegelstreicher*, *Die Hirtenstrophe*, *Weihnachtslied*, *Cimetière*, die Ballade *Lenz*, von 1927, *Totenregen*, *Wintersee*, *Späte Zeit*, von 1933, *Zwölf Nächte* (1938), *Deutschland* (1927-39), *Der Rückzug*, *Heimkehr* und *Dezember 1942* bieten Belege dafür. Dagegen sprechen andere, dem reinen Naturerlebnis verpflichtete Stücke, in denen Huchel mit sensibler Liedstimme die jahreszeitlich so verschiedenen Himmel und darunter Blühen, Welken und Vereisung innerhalb einer kleinen engumgrenzten Welt in Verse bringt. Beide Komponenten stehen in wechselseitiger Duldung nebeneinander. Ein Nebeneinander von geschichtsbewußter und den Augenblikken des täglichen Lebens sich hingebender Poesie, die ein Überfluß an Kraft und Talent scheinbar mühelos in Reim und Strophe band, schließt aber die Zuweisung zu einer so

eindeutig definierten Gruppe wie den Naturlyrikern aus. Das
gilt nicht nur für Huchel. Auch Loerke ist – und nicht nur aus
seinen Tagebüchern ersichtlich, sondern aus seinen Gedichten
– ein Beispiel dafür, wie ein lyrisches Œuvre, einmal auf den
Begriff gebracht, von diesem falsch abgestempelt wird.

Charakter als Glücksfall

Diese in Huchel angelegte Zwei- wenn nicht Mehrgleisigkeit
stellt sich als hoher Glücksfall heraus, insofern Charakter und
Talent dem jungen Huchel erlauben, das Öffentliche und das
Private gleich wichtig zu nehmen und gleichwertig darzustellen. Es paßt in dies Bild, daß der Autor dieser überaus glücklichen Gebilde in seinem Lebenslauf früh einige Abenteuer auf-
zuweisen hat, die nach Walter Benjamin »eines Tages unsere
Attraktiva« ausmachen: sie bestehen »einzig in dem, was wir
schon mit fünfzehn wußten oder übten!« Darum lasse sich
eines nie wieder gutmachen: »versäumt zu haben, seinen
Eltern fortzulaufen. Aus achtundvierzig Stunden Preisgege-
benheit in diesen Jahren schießt wie in einer Lauge das
Kristall des Lebensglücks zusammen«. So brennt der junge
Huchel sechzehnjährig mit seiner Klavierlehrerin durch. Und
der Siebzehnjährige gerät ins mörderische Getriebe des Kapp-
Putsches, wird verwundet und bezieht als jugendlicher
Veteran noch einmal die Schulbank. Das wäre, als isoliertes
Erlebnis, nicht weiter bemerkenswert. Aber um die Mitte der
Zwanzigerjahre streunt Huchel viereinhalb Jahre durch
Frankreich als ein der Polizei durchaus verdächtiges Subjekt,
einmal Land-, einmal Hafenarbeiter, ständig ausweisungsbe-
droht. Aber, heißt es 1927, »Deutschland ist dunkel, Deutschland ist kalt« – was nicht nur unser Wetter, sondern auch
unser politisches Klima meint. So heißt es unter bestimmten
gesellschaftlichen und politischen Bedingungen in einem
umfassenden Sinn politisch-historisch denken, wenn festgestellt wird, es habe Deutschland an einer Jeanne d'Arc gefehlt.
Wenn gleichzeitig naturlyrische Stücke entstehen, wie etwa
der berühmte *Knabenteich,* bedeutet das nichts anderes, als
daß zwei Ausdrucksweisen ausgebildet werden, die, sobald

jede für sich zu beispielhaften Ergebnissen geführt hat, zu Legierungen zusammengelegt werden können.

Der Zuwachs an Realitätseinsicht in den Natur und Geschichte zu einer überzeugenden Einheit verschmelzenden Gedichten ist in der Tat außerordentlich hoch. Dem entspricht die Art, in der Huchel für sich die Grenzen des moralischen Widerstandes gegen Hitlers Deutschland gezogen hat. Er schrieb an Willy Haas: »Ich habe mich entschlossen, das Dichten bis auf weiteres ganz aufzugeben und durch die Arbeit meiner Hände zu leben.« Kaum gebührend zur Kenntnis genommen wurde bisher, daß Huchel außerdem aus der politischen Unzucht der »Welt der Wölfe, Welt der Ratten« nach Rumänien emigrierte – ein Schritt, der mehr wache kritische Vernunft voraussetzt, als man heute noch darin wahrzunehmen geneigt ist. Und doch scheint dieses Schicksal bei ihm aus der Phantasie zu kommen. Wer damals, um Hitler aus dem Weg zu gehen, nach Rumänien ging, ging aus der Welt, der literarischen zumindest, ging zurück zu Bauern, Hirten und Zigeunern. Die Wahl des Dreißigjährigen führt ihn aus der Erwachsenen-Zweckwelt zurück in die Welt seiner Kindheit, gegen jede begründete Hoffnung auf Stellung und sicheres Einkommen. So kann es nicht wundernehmen, daß die Emigration scheiterte und Huchel zurückkehrte, auch wegen einer kranken Frau, die ärztlicher Behandlung bedurfte. Daß hier ein Abenteuer nicht zu seinem Ziel geführt wurde, ist kein Grund, es zu übergehen, läßt es doch die *innere Emigration,* die sich – laut Raddatz – Huchel als dem Dichter märkischer Seen und Wälder, schilfumstandener Tümpel, Gräser, Felder, Weiden, Nebel, Luch und Rohr gleichsam aus literarischem Selbstverständnis anbot, in einem anderen Licht erscheinen. Nämlich nicht ausschließlich als eine Rückkehr mit dem Ziel, zu seinen literarischen Bodenschätzen zurückzufinden, sondern ebenso als eine Treue zu seiner Moral, die man dahingehend definieren könnte, daß sie vom moralischen Widerstand nicht sich eine Haltung abverlangte, die das Risiko an Leib und Leben einer nahestehenden Person einschloß. Eine derart heroische Haltung auf Kosten anderer und aus reiner Moralität war Huchels Sache auch später unter anderen Herrschaftsverhältnissen von großer Ungerechtigkeit nicht. Er ging, wie man sagt, seinen Weg –

was in seinem Falle heißt: er setzte den politischen Gegebenheiten sowohl der Kriegs- wie der Nachkriegszeit originelle Versuche entgegen, produktive Phantasien wirksam werden zu lassen.

Dazu gehörte, um nur ein Beispiel zu nennen, die in dem Gedicht *Dezember 1942* fixierte Anstrengung, Stalingrad nicht nur als den Wendepunkt der deutschen Kriegsführung zu begreifen, sondern durch krasse Verschränkung von Kriegs- und Weihnachtsgeschichte und durch die Liquidierung des christlichen Glaubenssymbols durch die Greuel des Krieges hinzuweisen darauf, daß die auf diese Schlacht folgende endgültige Stabilisierung der Sowjetmacht als Weltmacht auch bedeutet die Ablösung tradierter christlich-abendländischer Traditionen in einem großen Teil Europas durch einen neuen historischen Faktor: den machtvoll und herrschend auftretenden Marxismus in Gestalt seiner Transformation in einen Staatsapparat. Jochen Lobbe nennt das Gedicht »nach äußerer und innerer Form wie Gesamtgehalt« *Tradition,* natürlich abwertend. In der Tat steht es in der rühmlichen und nicht eben reichbesetzten Tradition derer, die unsere weitgehend verdrängte Vergangenheit als eine Wirklichkeit, die in dem Gedicht noch wirkt, erleben. Es bindet die Katastrophen der Vergangenheit in unseren Erfahrungsschatz ein und leistet eben damit das, was unsere Nachkriegsgesellschaft nicht zu leisten bereit war, die sich kalt und schnell von Krieg und Kriegsfolgen abwandte. Die schmerzliche Erinnerungsarbeit Huchels in diesen Jahren schlug sich weiter nieder in so berühmt gewordenen Gedichten wie dem *Bericht des Pfarrers vom Untergang seiner Gemeinde* und in dem achtteiligen Zyklus *Der Rückzug,* die reine Trauerklagen sind – Trauer verstanden als ein langdauernder Vorgang der Erlebnisbewältigung durch den Schmerz der Erinnerung. Diese Haltung steht der allgemein diagnostizierten Unfähigkeit der Deutschen zu trauern entgegen. Dem psychologischen Befund entspricht die poetische Rede von den »tauben Ohren der Geschlechter«.

Zusammenfassend läßt sich sagen, daß in Huchels Lyrik zeitgenössische Geschichte neben Privatprotokollen sichtbar wird unter einem Doppelaspekt: insofern sie Bedeutung hat für sein eigenes Leben als Teil eines betroffenen größeren Ganzen. Mit der Gewalt der Geschichte konfrontiert, zieht er sich nicht aus ihr zurück, sondern stellt sich ihr in dem Bestreben, die Person vor ihrem grausamen Zugriff zu bewahren. Das ist auch später während seiner Tätigkeit als Herausgeber von *Sinn und Form* so – eine Komponente seines Wirkens, die hier nicht weiter berücksichtigt werden soll. Statt dessen ein Blick auf ein Polit-Gedicht, *Lenin in Rasliw*, das den üblichen Personenkult auf seine Art unterläuft. Der Führer der Oktoberrevolution erscheint in ihm als ein freundlicher Weiser, der sich in einer »Hütte aus Heu und Geäst« vor seinen Feinden verborgen hält und den Bauern bei der Landarbeit hilft. Das Gedicht ist deshalb aufschlußreich, weil hier bei Huchel einmal Literatur als Lüge in Erscheinung tritt. Lenin wird vom revolutionären Blitzeschleuderer zu einem ehrbaren, einfachen Mann umfunktioniert – und es gehört nicht viel Phantasie dazu, sich vorzustellen, wie weit diese Volksausgabe des Weltrevolutionärs wegführt einmal von der verbürgten historischen Wahrheit, zum anderen vom offiziellen Götterbild der Plakate und Transparente, an denen sozialistischer Elan sich aufrichten sollte. Noch als verunglücktes Gedicht ist es Zeugnis der Abtrünnigkeit von jenem solidarischen Gehorsam und jener Kollaboration mit den Machthabern, die diese forderten. Es ist eine listenreiche Verweigerung, ein nicht-gezollter Tribut, ein Ausdruck der Freiheit in der Unfreiheit. Es zersetzt Ideologie mit dem Tumor des provokanten Gegenbildes und ist als plane politische Pflichtübung nur dann mißzu verstehen, wenn es abgehoben von zeitgeschichtlichen Hintergründen betrachtet wird.

Der Eingeschlossene von Wilhelmshorst

Nach seiner Entlassung als Chefredakteur von *Sinn und Form* Ende 1962 lebte Huchel acht Jahre in Wilhelmshorst bei Potsdam in weitgehender Isolation – keine Post, keine Bücher, der Nachbar gegenüber ein Spitzel, die Hausgehilfinnen gelegentlich auch. Im Mai 1971 wurde ihm aufgrund öffentlicher Proteste in der westlichen Presse die Ausreise mit Frau und Sohn in die Bundesrepublik zugestanden. Er verbrachte ein Jahr als Gast der Deutschen Akademie Villa Massimo in Rom und setzte die Arbeit an seinem dritten Gedichtband *Gezählte Tage* fort. Was würde, fragte man sich, dieser neue Band bringen? Abrechnungen mit seinen Feinden? Bloßstellungen schlimmer Dinge? Oder wenigstens Aufrechnungen dieser bitteren Jahre einer schändlichen Isolierung? Verschlüsselte Nachrichten über die Zeit des Exils im eigenen Land? Poetische Protokolle der Vereinsamung? Eine Phänomenologie der Ohnmacht?

Bitterkeit war zu erwarten. Aber bringt dieses Gedichtbuch Bitterkeit – dieses, um es bildlich zu sagen, chinesische Buch in deutscher Sprache (chinesisch, weil die Gedichte größtenteils wortkarg sind und doch eine ganze – nicht heile – Welt beschwören)?

Sein Grundzug ist nicht Bitterkeit, ist auch nicht mehr jene mächtige Trauerklage der Kriegsendegedichte, sein Grundzug ist eine gesteigerte Einfühlung in seelische Verfolgungsschäden, in Menschenwesen als Verfolgte und Verfolger, in Geschichte als Repetition hemmungsloser Menschenverachtung in Form administrierter Ideologie. Es bekräftigt den Austritt aus den Vorurteilsstereotypen unserer Epoche und ist Absage eines einsichtigen lyrischen Ichs an alle Omnipotenzphantasien. Das heißt, die Gedichte entsprechen der Lage, in der sie entstanden sind – zum größeren Teil wenigstens: der Lage eines in sein Haus Eingeschlossenen, der in Ungnade gefallen ist und dementsprechend lebt, der keinen Schritt außer Haus tun kann, ohne daß darüber Buch geführt wird. Das führt zu einer eigentümlichen Poesie des allernächsten Lebensbereichs, dessen, was ihm an Wirklichkeit noch zugestanden wird:

»Auch jetzt, wo der Putz sich beult
und von der Mauer des Hauses blättert,
die Metastasen des Mörtels
in breiten Strängen sichtbar werden,
will ich mit bloßem Finger
nicht schreiben in die porige Wand
die Namen meiner Feinde.«

In dem großen Gedicht *Hubertusweg* wird stellvertretend für Jahre ein Tag des Dichters in Hausarrest festgehalten. Der eingeschränkte Bereich erweist sich als nicht weniger ergiebig als die weiten, nach Norden und Osten offenen norddeutschen Landschaften, als der Raum der Geschichte, die südlichen Meere und Landschaften, die für Huchels Lyrik von der größten Bedeutung gewesen sind. Das Gedicht ist von großer Gelassenheit. Gegen die erregte Atmosphäre einer Märznacht:

»Und in der Nacht
das Sausen in den Schlüssellöchern.
Die Wut des Halms
zerreißt die Erde.
Und gegen Morgen wühlt
das Licht das Dunkel auf.«

setzt sich Huchel ruhig ab:

»Ich bin nicht gekommen,
das Dunkel aufzuwühlen.
(...)

An diesem Morgen
mit nassem Nebel
auf sächsisch-preußischer Montur,
verlöschenden Lampen an der Grenze,
(...)
steig ich wie immer
die altersschwache Treppe hinunter.«

Hannah Arendts Wort vom Weltverlust als dem eigentlichen Inferno der Moderne findet hier insofern keine Bestätigung als Huchel nicht einen Weltverlust ausdrücklich feststellt, sondern konstatiert, was ihm an Welt und Wirklichkeit geblieben ist. Es ist wenig genug. Aber indem er sich diesem wenigen zuwendet, weist er nach, daß auch dies genügt, wenn es genügen muß. Offensichtlich ist es ein Unterschied, ob einem der Elfenbeinturm aus innerer Notwendigkeit als letzte Zuflucht bleibt, oder ob man zwangsweise und gegen seine geistige Konstitution, die auf Kommunikation mit der Welt aus ist, auf den eingeschränkten Bereich seiner vier Wände und seines Gartens verwiesen wird. Hier hat es den Anschein, als würde die Zwangseinweisung wahrgenommen als eine Möglichkeit, sich nach den verlorenen Paradiesen der Langerwischer Kindheitsjahre, der Trauerklage der Vierzigerjahre und der Fünfzigerjahre mit ihren kostbaren Freiheitserlebnissen, auch dem engsten Raum eine neue Qualität abzugewinnen und in ihm Mensch zu bleiben, die Partie mit der Zeit weiterzuspielen und der Gesellschaftsordnung die Zerstörung wenigstens der Häuslichkeit zu verwehren.

Beispiel: Verteidigung der Person

Diese Verteidigung der Person müßte scheitern, würden nicht die Geschehnisse des Augenblicks und der Erinnerung mit äußerster Intensität erlebt. Und es gelänge nicht, auch dann auf der Höhe seiner selbst zu bleiben, sich durch äußere Zwänge nicht zwingen zu lassen zu einer Vergewaltigung der inneren Natur, besäße Huchel nicht auch in solchen Lagen die psychische Kraft, sich gleichzubleiben. Es ist ja keineswegs ausgemacht, daß eine gestürzte Größe – groß bleibt, wenn man ihr die Pflöcke kurzsteckt. Wo es geschieht, darf man es ruhig einmal bewundern! Offensichtlich verlangte Huchel von sich, die Gedichte zeigen es, zu beweisen, daß die Gelegenheiten der Dichtung so zahlreich sind wie die Augenblicke des Lebens. Diese Ungebrochenheit macht, daß wir in diesen Gedichten auch keinem *neuen* Huchel begegnen, sondern einem mit anderen Erfahrungsmomenten. In *Die Kreatur* ist es das Mitleiden mit einem »Mann in abgeschabter Jacke«, der sich schweren Herzens entschließen muß, sich von seiner lahmenden Maultierstute zu trennen, da auch der

»(...) Hafer in der Kiste,
dumpf und schimmlig,
von Pilzen befallen«

ist:

»Er sieht die Stute mit schlechtem Gebiß,
die Hungergrube in den Wolken.

An der rußigen Mauer
der Abdeckerei
neigt sich die Sonne zur Unterwelt.«

Seltsam überzeugend, wie eine gelungene Legierung zeitgenössischer Wirklichkeit mit griechischen Todesvorstellungen,
wirkt hier vom Schlußwort *Unterwelt* her die Abschiedsszene
zwischen Mensch und Tier als Aufkündigung eines jahrtau-
sendealten Treueverhältnisses, mit dessen Ende auch das der
geduldigen ländlichen Zeitmaße gekommen ist.
In diesen Zusammenhang gehört auch *Die Gaukler sind fort*
– ein Kehraus-Gedicht, das die Spaßmacher, Fähnrich und
Mädchen, den buckligen Händler mit Ketten und Ringen –
Zwerg Alberich? –, den ganzen bunten Jahrmarkt des Lebens
mitsamt den alten germanischen Göttern, transformiert in die
hochberühmten Gaukler, in der Versenkung verschwinden
läßt:

»Die Eiche, mächtig gegabelt,
die den Donner barg –
in morscher Kammer des Baums
schlafen die Fledermäuse,
drachenhäutig.
Die hochberühmten Gaukler sind fort.«

Was das Gedicht konstatiert, ist Götterleere, Menschenleere –
eine Vorstellung von leerer Welt, die korrespondiert mit dem
oft bei Schizophrenen festgestellten »Traum von der leeren
Welt«. Es fragt sich jedoch, ob es so ohne weiteres einzu-
ordnen ist in die Geschichte der Entfremdung zwischen Ich
und den übermächtigen Gesellschaftsapparaten, in der Künstler und Schizophrener einander in ihren Abwehrreaktionen
gleichen. Das fragt sich nicht nur, weil hier poetisch fixiert
wird, was durchaus zum Erfahrungsschatz einer »normalen«
Weltkenntnis gehört. Das fragt sich erst recht, weil es sich
inzwischen um eine erlernbare und durchaus übliche poetische
Technik handelt, die bewußt angewendet wird. Wie auch
immer – obgleich nicht leicht zu lesen, gehört es zu den schönsten, am gründlichsten desillusionierten Gedichten und
enthält ein wesentliches Motiv Huchels: daß nur in mystischer

Versenkung, nicht mit dem argumentierenden Verstand, das alle Erscheinungen bestimmende Weltgesetz zu erfahren ist. Das hat mit dem heutigen Vulgär-Taoismus, in dem noch einige der alten Götter und Geister ihr Dasein fristen, nichts gemein; doch auch nicht mit dem philosophischen Taoismus, da die Versenkung in das Bild vom Baum und Hügel sowohl Götter wie Gaukler, hier gleichsam eine Korona, als nicht mehr von dieser Welt sieht. Der göttliche Bezugspunkt fehlt. Was bleibt, ist das lyrische Ich vor leerer Landschaft. Was kommt, die Zukunft, ist ausgespart – wie übrigens auch in *Alt-Seidenberg,* einem weiteren schönen Gedicht, in dem Huchel den schlesischen Mystiker Jakob Böhme beschwört:

»Anderen Tages
war es wie immer,
verschlossen die Erde,
mit Feldspat versiegelt.
Nur eine Hummel summte dort,
vom Wind ins dürre Gras gedrückt.

Das Feuer,
das in der Einöde brannte,
stieg in die Höhe,
das Wasser strömte der Tiefe zu.
Die Spuren der Herde führten zur Tränke.
Der Hügel trug den Himmel
auf steinigem Nacken.«

Wo immer derartiges konstatiert wird, hört das Fragen auf. Solcher Aufgabe der Sinn-Suche droht immer die Gefahr, als Resignation begriffen zu werden, da diese Haltung keine Antworten mehr erwartet, sondern darauf besteht, daß es keine Antworten gibt. Doch sollte man sich hüten, als Resignation zu verstehen, was eine andere Art der Teilnahme und Beleg eines gewandelten Lebensvollzugs ist.

Huchel, der sich in den frühen Gedichten mit allen Sinnen den Erscheinungen des Lebens öffnete, der sich in der Mitte des Lebens angesichts der Katastrophen unserer Geschichte in eine Trauerklage von alttestamentarischer Kraft verausgabte, der auf der Höhe seines Ansehens, seines lyrischen und editorischen Werkes, in die Verbannung seiner vier Wände geschickt wurde, reagiert darauf durchaus nicht resignativ, sondern mit Gedichten, in denen das Sehen wieder als ein aktives Vermögen des Menschen in sein Recht eingesetzt wird. Zwar ist diesem Sehen nicht Goethes Wort vom »sonnenhaften Blick« angemessen. Doch auch nicht eines anderen großen Lyrikers, William Butler Yeats', »kalter Blick aufs Leben und den Tod«. Das Kennzeichen des Huchelschen Blicks ist die Unbefangenheit, die Weite seiner Optik. Das Auge macht keine Unterschiede, es nimmt wahr, was überhaupt wahrzunehmen ist, es ruht mit der gleichen Aufmerksamkeit auf Möwen, die ihre Federn einfetten, wie auf der Maultierstute, die

»(...) lahmt, als läge
ein Stein unter dem lockeren Eisen
des linken Hinterhufs.«

oder auf einem Richter, der in seinen Akten blättert, einem schwarzen SIS mit weißen Gardinen, der vor seiner Haustür hält.
In vergleichbarer Lage, nämlich mit Malverbot belegt, malte Oskar Schlemmer seine berühmten »Fenster-Bilder« – auch sie Blicke in fremdes Leben, die Teilnahme daran beschränkt auf die Wahrnehmung, die eigene menschliche Not umgesetzt in eine artistische Tugend. Sicher erklärt sich die von Ingo Seidler bemerkte Hypertrophie des Gesichtssinnes nicht allein aus der Lage des Eingeschlossenen von Wilhelmshorst. Was nicht als Anlage immer vorhanden war, kann auch die Zeit nicht entfalten. Aber die Isolierung hat zweifellos das Ihre dazu beigetragen,

»des Verfemten,
der hinter der Mauer lebt
mit seinen Kranichen und Katzen.«

Reduktion auf den Gesichtssinn zu forcieren, der in vielen Gedichten dieses Bandes zum Anstifter des poetischen Prozesses wird. Aber nicht nur das Gegenwärtige wird gesehen, auch die Erinnerung scheint sich als Bild in die Netzhaut eingerannt zu haben. In *M. V.* – Mein Vater – ebenso wie in *Der Kundschafter* und *Nachlässe, Auf der Straße nach Viznar*, und in *Die Niederlage,* wo es eingangs des 3. Teils heißt:

Am Eingang des Dorfs warf der Wind
ine geballte Ladung Frost
egen die Mauer.
Der Mond legte fasrige Gaze
ber die Wunden der Dächer.«

Wenngleich Nachhall des berühmten Gedichts *Der Rückzug* nd einsetzend mit derselben Situation des Überlebenden auf inem zerstörten Bahnhof, die dort in Teil III gezeichnet vird, unterscheidet es sich in einem grundsätzlich von seinem Vorgänger: des wilden Furors der Trauerklage ledig, mit der *Der Rückzug* endet, verharrt es mit Insistenz auf dem ergleichsweise trockenen Ton der gefaßteren, lapidareren nd prosanäheren Feststellungsklage:

Langsam sank die Leere der Nacht
nd füllte sich mit Hundegeheul.
Es sank die Niederlage
uf die gefrorenen Adern des Landes
nd auf die ledergepolsterten Sitze
des alten Kremsers in der Remise,
wo zwischen Pferdegeschirr und grauem Heu
die Kinder schliefen.
Sie sank auf die blaugefleckte Haut der Toten,
die Steine und Bäume umarmten.«

Ein gestochenes Bild der Agonie. Der Geist der Genauigkeit, der hier waltet, weht nicht mehr, wo er will, sondern wo er muß. Indirekt spricht dieses Gedicht nicht von der Freizügigkeit des Geistes, sondern von seiner Bindung an die Gelegenheiten des Lebens und des Sterbens, die zu Gelegenheiten des Gedichts werden können. In seiner Verschränkung von scheinbar privater, idiosynkratischer Sprache und entpersönlichter, protokollarischer Prosa ist es ein prägnantes Beispiel dafür, wie der eine Gestus den anderen steigert.

Angesichts der Ausmaße der zerstörenden Gewalt werden di
Dinge zu Wesen erhöht:

»Der Mond legte fasrige Gaze
über die Wunden der Dächer.«

Das geschieht durch »Personalisation«, in der Sache un
menschliches Subjekt eins werden und die Sache zur Metaphe
eines inneren Zustandes. Unübersehbar drückt sich darin -
abgesehen von der poetischen Finesse – ein Bewußtsei
erhöhter Verantwortlichkeit des Menschen aus. Das heißt, di
auf Progression der Gewissensverfeinerung zielenden bildli
chen Reflexionen des Lyrikers zielen implicite auf eine Ablö
sung des verantwortungslosen Umgangs mit Menschen un
Menschenwerk und antizipieren somit etwas, was im Bereic
der Ökonomie und der Politik auch heute noch nicht nach
vollzogen wird. Was zunächst als ein mittels poetischer Ver
schlüsselungstechniken »gemachtes« hermetisches Gebilde er
scheint, erweist sich bei näherem Zusehen als ein durchau
offenes, durchlässiges Gebilde, dessen zusätzliche Qualitä
darin liegt, Ich-Erfahrungen und daraus sich ergebende Mora
len nicht als Verhaltensmuster aufzudrängen, sondern den
Leser die Freiheit der Auslegung, mithin der Entscheidung
der Mitarbeit am Gedicht zu lassen. Es schreibt nicht vor, e
stellt dar – wobei Huchel bewußt oder unbewußt davo
ausgeht, daß den Anstrengungen des Schriftstellers, Zeit un
Zeitläufte in ihrem Wesen zu erfassen, die des Lesers entspre
chen müssen, aus dem subjektiven Befund des lyrischen Ich
die der eigenen Individualität möglichen Schlußfolgerunge
zu ziehen.
Dem widersprechen gesprächsweise Äußerungen Huchels
daß Lyrik zu allen Zeiten nur für wenige geschrieben wurde
daß Lyrik immer nur aus Wortklängen und Metapher
bestanden habe; daß sie also auch dort, wo sie engagier
auftritt, esoterisch ist. Huchel, der sich kaum im Bild eine
enragierten Aufklärers wird wahrnehmen wollen, hat den
noch auch etwas von einem Aufklärer an sich – und zwar i
dem Sinne, in dem Walter Jens von der Pflicht zur Belehrun
spricht, die anzuerkennen sei. Er findet, mit Hilfe radikale
Subjektivität, seine eigenen Wahrheiten. Und das ist gena

der radikale Subjektivismus jeder großen Dichtung. Wort-
klänge und Metaphern sind gewissermaßen die Orchestrie-
ung eines im poetischen Satz geborgenen Sinnes, der selbstverständlich nachvollziehbar ist. Esoterisch wäre seine Lyrik
nicht einmal, wenn sie völlig für sich allein stünde. Sie ist es
um so weniger, als Literatur ein – wenn auch nicht übersichtli-
hes – Geflecht aus Produktion und Kommentar darstellt.
Sie ist begleitet von Kritik und Literaturgeschichte, von
Geschichtsschreibung, Philosophie, Soziologie und Psycholo-
gie – und was ohne deren Erkenntnisse möglicherweise unzu-
gänglich bliebe, wird durch sie ein erfahrbares Wissen. Und
schließlich ist Lyrik begleitet von Metzeleien, Scheußlichkei-
en, Armut und Hunger, ist gleichzeitig mit so vielem anderen
da, daß selbst dort, wo sie von sich aus zu verbalen Dunkel-
heiten neigt, sie sich aus dem vielgestaltigen, vielschichtigen
Geschehen, auf das sie reagiert, immer wieder auch mit
einiger Sicherheit auf ihren Sinn hin erklären läßt.

Widerpart geharkter Ordnung

So ist es auch nicht unmöglich, aus den Fingerzeigen, die
Huchel in zahlreichen seiner neuen Gedichte gibt, auf seine
Position gegenüber den Entindividualisierungszwängen durch
undurchschaubare, machtvoll wirksame Verwaltungshierar-
chien und Auflagen ideologischen Charakters zu schließen.
Auf seine Weise widerholt Huchel Marxens Plädoyer für die
Individuation, gegen die völlige Anpassung des Individuums
an die Gesellschaftsapparate. Als Poet selber eine speziali-
sierte Abweichung von der Norm, versteht er beim Anblick
einer »Doppelreihe hoher Tulpen« den Wegerich

»Noch halb im Schatten des Tulpenbeets,
sandig und heimlich angesiedelt«

als den »Widerpart geharkter Ordnung«. Was Brecht in *Der
Blumengarten* und in *Vom Sprengen des Gartens* Anlaß war
zu der Forderung:

»Und übersieh mir nicht
zwischen den Blumen das Unkraut, das auch Durst hat«

und zu dem Wunsch:

»In den verschiedenen Wettern, guten, schlechten
Dies oder jenes Angenehme«

zeigen zu dürfen, wie

»ein Garten,
so weise angelegt mit monatlichen Blumen (...)«,

sieht Huchel heute aus dem Bereich einer humanen Ordnung,
in den der jedem überspitzten Ordnungsbegriff innewohnen-
den Gewalt gerückt:

»(...) Der Grubber liegt am Weg;
mit Eisenzähnen auszureißen
die Wurzeln erdiger Metaphern.«

Im Bild des Wegerichs unter den Tulpen gibt er das Bild eine
von der Herde Ausgestoßenen, des Fremdlings, des Dichter
unter den überangepaßten Staatsbürgern, das Bild überhaup
des bedrohten Individuums, das als Fremder in einer Grupp
»Säuberungspraktiken« zu gewärtigen hat. Man denke sich a
die Stelle der Metapher Wegerich den Begriff des »lebensun
werten Lebens«, wie er aus den Euthanasieprogrammen de
Nazi-Ideologie sich in Teilstücken als Weltbild bis heut
erhalten hat, und man hat die in diesem Gedicht diagnosti
zierte Geisteshaltung, von der Huchel sich distanziert, auf de
Hand. Für einen, der in seiner Jugend als faul und verbum
melt galt, also unnütz, weil einer, aus dem nichts »Ordentli
ches« werden würde, und der in seinen Mannesjahren und im
Alter das dörfliche Vorurteil auf ideologischer Ebene neuer
lich am eigenen Leib erfahren muß, eine wahrhaftig ein
leuchtende und eindeutige Definition seiner Haltung gegen
über das Individuum in seinen Grundrechten beschneidende
ideologischen Reglements.
Was kann man von einem Dichter mehr verlangen? Doc

icher nicht den Trost neuer Evangelien, wenn zunächst der
Blick auf die schrecklichen Wirklichkeiten, die sich unter dem
Deckmantel des täglichen Lebens so mühelos als das »Gewohnte« verbergen, offenzuhalten ist. In dem Gedicht
Unkraut geschieht das durch die knappe Erzählung eines alltäglichen Vorgangs. Kohlenträger, die ihn mit Koks versorgen, treten auf dem Weg zur Kellerschütte die Nachtkerzen
nieder, die der Isolierte wieder aufrichtet. Willkommener
noch als Kohlenträger wären ihm Gäste,

die Unkraut lieben,
die nicht scheuen den Steinpfad,
von Gras überwachsen.
Es kommen keine.«

sondern:

»Es kommen Kohlenträger,
sie schütten aus schmutzigen Körben
die schwarze kantige Trauer
der Erde in meinen Keller.«

Angesichts weit entsetzlicherer Geschehnisse, als sie im Niedertreten von Nachtkerzen zu erblicken sind, mag sich die
Frage stellen, ob hier nicht aus einer vergleichsweise geringfügigen Verfehlung das lyrische Ich unangemessen hohes Kapital schlägt. Dem wäre entgegenzuhalten, daß bei mangelnden
Abfuhrwegen für lang dauernde Unlustgefühle, wie sie mit
aufgezwungener Vereinzelung verbunden sind, es die
berühmte Fliege an der Wand ist, die unerträglich irritiert.
Und daß dieses Gedicht sein spezifisches Gewicht aus der
Tatsache gewinnt, daß außer Kohlenträgern eben kein Besuch
kommt, die Quarantäne also außerordentlich streng ist.
Wie jedes Ding des Alltags, aus dem gewohnten Zusammenhang genommen, als besonders poetisch erkannt wird, ist erst
recht die isolierte, aus ihren gesellschaftlichen Bezügen herausgenommene Person poetisch, der Poesie würdig, ihr
Gegenstand. Und deren Bedürfnis nach Kommunikation zu
versinnlichen, ebendas ist das hier in den Leerstellen, den
Lücken im Text untergebrachte Generalthema, das die Phanta-

sie des Lesers provozieren soll. Die Begegnung von Poet und Kohlenträgern auf dem Gras des Gartens ist vor diesem realen Hintergrund so bewegend wie die von Lautréamont benannte »zufällige Begegnung einer Nähmaschine und eines Regenschirms auf einem Seziertisch« synthetisch schön ist. Sie besitzt ihr gegenüber den Vorzug, daß sie inzwischen gewohnte Vorstellungszusammenhänge vom Bereich der Dichtung wirksamer durchbricht. Denn die poetische Aktivität geht aus von individuellen Subjekten, nicht von einer künstlich erzeugten, verblüffenden Konstellation von Objekten. Lyrik ergibt sich aus der Begegnung des Poeten, der Kohlen braucht wie jeder andere, mit Kohlenträgern, die, auf der Kippe zwischen Mensch und Arbeitstier, den kürzesten Weg wählen, um eine Last loszuwerden, ohne sich dabei um irgendwelche Nachtkerzen zu kümmern. Das ist an Nüchternheit, Präzision, sinnlicher Präsenz und Evidenz auf der Ebene des Empirischen so leicht nicht zu übertreffen.

Die verbissene Ordnung des Landes

Nicht ausführlich behandelt wurde in dieser Besprechung die sich aufgeregten Gemütern gewiß aufdrängende Frage, wie Huchel es denn, nach seinem Wechsel in die Bundesrepublik mit seinen politischen Überzeugungen halte. Wie fest oder brüchig das mächtige marxistische Lehrgebäude sich ihm darstelle. Was er denke von der Botschaft hegelianisch-marxistischer Geschichtlichkeit. Huchels Gedichte messen nicht Theorie an Praxis, sie verdichten die Praxis des gelebten Lebens eines Menschen als Bestandteil einer »verbissenen Ordnung des Landes«, sie verdichten persönliche Erfahrung mit objektivierenden Systemen, deren Apriori der Begriff einer gefundenen, allgemeingültigen Wahrheit ist, zu der die subjektive des Lyrikers in keinem Verhältnis der Komplizität steht. Er sagt es an keiner Stelle direkt, aber die Gedichte zeigen es dennoch, daß er sich abwandte von etwas, das er als die Durchführung einer unhaltbaren Erlösungstheorie unter der Leitung höchst zweifelhafter Köpfe und Charaktere erkannte. Diese Problematik wird, wie gesagt, in dieser Rezension nicht ausdrücklich behandelt. Aber es wurde ja vieles nicht behan-

delt in ihr. Da gibt es, beispielsweise, das meisterhafte Erzähl-
gedicht *Middleham Castle*, in dem Shakespeares Gloster
erscheint und sich, ein Ungeheuer des Mittelalters, Eintritt ins
20. Jahrhundert verschafft – und es wäre leichtes Spiel, Analo-
gien zu lebenden Figuren herzustellen. Da gibt es das nicht
weniger meisterhafte Gedicht *Nachlässe*, das feststellt, daß
die Botschaft der Aufständischen in Warschau keine Erben
gefunden hat – daran kann man nicht vorbeilesen. Natürlich
kann man, da auch dies Gedicht nicht die analysierbare historische Situation des Warschauer Aufstandes öffnet, sondern
mehr tut: zeigt, was daraus geworden und was von diesem
Freiheitsaufschwung geblieben ist – natürlich kann man
Huchel nochmals wie bei seinem Stalingrad-Gedicht mangelndes politisches Bewußtsein bescheinigen. Den Irrtümern
sind keine Grenzen gesetzt. Aber man wird es so wenig
beweisen können, wie man den Naturlyriker beweisen kann.
Die Gedichte sind Zeugen gegen jedes so oder anders geartete
Vorurteil – sie verlangen einen Leser, der bereit ist, seine
eigenen Erfahrungen in die Lektüre einzubringen und sich als
Erwachsener zu verhalten, wie das lyrische Ich, mit dem er
sich einläßt. Mit anderen Worten: sie verlangen soviel Offen-
heit für die Vielfältigkeit menschlichen Lebens in der Spannung zwischen Natur und Geschichte, wie sie selbst aufbrin-
gen. Dann sind diese Gedichte nicht mehr nur eine Form des
Kontakts, sondern ein Mittel der besseren Erkenntnis.

(1972)

III. Zeilen an Peter Huchel

Erich Arendt
Orphische Bucht

Für Peter Huchel

Meergerandet, groß
um den Felsen, stet und
stet das weiße Auge,
blickt: Die fühlbare Ferne.
Die Haut. – Möglich
alles: Im Schnittpunkt,
weither, der Sekunde
eine Welle von Eisen.
Knirscht.

Wurzelstumm
dein Tag, rede, Berg,
Eulenflucht aus der Zeit
an deiner Stirn. Die sah
im Neigen der Felsen
meergetrieben das Haupt.
Singen.

Berg, seit
der Zerrissene schrie,
du zähltest
die Todesenge, Furcht.

Auch dein Schritt, ins
Leere gemalt, Freund,
versinkt, und das Licht
steht, ein Dorn,
unter dem Lid mir. – Sprach einer
den Morgenröten fallenden
Rinden hier? – Es
schweigt nur, Helle
durchschweigt
das Meergehöhlte.

So wirf
dein Netz, blutrot,
durchs Licht, das
der Schrei
speist: Auf Welle
und Stein: offen die
Maske des Worts:
morgen die
schreckende Stille.

Horst Bienek
Schattengestalt

Lichtjahre haben uns gestreift
    unsere Worte entflammt
    jetzt sind sie erloschen
        endgültig

Die Schatten kommen und streuen
    Fragen aus
    jeder der antwortet
        erstickt

Keine Stimmen mehr also
das Schweigen preist die Stille
    die Stille rühmt die Lautlosigkeit
ich blicke mich um
ich kann niemand mehr sehen
meine eigene Gestalt
    zerrinnt im Wachsen der Schattengestalt

Für Peter Huchel

Wolf Biermann
Ermutigung

Peter Huchel gewidmet

Du, laß dich nicht verhärten
In dieser harten Zeit
Die allzu hart sind, brechen
Die allzu spitz sind, stechen
und brechen ab sogleich

Du, laß dich nicht verbittern
In dieser bittren Zeit
Die Herrschenden erzittern
– sitzt du erst hinter Gittern –
Doch nicht vor deinem Leid

Du, laß dich nicht erschrecken
In dieser Schreckenszeit
Das wolln sie doch bezwecken
Daß wir die Waffen strecken
Schon vor dem großen Streit

Du, laß dich nicht verbrauchen
Gebrauche deine Zeit
Du kannst nicht untertauchen
Du brauchst uns, und wir brauchen
Grad deine Heiterkeit

Wir wolln es nicht verschweigen
In dieser Schweigezeit
Das Grün bricht aus den Zweigen
Wir wolln das allen zeigen
Dann wissen sie Bescheid

Heinrich Böll
für Peter Huchel

wortlos
im Stacheldraht West
wird das Eindeutige zweideutig
wortlos
im Stacheldraht Ost
das Zweideutige nicht eindeutig

Günter Eich
Zeilen an Peter Huchel

Am dritten April habe ich sonst nichts vor, nur Nebelkrähen, Neuntöter und Petroleum aus dem Kaufhaus. Das ist schon genug, mein Gedächtnis ist schwach, ich muß es mir aufschreiben, oder ein Wort bilden wie Neneupe, es klingt nach einer Muse, klingt griechisch. Es ist die Muse des Gedächtnisses, die Mohnmuse könnte man sie verdeutschen. Wenn ich andere Dinge vorhätte, ergäbe sich eine aztekische Gottheit, so dumm ist mein Gedächtnis, die Ethnographie schwirrt durcheinander mit gestutzten Nebelflügeln.

Es wäre besser, ich hätte Unken vor, aber es hat sich so ergeben. Unken sind ein Leitmotiv, sie läuten, Petroleum ist zufällig. Das kommt daher, daß ich keine Ordnung in meine Zukunft bringe, alles fliegt in meinen Vormittagsrausch, ich verschlinge es, bin nicht kiesätig, das war früher. Ich weiß nicht, wie es bei dir ist. Ich esse jetzt sogar Spinat, aber lieber nicht durchgedreht.

Ein verlängerter Winter, das ist hier immer so, ein verlängerter Eisgenuß. Die Neuntöter bauen noch nicht, mit den Dachlawinen fliegen die Ziegel vors Haus, ich sammle sie für ein anderes, werde aber nicht weit genug kommen, es liegt alles zu nahe. Sonst gibt es nichts Neues, nur Datum und Jahreszahl.

PS Teile dir mit, daß der Schnee liegen bleibt.

Günter Eich
Nicht geführte Gespräche

Wir bescheidenen Übersetzer,
etwa von Fahrplänen,
Haarfarbe, Wolkenbildung,
was sollen wir denen sagen,
die einverstanden sind
und die Urtexte lesen?
(So las einer
aus Eulenspiegels Büchern
die Haferkörner)

Vor soviel Zuversicht
bleibt unsere Trauer windig,
mit Regen vermischt,
deckt die Dächer ab,
fällt über jedes Lächeln,
nicht heilbar.

für Peter Huchel

Marie Luise Kaschnitz
Für Peter Huchel

Eisvogel schwerer über dem Havelsee
Seiner Flügel tropisches Blau und Grün
Und Charons Boot
So arglos bestiegen damals
In der märkischen Kindheit.

In London bei den Riesen Gog und Magog
Gingen wir übers Parkett aufeinander zu
Standen wir, hoben die Arme.
Die Saiten wurden gestimmt
Ein helles Getümmel.

Namen, einige sagen sich dir und mir
zum Beispiel Piazza Bologna
Und Bilder schlagen sich auf
Säulen Glyziniengelock
Römisches Ocker.

In deinen Gedichten die Geisterpferde
Streifen mit ihrem Atem mein Gesicht.
Deine Flüsse drängen
sich mir an den Weg
Dein riesiger Lebensbaum
Wirft seinen Schatten.

Mit dem Fernglas verfolgtest du
Meinen Weg nach Westen
Unter der Burgmauer hin
War ichs? Ich wars
Behalte mich im Auge.
Nachgeht mir dein Elend
Dein Traum.

Wolfgang Koeppen
nach potsdam

für Peter Huchel

es war einmal
ich war einmal
in potsdam
es ist lange her
mit der stadtbahn
vom bahnhof zoo
und den kaffeehäusern
und dachte
daß der könig von preußen
drei stunden brauchte
in der kutsche oder im sattel
um von seinem schloß in berlin
zu seinen leibwächtern zu fliehen
und daß bismarck
von der dampflokomotive gezogen
pfeilschnell fuhr
in einer stunde oder auch weniger
zeit seinen souverän
zu bändigen untertänigst im neuen palais
ich sollte nicht nach potsdam kommen
nach babelsberg befohlen
aber da sie in babelsberg einen
fridericusfilm drehten kam ich nicht
an wie ein fehlgeleitetes bestelltes und
verlorengegangenes paket
und der s-bahnzug
gelb oder rot
trug mich nach potsdam
im wannsee geschwommen
im freibad der vorzeit
und friedenauer aphroditen
war ich in potsdam und sah
was zu sehen war und

später verschwand
ein kleines stückchen schatten
voltaires von seinem rücken
den er wandte und platz machte
jenem herrn mit Zylinderhut
der dem hindenhindenhindenburg
treu in die augen blickte
und ich weiß nicht
steht sie noch oder nimmer
die garnisonkirche und
spielt das glockenspiel
den konkursverwaltern
wie als ich ein kind war
in der vorschulklasse
leiernd geübt
was hänschen lernt
treu üb und redlichkeit
daß sie hans bequem fressen können
mit ihren aufgerissenen heroischen mäulern
und wenn ich heute an potsdam denke
das sehr weit weg ist
von mir und überhaupt
kleist in seinem grab
und des propheten mund der
krieg krieg schrie
heym georg
erstarrte im eis
dann sehe ich brandenburg
in staub
und höre
in der landschaft der kartoffeläcker
und der runkelrüben
bedrückend den
weitermarschierenden tritt
preußischer soldaten

Karl Krolow
Stunden-Gedicht (II)

Für Peter Huchel zum 3. April 1968

Der Morgen mit vielen Augen.
Vorsichtig zwischen den Fingern
fühle ich seine Nähe.

Der Tag hat Stoff für Bilder.
Er kommt, zwei Farben
im Arm.

Das Wunderland entsteht.
Die Bäume blühen nach oben.
Ein Mädchen lebt
für einen Liebesreim.

Das Mittagslicht zerbricht
schon in der Ferne.
Heiße Bäder nimmt der Fluß.
Nichts bleibt verborgen.

Dann die Zeit,
in der die Zeit sich ändert.
Die Oberflächen sind
noch einmal gut zu sehen.

Viel Silber in der Luft
kommt auf.
Der Westen leuchtet.
Ein Schattenriß
steht an der Wand.

Am Boden haftet das Dunkel.
Mit gestrecktem Arm
faßt es nach mir.

Die Nacht wird lang sein.

Ludvík Kundera
Im Schneesturm

fuhren wir zu Peter Huchel
autos lagen in den straßengräben
die räder zum himmel
eulen finsternisgeweißt
schlüpften in die föhren
vor uns ein wirbel
vor dem wirbel wir
in ihm der dichter
im exil ohne glauben

Die hunde tot
tot die kanarienvögel
nirgends ratscht ein wellensittich
die schildkröten überwintern schon das fünfte jahr
auf dem hofe stampfen
schnee sich von den bleiernen schuhen
die phantome

Reiner Kunze
Zuflucht noch hinter der Zuflucht

(Für Peter Huchel)

Hier tritt ungebeten nur der wind durchs tor

Hier
ruft nur gott an

Unzählige leitungen läßt er legen
vom himmel zur erde

Vom dach des leeren kuhstalls
aufs dach des leeren schafstalls
schrillt aus hölzerner rinne
der regenstrahl

Was machst du, fragt gott

Herr, sag ich, es
regnet, was
soll man tun

Und seine antwort wächst
grün durch alle fenster

Christoph Meckel
Gedicht für Peter Huchel

Erde, zugewiesen auf Zeit und Unzeit
damit er sie unterbringt in seinem Gedächtnis
das die Schöpfung bewahrt für einen Tag des Erinnerns
an den Ruf der Mandelkrähe
das Rollen des Meers und der Steine.

Erde, ausgeschlachtet, nachdem die Götter
abgetreten sind und Welt für Welt
in Eisen gegossen tost und schrottet; er hört
den Abruf des Meers und das Schweigen der Steine
immer unbewohnbarer, in dem letzten
Traum die Rufe der Mandelkrähe.

Nelly Sachs
Der Schwan

Nichts
über den Wassern
und schon hängt am Augenschlag
schwanenhafte Geometrie
wasserbewurzelt
aufrankend
und wieder geneigt
Staubschluckend
und mit der Luft maßnehmend
am Weltall –

Oda Schaefer
Die Verzauberte

Für Peter Huchel
in memoriam ›Die schilfige Nymphe‹

Den grünen Leib der Libelle,
Das Auge der Unke dazu,
So treibe ich über der Welle,
Dem murmelnden Mund der Quelle,
Die strömt aus dem dunkeln Du.

Hörst du mich?
Siehst du mich?
Ach, ich bin unsichtbar
Im weißen Spinnenhaar,
Im wirren Gräsergarn,
Unter Dorn und Farn.

Alles, was flüstert und schäumt,
Alles, was schauert und bebt,
Bin ich, die einsam träumt
Und im Entschweben lebt.

Im Schilf, im Ried
Singt ein Vogel mein Lied,
Liegt das Schwanenkleid
Meiner Flucht bereit.

Suche du mich!
Finde du mich!
Bis ich dir wiederkehr
So federleicht,
Ist alles still und leer,
Was mir noch gleicht.

Jan Skácel
Znorovy nachts

(Für Peter Huchel)

In den Wiesen hängten die Nebel Wäsche auf,
die Rohrdommel rief in der Ferne,
und im Quaken der Frösche
grünte die Nacht.

Auf meinem Weg,
vorbei an den Tennen führte er,
kam ich vor Mitternacht nach Znorovy.

Die Nacht – ein zerrissener Mantel, durchlöchert
von Weidefeuern, die man auf viele Meilen hier sieht –
deckt das Dorf zu.
Undurchdringlich und fruchtbar ist in Znorovy die Finsternis.
Mächtig atmen die Ställe
mit warmer, verschwitzter Brust.

Znorovy nachts. Zwischen den Scheunen
berühren alle Bäume die Dächer.
Hierher kehrten brave Söhne zurück, geschmückt mit einer
    Träne,
und die Stolzen
gingen in Ketten, stolz,
eine Garbe Haar in der Stirn.

Auch ich ging, als führten sie mich ab,
stieß Pferdemist weg
und Wehmut.
Am Himmel mähte die Sichel,
und der Wind trieb die Wolken
über die kahlen Stellen.

Auch ich ging, als führten sie mich ab,
und ließ den Kopf wie einen schwarzen Flügel hängen.
Die Finsternis schwämmte die Stille,

glänzender Roßhaargraphit.

Unruhig schliefen die Kerle von Znorovy.

Anhang

Vita

1903	Geboren in Berlin-Lichterfelde. Beamtensohn. Kindheit in der Mark Brandenburg, auf dem Hof des Großvaters in Alt-Langerwisch. Gymnasium in Potsdam. Studium der Literatur und Philosophie in Berlin, Freiburg, Wien.
ab 1925	Gedichtveröffentlichungen u. a. in der *Vossischen Zeitung* und in *Das Kunstblatt* von Paul Westheim.
ab 1927	Ausgedehnte Reisen durch Europa: Frankreich, Balkan, Türkei.
ab 1930	Gedichte und Prosaarbeiten in *Die literarische Welt* von Willy Haas und in *Die Kolonne* von Martin Raschke.
1932	Lyrikpreis der *Kolonne*.
1933-1938	Gelegenheitsarbeiten für den Berliner Rundfunk (Hörspiele).
1934-1935	Gedichte in *Das innere Reich* von Paul Alverdes.
1940	Soldat.
1945	Russische Gefangenschaft.
1945-1948	Zunächst Lektor, dann Chefdramaturg, schließlich Sendeleiter und Künstlerischer Direktor des sowjetisch lizenzierten Berliner Rundfunks.
1948	*Gedichte* (erste Buchpublikation).
1949-1962	Chefredakteur von *Sinn und Form*.
1949	Mitglied des PEN.
1951	Nationalpreis der DDR (III. Klasse).
1952	Ordentliches Mitglied der Deutschen Akademie der Künste, Berlin.
1953	Reise in die Sowjetunion. Erste Kündigung als Chefredakteur von *Sinn und Form*, Intervention Bertolt Brechts.
1955	Theodor-Fontane-Preis (DDR) der Mark Brandenburg.
1957	Ordentliches Mitglied der Freien Akademie der Künste, Hamburg.
1958	Mitglied der Société Européenne de Culture, Venedig.
1959	Plakette der Freien Akademie der Künste, Hamburg.
1961	Mitglied der Comes, Rom.
1962	Endgültiger Bruch mit *Sinn und Form*.
1962-1971	Leben in der Isolation in Wilhelmshorst bei Potsdam.
1963	*Chausseen Chausseen. Gedichte*.
	Ehrenmitglied der Freien Akademie der Künste, Hamburg.
	Theodor-Fontane-Preis (Westberliner Kunstpreis für Literatur).
1965	Preis der jungen Generation *(Die Welt)*, Hamburg.

1966	Ordentliches Mitglied der Akademie der Künste, West-Berlin.
1967	*Die Sternenreuse. Gedichte 1925-1947.*
1968	Großer Kunstpreis des Landes Nordrhein-Westfalen.
1970	Ordentliches Mitglied der Bayerischen Akademie der Schönen Künste, München.
1971	Übersiedlung nach Rom.
	Johann-Heinrich-Merck-Preis für Literarische Kritik der Deutschen Akademie für Sprache und Dichtung, Darmstadt.
	Ordentliches Mitglied der Deutschen Akademie für Sprache und Dichtung, Darmstadt.
	Ehrengast der Villa Massimo, Rom.
ab 1971	Reisen nach Belgien, England, Holland, Italien, Österreich, in die Schweiz.
1972	Österreichischer Staatspreis für europäische Literatur. Übersiedlung in die BRD.
	Gezählte Tage. Gedichte.
	Arbeitsstipendium des Berliner Kunstpreises für Literatur.
	Lebt heute in Staufen, bei Freiburg im Breisgau.

Hartmut Kokott
Peter Huchel – Bibliographie

I Bibliographie der Werke Peter Huchels

1. Buchveröffentlichungen

Gedichte. Berlin 1948.
Gedichte. Karlsruhe o. J. (1949).
Chausseen Chausseen. Gedichte. Frankfurt 1963.
Die Sternenreuse. Gedichte 1925-1947. München 1967.
Gezählte Tage. Gedichte. Frankfurt 1972.
Gedichte. Ausgewählt von Peter Wapnewski. Frankfurt 1973
  (= Bibliothek Suhrkamp 345).

2. Verstreute Gedichte

Diese Aufstellung beansprucht nicht Vollständigkeit. Aufgenommen
wurden nur leichter zugängliche deutsche Veröffentlichungen, die entweder in den Gedichtbänden nicht oder aber stark überarbeitet
enthalten sind. Besonders vor 1930 hat Huchel auch an schwer
zugänglichen Orten Gedichte veröffentlicht. Bis auf wenige Ausnah-
men wurden ausländische Veröffentlichungen nicht berücksichtigt,
obwohl nach 1945 Gedichte Huchels im Ausland sowohl in stark über-
arbeiteten Fassungen als auch nur dort erschienen. Hinzuweisen ist auf
bulgarische, chinesische, englische (bzw. amerikanische), japanische,
polnische, rumänische, schwedische, sowjetrussische, tschechoslowaki-
sche und ungarische literarische Zeitschriften und Anthologien.

(Drei Gedichte) Roter Mond. Der Kreis. Abendlied. In: *Der Frei-
  burger Figaro,* Jg. 1925, Heft 25, S. 20-21.
Zwei Gedichte: Der Pilger. Der Abschied. In: *Der Freiburger Figaro,*
  Jg. 1925, Heft 27, S. 6-7 (*Der Abschied* nicht identisch mit *Ab-
  schied* in *Das Innere Reich* 2, 1935, S. 815).
(Zwei Gedichte) Die Begegnung am Meer. Du Name Gott (unter
  dem Namen Helmut Huchel). In: *Das Kunstblatt* 9 (1925), S. 165
  bis 166.
Frühling im Stadtpark. In: *Die literarische Welt,* 6. Jg., 4. Juli 1930.
Die Kammer. In: *Die literarische Welt,* 6. Jg., 11. Juli 1930, auch in
  Die Kolonne 3 (1932) Heft 2, S. 27 und in *Neue Deutsche Literatur* 1 (1953) Heft 1, S. 167-168.
September. In: *Die literarische Welt,* 6. Jg., 10. Oktober 1930 (nicht
  identisch mit *September* in: Ost und West 1, *Gedichte* und *Sternenreuse*).

Der Totenherbst. In: *Die literarische Welt*, 6. Jg., 12. Dezember 1930, auch in: *Die Kolonne* 3 (1932) Heft 1, S. 5-6.

Der Osterhase. In: *Die literarische Welt*, 7. Jg., 3. April 1931.

Die schilfige Nymphe. In: *Die literarische Welt*, 7. Jg., 3. Mai 1931 (stark überarbeitet auch in *Gedichte* und *Sternenreuse*).

Frühling im Quartier. In: *Die literarische Welt*, 7. Jg., 29. Mai 1931.

Die Magd. In: *Die literarische Welt*, 7. Jg., 20. November 1931 (überarbeitet auch in: *Mit allen Sinnen. Lyrik unserer Zeit.* Herausgeber Carl Dietrich Carls / Arno Ullmann. Berlin 1932, S. 63-64 und in: *Die Kolonne* 3 (1932) Heft 1, S. 5, stark überarbeitet auch in *Gedichte* und *Sternenreuse*).

Gedichte (*Der Zauberer im Frühling. Holunder. Die Magd. Am Beifußhang. Wilde Kastanie.*). In: *Mit allen Sinnen. Lyrik unserer Zeit.* Herausgeber Carl Dietrich Carls / Arno Ullmann. Berlin 1932, S. 60-66. (*Der Zauberer im Frühling* stark überarbeitet auch in *Gedichte* und *Sternenreuse*, *Am Beifußhang* überarbeitet in *Die literarische Welt* 8. Jg., 2. Dezember 1932, stark überarbeitet in *Gedichte* und *Sternenreuse*).

Die dritte Nacht April. Die Magd. Kinder im Herbst. Die schilfige Nymphe. Oktoberlicht. Der Knabenteich. In: *Neue lyrische Anthologie.* Herausgegeben von Martin Raschke. Wolfgang Jess Verlag, Dresden 1932.

Mädchen im Mond. In: *Die literarische Welt*, 8. Jg., 8. April 1932.

Märkischer Herbst. In: *Die literarische Welt*, 8. Jg., 15. Juli 1932, (unter dem Titel *Kinder im Herbst* auch in *Gedichte* und *Sternenreuse*).

Der seltsame Handwerker. In: *Die literarische Welt*, 8. Jg., 5. August 1932.

Sommer. In: *Die literarische Welt*, 8. Jg., 26. August 1932 (nicht identisch mit *Sommer* in *Gedichte* und *Sternenreuse*).

Oktoberlicht. In: *Die schönsten deutschen Gedichte*, gesammelt und geordnet von Ludwig Goldscheider. Phaidon-Verlag, Wien/Leipzig 1932.

Alter Feuerkreis. In: *Die literarische Welt*, 9. Jg., 10. März 1933 (stark überarbeitet unter dem Titel *Alte Feuerstelle* in *Gedichte* und *Sternenreuse*).

Der Herbst. In: *Das Inselschiff* (Herbst 1933) S. 223-225.

Nachtlied. In: *Das innere Reich* 1 (1934) S. 103 (unter dem Titel *Der Ziegelstreicher* in *Sternenreuse*).

Strophen aus einem Herbst (*Unter Ahornbäumen. Herbstfenster: Die Kreuzspinne. Zunehmender Mond. Herbstabend. Abschied. November-Endlied*). In: *Das innere Reich* 2 (1935) S. 813-816 (*Herbstfenster: Die Kreuzspinne* überarbeitet unter dem Titel *Kreuzspinne* in *Gedichte* und *Sternenreuse*, *Unter Ahornbäumen*

überarbeitet in *Gedichte* und *Sternenreuse, Zunehmender Mond*
nicht identisch mit dem gleichnamigen Gedicht in *Ost und West* 2,
Gedichte und *Sternenreuse*).

*Gedichte (Sommerabend. Die Sternenreuse. Cap d'Antibes. Zwölf
Nächte. Die Schattenchaussee. September).* In: *Ost und West* 1
(1947) Heft 1, S. 79-84 (*Die Schattenchaussee* stark überarbeitet als
Rückzug IV in *Sternenreuse*).

Gedichte (*Der polnische Schnitter. Der Vertriebene. Rückzug I. Rückzug II. Griechischer Morgen. Der Hafen. Zunehmender Mond*). In:
Ost und West 2 (1948) Heft 7, S. 25-30.

Das Gesetz. In: *Sinn und Form* 2 (1950) Heft 4, S. 127-136.

In der Heimat. In: *Sinn und Form* 3 (1951) Heft 2, S. 42-43 (auch
in *Kontraste. Jahrbuch Freie Akademie der Künste in Hamburg.*
Hamburg 1960, S. 18-19).

Chronik des Dorfes Wendisch-Luch (aus der Chronik *Das Gesetz*).
In: *Sinn und Form* 3 (1951) Heft 4, S. 137-139.

Chausseen Chausseen: Chronik Dezember 1942. In: *Sinn und Form*
7 (1955) Heft 2, S. 212 (unter dem Titel *Dezember 1942* auch in
Chausseen).

Für Ernst Bloch. Zu seinem siebzigsten Geburtstag. In: *Sinn und Form*
7 (1955) Heft 3, S. 414 (als *Widmung I* in *Chausseen*).

Bericht aus Malaya (Gedichtzyklus) In: *Neue Deutsche Literatur*
4 (1956) S. 65-74.

Für Hans Henny Jahnn. In: *Blätter und Bilder*, Heft 5 (Novem-
ber/Dezember 1959) S. 12 (Beitrag in der Reihe *Hommage à Hans
Henny Jahnn. Zu seinem 65. Geburtstag am 17. Dezember 1959*),
(auch in: *Hans Henny Jahnn.* Hamburg-Wandsbek o. J. (1960) S.
66, überarbeitet unter dem Titel *Widmung II* in *Chausseen*).

(*Drei Gedichte: Die Gaukler sind fort. Am Ahornhügel. Alkaios.*
Tschechisch). In: *Literární Listy* (Prag), 4. April 1968 (übers. von
Ludvík Kundera).

Neue Gedichte (*Antwort. Ophelia. Gezählte Tage. Die Engel. Mittag
in Succhivo*). In: *Neue Deutsche Hefte* 15 (1968), Heft 117, S. 29-
32 (*Gezählte Tage* und *Die Engel* stark überarbeitet in *Gezählte
Tage*).

3. Aufsätze, Essays, Interviews, Reden

Europa neunzehnhunderttraurig (autobiographische Skizze in der
Reihe *Lebensläufe von heute,* nicht authentisch, da stark überarbeitet und erweitert von Hans A. Joachim). In: *Die literarische Welt,*
7. Jg., 2. Januar 1931 (wiederabgedruckt in: *Zeitgemäßes aus der*

literarischen Welt von 1925-1932, hrsg. von Willy Haas, Stuttgart 1963, S. 323-326).

Desdemona (Novelle, in der Reihe *Shakespeares Mädchen und Frauen*). In: *Die literarische Welt*, 7. Jg., 1. Mai 1931 (wiederabgedruckt in: *Zeitgemäßes aus der literarischen Welt*, S. 341-343).

Im Jahre 1930 (Beitrag in der Reihe *Wo steckt hier der Fortschritt. Drei Erzählungen. Vier Nachworte*). In: *Die literarische Welt*, 7. Jg., 6. November 1931 (wiederabgedruckt in: *Zeitgemäßes aus der literarischen Welt*, S. 388-389).

Frau (autobiographische Skizze in der Reihe *Bilderbogen der frühesten Erinnerung*). In: *Die literarische Welt*, 7. Jg., 17. Dezember 1931 (wiederabgedruckt in: *Zeitgemäßes aus der literarischen Welt*, S. 401-402).

Von den armen Kindern im Weihnachtsschnee (Erzählung in der Reihe *Weihnachtsgeschichten junger deutscher Erzähler*). In: *Die literarische Welt*, 7. Jg., 17. Dezember 1931 (Weihnachtsbeilage).

Die Mark: Kähnsdorf/Oberes Nuthetal/Schiass (in der Reihe *Geschichte und Landschaft III. Die Mitte*). In: *Die literarische Welt*, 8. Jg., 15. Juli 1932.

Geschichte des jungen Mädchens (in der Reihe *Hier bekommt jeder sein Buch geschenkt. Eine Weihnachtsgeschichte, vier Wochen vor dem Fest zu lesen*). In: *Die literarische Welt*, 8. Jg., 25. November 1932.

Das gemeinsame Anliegen (Auszüge aus einer Rede, gehalten auf der Konferenz des Groß-Berliner Komitees der Kulturschaffenden am 1. Februar 1952). In: *Aufbau* 8 (1952) S. 235-240.

Gerechtigkeit, sofortige Freiheit für André Stil. In: *Aufbau* 8 (1952) S. 633-634.

Antwort auf den offenen Brief eines westdeutschen Schriftstellers (H. Lestiboudois). In: *Neue deutsche Literatur* 1 (1953) Heft 9, S. 89-91.

Mahnungen an den Schriftsteller. In: *Wege zueinander*. Nr. 1, April 1953, S. 2.

Zum Tode J. W. Stalins (Beiträge sämtlicher Mitglieder der Deutschen Akademie der Künste). In: *Sinn und Form* 5 (1953) Heft 2, S. 12 (auch in: *Aufbau* 9, 1953, Sonderheft März, S. 61).

»Drum gebt mir eine neue Sprache!« Rede anläßlich der Verleihung des F. C. Weiskopf-Preises an Stephan Hermlin. In: *Sonntag* (Berlin), 27. April 1958.

Für Hans Henny Jahnn. Aus einer Rede, gehalten am 18. Dezember 1959 in der deutschen Akademie der Künste. In: *Hans Henny Jahnn. Buch der Freunde*. Hamburg-Wandsbek o. J. (1961) S. 51 bis 53.

*Beitrag in der Reihe *Ausländische Schriftsteller zum 15. Jahrestag* *der Befreiung der ČSR.* Tschechisch). In: *Svetová Literatura* 5 (1960) S. 209-210.

Winterpsalm (Interpretation) In: *Doppelinterpretationen. Das zeitgenössische deutsche Gedicht zwischen Autor und Leser.* Hrsg. und eingeleitet von Hilde Domin. Frankfurt und Bonn 1966, S. 96-97.

Interview: *Auch das Schweigen schließt Staunen ein. Ein Gespräch mit Peter Huchel in Rom.* Von Ursula Bode. In: *Publik* (Frankfurt), 30. Juli 1971.

Interview: *AZ-Exklusivinterview mit dem Lyriker Peter Huchel* (von Veit Mölter). In: *Allgemeine Zeitung* (Mannheim), 7./8. August 1971. Auch in: *Aachener Nachrichten,* 13. August 1971, *Neue Zeit,* 11. und 12. August 1971, *Oberösterreichische Nachrichten,* 2. September 1971, *Kölner Stadt-Anzeiger,* 7./8. August 1971.

Interview: *Gegen den Strom. Zum erstenmal berichtet Peter Huchel von den Jahren seiner Isolierung in der DDR* (Gespräch Peter Huchels mit Hansjakob Stehle in Bonn). In: *Die Zeit,* 2. Juni 1972.

Interview mit Peter Huchel. In: *Rias* (Berlin), 17., 18. und 23. Juni 1972.

(*Dankrede, gehalten im Bundesministerium für Unterricht in Wien am 26. Jänner 1972, anläßlich der Überreichung des Österreichischen Staatspreises für europäische Literatur an Peter Huchel.*) In: *Literatur und Kritik* 7 (1972) S. 130-131.

4. Peter Huchel als Herausgeber

Sinn und Form, Beiträge zur Literatur. Hrsg. von der Deutschen Akademie der Künste zu Berlin. Deutsche Demokratische Republik. Chefredakteur der Jahrgänge 1 (1949) bis 14 (1962).

Junge Lyrik aus der DDR. Ausgewählt von Peter Huchel. In: *Das Gedicht. Jahrbuch zeitgenössischer Lyrik.* 3. Folge 1956/57. Hrsg. von Rudolf Ibel. Hamburg 1956, S. 68-97.

5. Arbeiten für den Rundfunk
(mit dem Jahr der Erstsendung)

Dr. Faustens Teufelspakt und Höllenfahrt (Hörspiel 1933)
Die Herbstkantate (Hörspiel 1935)
Die Magd und das Kind (Hörspiel 1935)
Margarete Minde (Hörspiel 1935)
Abraham Lincoln (Hörspiel 1935)
Maria am Weg (1935)
Der letzte Knecht (Hörspiel 1936)

Gott im Ährenlicht (1936)
*Taten und Abenteuer des Löwentöters Tartarin von Tarascon, frei
nach Daudet* (1938)

6. Schallplatten

Psalm. In: *Psalm und Antipsalm.* Sprecher: Wilhelm Borchert, Maria
Ott. Christopherus CLX 75 463.

7. Übersetzungen

(Genannt werden nur Buchveröffentlichungen, im übrigen siehe
Vorbemerkung zu 2.)

Ins Bulgarische:
Pod săzvezdieto na Herkulesa (Unter dem Sternbild des Hercules.
Gesammelte Gedichte). Sofia 1968. Übers. von Atanas Dalčev, Čilo
Šišmanov.

Ins Französische:
Trois poètes allemands de la nature. E. Arendt, P. Huchel, Georg
Maurer. Notes introductives et poèmes de Johannes R. Becher.
Hrsg. von Pierre Garnier. Paris 1958. Übers. von Pierre Garnier.

Ins Italienische:
Strade – Strade (Chausseen Chausseen). Mailand 1970. Übers. von
Ruth Leiser und Franco Fortini.

Ins Polnische:
Wiersze. (Gedichte, hauptsächlich aus *Chausseen Chausseen*). Warschau 1967. Auswahl und Einführung von Jan Koprowski. Übers.
u. a. von Roman Karst, Jan Koprowski, Leopold Lewin.

Ins Tschechische:
Dvanáct nocí (Zwölf Nächte, *Gedichte*). Prag 1958. Nachwort und
übers. von Ludvík Kundera.
Silnice, Silnice (Chausseen Chausseen). Prag 1964. Nachwort und
übers. von Ludvík Kundera.

Ins Ungarische:
(*Gedichte*). Budapest 1959. Hrsg. und übers. von Gábor Hajnal.

II Ausgewählte Bibliographie der Arbeiten über Peter Huchel

(Die mit einem * versehenen Beiträge sind in diesem Band abgedruckt. Redaktionsschluß ist der Mai 1973. Rezensionen der Übersetzungen sind nicht aufgenommen.)

1. Allgemeine Arbeiten

Améry, Jean: *Bildnisse berühmter Zeitgenossen: Peter Huchel. Vor dem Verstummen.* In: *St. Galler Tagblatt*, 28. Januar 1973.

Anonym: *Peter Huchel – 70. Geburtstag.* In: *Bücherschiff* (Kronberg/Taunus 1973), Heft 1, S. 3.

Anonym: *Berlin's Wandering Poet.* In: *The Guardian*, 12. Januar 1973.

A. S.: *Autorenabend mit Peter Huchel.* In: *Die Tat* (Zürich), 14. Dezember 1972.

Berger, Uwe: *Zwei Dichter unserer Zeit. Zum 50. Geburtstag von Peter Huchel und Erich Arendt.* In: *Aufbau* 9 (1953), S. 359-364.

Best, Otto Ferdinand: *Nachbemerkung und Lamento.* In: *Hommage für Peter Huchel*, S. 110-114.

Besten, Ad den: *Deutsche Lyrik auf der anderen Seite.* In: *Eckart* 28 (1959), S. 224-263.

Birkenfeld, Günther: *Peter Huchel. Porträt eines Dichters.* In: *Ost und West* 1 (1947), Heft 1, S. 77-78.

Brettschneider, Werner: *Peter Huchel.* In: W. B., *Zwischen literarischer Autonomie und Staatsdienst. Die Literatur in der DDR.* Berlin 1972, S. 184-192.

*Croce, Elena: *Peter Huchel.* In: *Settanta, Mensile di cultura, politica, economia.* Heft 22, März 1972, S. 23-24. – Aus dem Italienischen übersetzt von Monica Huchel.

Döderlein, Johann Ludwig: *Peter Huchel.* In: *Das Einhorn. Jahrbuch Freie Akademie der Künste in Hamburg.* Hamburg 1957, S. 168-172.

Flores, John: *Poetry in East Germany. Adjustments, Visions, and Provocations, 1945-1970.* New Haven und London 1971 (Part Two: *Visions. 3 Peter Huchel: The Disenchanted Idyll*, S. 119-204).

Franke, Konrad: *Peter Huchel.* In: K. F.: *Die Literatur der Deutschen Demokratischen Republik.* München 1971, S. 204-208.

*Haas, Willy: *Ansprache bei der Verleihung der Plakette an Peter Huchel am 7. 11. 1959* (Plakette der Freien Akademie der Künste, Hamburg). In: *Kontraste. Jahrbuch Freie Akademie der Künste in Hamburg.* Hamburg 1960, S. 11-15.

Ders.: *Ein Mann namens Peter Huchel.* In: *Hommage für Peter Huchel.* S. 55-59.

Hädecke, Wolfgang: *»Ich fischte Gold und flößte Träume . . .«. Der Dichter Peter Huchel.* In: *Christ und Welt,* 28. Juni 1963.

Hamburger, Michael: *The Truth of Poetry. Tensions in Modern Poetry from Baudelaire to the 1960s.* London 1969, S. 258-261; deutsch: M. H., *Die Dialektik der Modernen Lyrik. Von Baudelaire bis zur konkreten Poesie.* München 1972, S. 335-338 (List Taschenbücher der Wissenschaft. Literaturwissenschaft 1443).

Hamm, Peter: *In der Mitte der Dinge die Trauer. Peter Huchel feiert heute seinen 65. Geburtstag.* In: *Süddeutsche Zeitung,* 3. April 1968.

Ders.: *Vermächtnis des Schweigens. Der Lyriker Peter Huchel.* In: *Merkur* 18 (1964) Heft 195, S. 480-488.

Ders.: *»Sei getreu, sagt der Stein«. Zum 70. Geburtstag von Peter Huchel.* In: *Süddeutsche Zeitung,* 3. April 1973.

*Hartung, Rudolf: *Laudatio. Gehalten bei der Verleihung des Fontane-Preises an Peter Huchel im April 1963.* In: *Hommage für Peter Huchel,* S. 70-71.

Ders.: *Tagebuch-Notizen (XII)* (zu Peter Huchel). In: *Neue Rundschau* 83 (1972) S. 61-62.

Heidenreich, Wolfgang: *In der eisigen Mulde der Jahre. Jemand, auf den sich nichts reimt: Peter Huchel wird heute in Staufen siebzig Jahre alt.* In: *Badische Zeitung,* 3. April 1973.

Hohoff, Curt: *Über Peter Huchel. Aus einem auf der internationalen Dichtertagung in Gorizia (Görz) im Mai 1966 gehaltenen Vortrag.* In: *Hommage für Peter Huchel,* S. 78-81.

Holthusen, Hans Egon: *Natur und Geschichte in Huchels Gedichten.* In: *Hommage für Peter Huchel,* S. 72-77.

Hommage für Peter Huchel. Zum 3. April 1968. Hrsg. von Otto Ferdinand Best. München 1968.

Jens, Walter: *Deutsche Literatur der Gegenwart. Themen, Stile, Tendenzen.* München 1961 (zu Huchel: S. 105-107).

Kantorowicz, Alfred: *Der märkische Dichter. Peter Huchel. Dem Andenken unseres Mentors Hans Arno Joachim* (Vortrag, gehalten in Babelsberg am 4. März 1948). In: A. K., *Deutsche Schicksale. Neue Porträts.* Berlin (DDR) 1949, S. 194-205.

Ders.: *Peter Huchel. Nachschrift 1964.* In: A. K., *Deutsche Schicksale. Intellektuelle unter Hitler und Stalin.* Wien, Köln, Stuttgart, Zürich 1964, S. 79-93.

Ders.: *Das beredte Schweigen des Dichters Peter Huchel* (Rede am 24. Mai 1967 im Auftrag der Akademie in der Hamburger Universität gehalten). In: *Zwanzig. Jahrbuch Freie Akademie der Künste in Hamburg.* Hamburg 1968, S. 156-182.

*Karasek, Hellmuth: *Peter Huchel*. In: *Schriftsteller der Gegenwart. Deutsche Literatur. 53 Porträts*. Hrsg. von Klaus Nonnenmann. Olten und Freiburg i. Br. 1963, S. 162-167.

Kayser, Ellen: *Peter Huchel wird am 3. April 70 Jahre alt*. In: *Die Tat* (Zürich), 31. März 1973.

K. J.: *Peter Huchel in München*. In: *Süddeutsche Zeitung*, 30. April/1./2. Mai 1971.

Korlén, Gustav: *Huldigung für Peter Huchel*. In: *Modern språk* 63 (1969), S. 26-29.

Krolow, Karl: *Landschaften. Zum sechzigsten Geburtstag Peter Huchels*. In: *Frankfurter Allgemeine Zeitung*, 2. April 1963.

Ders.: *Ein Mann, der Gesichte hat. Peter Huchel zum 70*. In: *Hannoversche Allgemeine Zeitung*, 3. April 1973.

Kundera, Ludvík: *Cesta za tajemstvím* (Der Weg zum Geheimnis. Tschechisch). In: *Německé portréty* (Deutsche Porträts). Prag 1956, S. 141-148.

Ders.: *Všechno se dívá na Berlín* (Alles schaut auf Berlin. Brief an Peter Huchel. Tschechisch). In: *Host do domu* 8 (1961), S. 434.

*Ders.: *»Slávská matka«* (Die wendische Mutter. Aus einer unvollendeten Monographie über Peter Huchel. Tschechisch). In: *Krásná literatura* (November 1964), S. 16-17. Hier in erweiterter Fassung abgedruckt. Übersetzt vom Autor.

Ders., *Peter Huchel 65* (tschechisch). In: *Literární listy*, 4. April 1968.

Ders.: *Peter Huchel*. In: *Die Tat* (Zürich), 5. September 1970.

*Lagercrantz, Olof: *Ein deutscher Dichter. Peter Huchel zum siebzigsten Geburtstag*. In: *Frankfurter Allgemeine Zeitung*, 3. April 1973 (hier in neuer Fassung abgedruckt unter dem Titel *Ein großer deutscher Dichter*).

Lange, Horst: *Erinnerung an gemeinsame Jahre in Berlin*. In: *Hommage für Peter Huchel*, S. 27-33.

Laschen, Gregor: *Sprache und Zeichen in der Dichtung Peter Huchels*. In: G. L., *Lyrik in der DDR. Anmerkungen zur Sprachverfassung des modernen Gedichts*. Frankfurt 1971, S. 38-49.

Lehmann, Wilhelm: *Maß des Lobes. Zur Kritik der Gedichte von Peter Huchel*. In: *Deutsche Zeitung und Wirtschaftszeitung*, 8./9. Februar 1964.

ler: *Peter Huchel. Zum 50. Geburtstag des Lyrikers am 3. April*. In: *Börsenblatt für den deutschen Buchhandel*, 120. Jg., (Leipzig 1953) Nr. 14, 4. April 1953, S. 272-274.

Lestiboudois, Herbert: *Offener Brief an den Schriftsteller Peter Huchel*. In: *Neue Deutsche Literatur* 1 (1953), Heft 7, S. 105-109.

Lommer, Horst: *Das dichterische Wort Peter Huchels*. In: *Tägliche Rundschau* (Berlin/DDR), 4. Juni 1947.

Mayer, Hans: *Zu Gedichten von Peter Huchel.* In: H. M., *Zur deutschen Literatur der Zeit. Zusammenhänge, Schriftsteller, Bücher.* Reinbek bei Hamburg 1967, S. 178-188, 307-308.

mdr.: *Dichter im geteilten Land. ». . . und sah seine Ohnmacht«. Peter Huchel 70 Jahre.* In: *Saarbrücker Zeitung,* 3. April 1973.

Pongs, Hermann: *Erneuerung der Ballade. Peter Huchel.* In: H. P., *Das Bild in der Dichtung. Bd. 3. Der symbolische Kosmos der Dichtung.* Marburg 1969, S. 167-173.

Ders.: *Dichtung im gespaltenen Deutschland.* Stuttgart 1966 (über Huchel: S. 343-352, 371-372).

Raddatz, Fritz J.: *Natur als Prozeß der Geschichte. Peter Huchel.* In: F. J. R., *Traditionen und Tendenzen. Materialien zur Literatur der DDR.* Frankfurt 1972, S. 123-145.

*Raschke, Martin: *Zu den Gedichten Peter Huchels.* In: *Die Kolonne* 3 (1932), S. 4.

Ratgaus, Greinem Israiljewitsch: (*Zeit der Hoffnung, Bemerkungen über Dichter der Deutschen Demokratischen Republik.* Russisch.). In: *Waprossy Literatury* 10 (1966), Heft 11, S. 109-138.

Santner, Inge: *Nach Jahren der Isolation brach Huchel sein Schweigen. Gestern erhielt der Autor den Österreichischen Staatspreis.* In: *Berliner Morgenpost,* 27. Januar 1972.

Schäfer, Hans-Dieter: *Peter Huchel zum Siebzigsten.* In: *Die Welt,* 3. April 1973.

*Schonauer, Franz: *Peter Huchels Gegenposition.* In: *Akzente* 12 (1965), S. 404-414. Wiederabgedruckt in erweiterter Fassung unter dem Titel *Peter Huchel. Porträt eines Lyrikers.* In: *Das Wort* 11 (1968), S. 65-67.

*Seidler, Ingo: *Peter Huchel und sein lyrisches Werk. Zum 65. Geburtstage am 3. April.* In: *Neue Deutsche Hefte* 15 (1968) Heft 117, S. 11-28 (auch in: *Hommage für Peter Huchel,* S. 90-109).

Sinhuber, Bartel F.: *Der Lyriker Peter Huchel wird 70. Protest und Anklage ist seine Sache nicht.* In: *Abendzeitung* (München), 3. April 1973.

Sitte, Eberhard: *Deutsche Lyrik der anderen Seite in unserem Deutschunterricht.* In: *Deutschunterricht* 14 (Stuttgart 1962), Heft 3, S. 88-105.

Spiel, Hilde: *Sanftmut und Zorn. Peter Huchel nimmt den Österreichischen Staatspreis entgegen.* In: *Frankfurter Allgemeine Zeitung,* 31. Januar 1972.

Stein, Ernst: *Fülle der Zeit. Zur Behandlung der Gedichte Peter Huchels in Klasse 12.* In: *Deutschunterricht* 9 (Berlin 1956), S. 627-637.

Trommler, Frank: *Peter Huchel.* In: *Handbuch der deutschen Gegenwartsliteratur.* Hrsg. von Hermann Kunisch. München 1965,

S. 301-302. (Auch in: ibid., 2. verbesserte und erweiterte Auflage 1969, Bd. 1, S. 331-332, und in: *Kleines Handbuch der deutschen Gegenwartsliteratur. 107 Autoren und ihr Werk in Einzeldarstellungen.* Hrsg. von Hermann Kunisch. München 1969, S. 281-284.)

*Vieregg, Axel: *Zeichensprache und Privatmythologie im Werke Peter Huchels.* Diss. Massey University, Palmerston North, Neuseeland 1972 (masch.). Abgedruckt sind die Seiten 38-43.

Wallmann, Jürgen P.: *Überschattet von Resignation und Trauer. Über den Lyriker Peter Huchel anläßlich seines 70. Geburtstags am 3. April.* In: *Mannheimer Morgen,* 2. April 1973.

Wilk, Werner: *Peter Huchel.* In: *Neue Deutsche Hefte* 9 (1962) Heft 90, S. 81-96.

Wolf, G.: *Huchel, Peter.* In: *Lexikon deutschsprachiger Schriftsteller von den Anfängen bis zur Gegenwart.* Hrsg. von Günter Albrecht, Kurt Böttcher, Herbert Greiner-Mai, Paul Günter Krohn. Leipzig 1967, Bd. 1., S. 636-638.

*Wolken, Karl Alfred: *»Zwiesprache mit der Wirklichkeit«. Die Lyrik Peter Huchels.* In: Rias (Berlin), 14. November 1972.

Zak, Eduard: *Der Dichter Peter Huchel. Versuch einer Darstellung seines lyrischen Werkes.* In: *Neue deutsche Literatur* 1 (1953), Heft 4, S. 164-183.

Zimmer, Dieter E.: *In der Mitte der Dinge die Trauer. Am 3. April wurde der Dichter Peter Huchel sechzig Jahre alt.* In: *Die Zeit,* 5. April 1963.

2. Über »Gedichte« (1948 bzw. 1949)

Garnier, Pierre: *La jeune poésie en Allemagne de l'Est.* In: *Critique* 11 (1955), S. 215-224.

Ihering, Herbert: *Der Lyriker Peter Huchel.* In: *Sonntag* (Berlin), 29. Mai 1949.

Kühn, Julius: *Die eigene Handschrift.* In: *Thüringische Landeszeitung* (Weimar), 19. Dezember 1951.

Ltz: *Peter Huchel: Gedichte.* In: *Tägliche Rundschau* (Berlin/DDR), 6. Mai 1949.

Reissig, Ernst: *Der Lyriker Peter Huchel.* In: *Aufbau* 5 (1949), S. 1013-1018.

*Roch, Herbert: *Peter Huchel: »Gedichte«.* In: *Ost und West* 3 (1949), Heft 5, S. 91-92.

3. Über »Chausseen Chausseen« (1963)

Allemann, Beda: *Peter Huchels Chausseen Chausseen.* In: *Hessischer Rundfunk* (Frankfurt), 13. November 1963.

Bauer, Walter Alexander: *Sprache – aus Demut gewachsen. Zu einem neuen Gedichtband von Peter Huchel.* In: *dpa-brief. Artikel aus der Kultur.* Buchbrief Nr. 374, 6. Februar 1964.

Frühsorge, Gotthard: *Stimme des Mahners. Zu einem neuen Gedichtband von Peter Huchel.* In: *Hannoversche Allgemeine Zeitung,* 1./2. Februar 1964.

Härtling, Peter: *Der Zeuge tritt hervor. Zu dem neuen Gedichtband Peter Huchels »Chausseen Chausseen«.* In: *Deutsche Zeitung und Wirtschaftszeitung,* 22. Dezember 1963.

Heise, Hans-Jürgen: *Peter Huchels neue Wege.* In: *Neue Deutsche Hefte* 11 (1964), Heft 99, S. 104-111.

Hohoff, Curt: *Mit einer Distel im Mund.* In: *Süddeutsche Zeitung,* 11./12. Januar 1964 (leicht verändert auch in: *Rheinische Post,* 14. März 1964).

Ders.: *Gedichte von Peter Huchel.* In: *Sonntagsblatt* (Hamburg), 2. Februar 1964.

Holthusen, Hans Egon: *Heimat und Heimsuchung. Peter Huchel.* In: *Frankfurter Allgemeine Zeitung,* 29. Februar 1964.

Jens, Walter: *Wo die Dunkelheit endet. Zu den Gedichten von Peter Huchel.* In: *Die Zeit,* 6. Dezember 1963.

Nennecke, Charlotte: *Peter Huchel: Chausseen Chausseen.* In: *Radio Bremen,* 4. September 1964.

Sanders, Rino: *Peter Huchel: Chausseen Chausseen.* In: *Neue Rundschau* 75 (1964), S. 324-329.

Wondratschek, Wolf: *Maß und Unmaß des Lobes.* In: *Text und Kritik* 9 (1965), S. 34-36.

4. Über »Die Sternenreuse« (1967)

Brandt, Sabine: *Peter Huchel: Die Sternenreuse.* In: *Hessischer Rundfunk* (Frankfurt), 18. Juni 1967.

Dies.: *Huchels frühe Gedichte.* In: *Der Monat* 19 (1967), Heft 227, S. 65-68.

Dies.: *An taube Ohren der Geschlechter. Endlich gibt es wieder eine Ausgabe früher Huchel-Gedichte.* In: *Die Zeit,* 8. Dezember 1967.

Conrad, H.: *Peter Huchel. Die Sternenreuse. Gedichte 1925-1947.* In: *dpa – Buchbrief/Kultur,* 9. August 1967, S. 7-8.

Hamm, Peter: *Peter Huchel: Sternenreuse.* In: Rias (Berlin), 8. April 1968.

Heise, Hans-Jürgen: *Peter Huchels frühe Lyrik.* In: *Die Tat* (Zürich), 6. Mai 1967.

Krolow, Karl: *Brüchige Musik. Die frühen Gedichte Peter Huchels.* In: *Stuttgarter Zeitung,* 20. Mai 1967.

Muschter, Christiane: *Lyrische Streifzüge. Vom Trost des Erinnerns.* In: *National-Zeitung* (Basel), 17. November 1968.

Nolte, Jost: *Sie gaben Befehl, die Wurzel zu roden. Zu Peter Huchels Gedichtband »Die Sternenreuse«.* In: *Die Welt der Literatur,* 22. Juni 1967.

Ders.: *Verse von Heute. Zu neuen deutschen Lyrikbänden* (unter anderem über *Peter Huchel, Sternenreuse).* In: *Deutschlandfunk* (Köln), 13. Juli 1967.

Opitz, Kurt: *Peter Huchel, Die Sternenreuse.* In: *Books Abroad* 42 (1968), S. 434.

5. Über »Gezählte Tage« (1972)

Anonym: *The Bleak Midwinter. Peter Huchel: »Gezählte Tage«.* In: *The Times Literary Supplement,* 29. Dezember 1972, S. 1572.

Anonym: *Dem Menschen zugedacht. Peter Huchel: »Gezählte Tage«.* In: *Berner Tagblatt,* 10./11. Februar 1973.

Baier, Lothar: *Peter Huchel: Gezählte Tage.* In: *Hessischer Rundfunk* (Frankfurt), 8. Oktober 1972.

Bleisch, Ernst-Günther: *Huchels gezählte Tage.* In: *Bücher Merkur,* 29. November 1972.

Bondy, Barbara: *Ist Odysseus verloren? Zu Peter Huchels neuen Gedichten.* In: *Süddeutsche Zeitung,* 16./17. Dezember 1972.

Bongs, Rolf: *Peter Huchel hat sich nicht geändert.* In: *Rheinische Post,* 16. Dezember 1972.

Günther, Joachim: *Dreiundsechzig neue Gedichte von Peter Huchel. Zu dem Band »Gezählte Tage«, der ersten Veröffentlichung des Autors nach Verlassen der DDR.* In: *Der Tagesspiegel* (Berlin), 12. November 1972.

Hartung, Rudolf: *»Geh fort, bevor im Ahornblatt ...«. Peter Huchels neuer Gedichtband »Gezählte Tage«.* In: *Frankfurter Allgemeine Zeitung,* 14. Oktober 1972.

Ders.: »Gezählte Tage«. In: *Deutschlandfunk* (Köln), 10. September 1972.

Heise, Hans-Jürgen: *Der Fall Peter Huchel.* In: *Die Welt,* 28. Oktober 1972.

Ders.: *Verzicht auf das herbe Aroma des Konkreten.* In: *Schwäbische Zeitung,* 3. November 1972 (leicht verändert unter dem Titel *Die Natur als Gegenposition zur Geschichte* in: *Die Tat* (Zürich), 6. Januar 1973).

Heydorn, Heinz-Joachim: »Eine Fußspur im Sand vom Eis des Winters ausgegossen«. Peter Huchels Gedichte. In: *Frankfurter Rundschau,* 26. Mai 1973.

Klausenitzer, Hans-Peter: *Wenn das Schilfrohr denkt*. In: *Die Welt*, 9. November 1972.

*Krolow, Karl: *»Gezählte Tage«. Huchels neuer Gedichtband*. In: *Hannoversche Allgemeine Zeitung*, 2./3. Dezember 1972.

*Mader, Helmut: *Abschied von den Hirten. Über Peter Huchel und seinen neuen Gedichtband »Gezählte Tage«*. In: *Stuttgarter Zeitung*, 28. September 1972, auch in: *Neue Rundschau* 84 (1973) S. 161-165.

Mahr, Gerd: *»Vielen reißt das Wasser / die Steine unter den Füßen fort.« Gedichte von Peter Huchel. »Gezählte Tage«*. In: *Deutsches Allgemeines Sonntagsblatt*, 4. März 1973.

Meidinger-Geise, Inge: *(Peter Huchel, »Gezählte Tage«)*. In: *Radio Bremen*, 25. Februar 1973.

Ottevaere, E.: *Rasecht Natuurdichter*. In: *De Standaard* (Brüssel), 16. Februar 1973.

Piontek, Heinz: *(Peter Huchel, »Gezählte Tage«)*. In: *Deutsche Welle* (Köln), 15. Dezember 1972, und *Österreichischer Rundfunk* (Wien), 5. Mai 1973.

Ders.: *(Peter Huchel, »Gezählte Tage«)*. In: *Wort und Wahrheit* (1973) Heft 1, S. 92-93.

*Raddatz, Fritz J.: *Passé défini*. Erstveröffentlichung.

Ross, Werner: *Leierspiel – – west-östlich* (darin unter anderem *Peter Huchel, »Gezählte Tage«*). In: *Merkur* 27 (1963) Heft 300, S. 482 bis 490.

Schmidt, Hans Dieter: *»Die Unschuld des Schuldigen«. Ein neuer Gedichtband von Peter Huchel*. In: *Main Echo*, 14. Januar 1973.

*Unseld, Siegfried: *Peter Huchel*. In: *Stuttgarter Zeitung*, 28. September 1972.

Urbach, Reinhard: *Beispiel lyrischer Selbstbehauptung*. In: *Salzburger Nachrichten*, 1. Dezember 1972.

Völker, Klaus: *Der Lyriker Peter Huchel*. In: *Nürnberger Zeitung*, 23. Dezember 1972.

Wallmann, Jürgen P.: *(Peter Huchel, »Gezählte Tage«)*. In: *Westdeutscher Rundfunk* (Köln), 21. März 1973.

*Wapnewski, Peter: *Zone des Schmerzes. Zu Peter Huchels neuen Gedichten*. In: *Die Zeit*, 10. November 1972.

Zenke, Thomas: *(Peter Huchel, »Gezählte Tage«)*. In: *Westdeutscher Rundfunk* (Köln), 24. April 1973.

Zimmer, Wendelin: *Peter Huchel – Sprache des Exils. Anmerkungen über den neuen Gedichtband »Gezählte Tage«*. In: *Neue Osnabrükker Zeitung*, 11. November 1972.

6. Über einzelne Gedichte

Bräutigam, Kurt: *Peter Huchel: Bericht des Pfarrers vom Untergang seiner Gemeinde.* In: K. B.: *Moderne deutsche Balladen. (»Erzählgedichte«). Versuche zu ihrer Deutung.* 2. durchgesehene Auflage, Frankfurt 1970, S. 61-64.

Ders.: *Peter Huchel, Letzte Fahrt.* Ibid., S. 57-61.

Fuchs, Walter R.: *Zu Peter Huchel, Elegie.* In: *Lyrik unserer Jahrhundertmitte.* Ausgewählt und interpretiert von Walter R. Fuchs. München 1965, S. 63-64.

*Göpfert, Herbert G.: *Mein Gedicht. Peter Huchel: »Des Krieges Ruhm«.* In: *Die Zeit,* 25. November 1960. Auch in: *Mein Gedicht.* Hrsg. von Dieter E. Zimmer. Wiesbaden 1961, S. 123-125.

Hilton, Jan: *Ophelia. Variations on a Theme.* In: *Affinities. Essays in German and English Literature. Dedicated to the Memory of Oswald Wolff (1897-1968).* Hrsg. von R. W. Last, London 1971, S. 318-320.

*Hutchinson, Peter: *»Der Garten des Theophrast« – an epitaph for Peter Huchel?* In: *German Life & Letters* 24, Januar 1971, S. 125 bis 135. – Aus dem Englischen übersetzt von Angela Praesent.

*Kalow, Gert: *Das Gleichnis oder Der Zeuge wider Willen. Über ein Gedicht von Peter Huchel (»Wintersee«).* In: *Frankfurter Allgemeine Zeitung,* 10. August 1968 (auch in: *Hommage für Peter Huchel,* S. 82-89).

*Kelletat, Alfred: *Peter Huchel, »Der Garten des Theophrast«.* In: A. K., *Drei Deutungen (Huchel, Celan, Uhlmann).* Göttingen 1971, S. 1-4. Übers. ins Französische von Jean-Paul Picaper, mit einem Vorwort des Übersetzers. In: *Documents* 26 (1971), S. 83 bis 88. Etwas erweiterte hier abgedruckte Fassung: A. K., *Griechisches Triptychon aus deutschen Gedichten (Peter Huchel, Johannes Bobrowski, Joachim Uhlmann)* in: *Festschrift für K. J. Merentitis,* Athen 1972, S. 178-182.

Kopplin, Wolfgang: *Peter Huchel: Unter der Wurzel der Distel.* In: W. K.: *Beispiele. Deutsche Lyrik ʼ60-ʼ70. Texte. Interpretationshilfen.* Paderborn 1969, S. 56-59.

Lüdtke, Robert: *Über neuere mitteldeutsche Lyrik im Deutschunterricht der Oberstufe.* (Unter anderem Huchel, *Der Garten des Theophrast).* In: *Deutschunterricht* 20 (Stuttgart 1968) Heft 5, S. 38-51.

Mayer, Hans: *Winterpsalm, Erinnernde Deutung.* In: *Doppelinterpretationen. Das zeitgenössische deutsche Gedicht zwischen Autor und Leser.* Hrsg. und eingeleitet von Hilde Domin. Frankfurt und Bonn 1966, S. 98-100.

Wacker, Artur: *Peter Huchel – »Späte Zeit« (Eine Gedichtinterpre-

tation). In: *Freie Bildung und Erziehung* 14 (Darmstadt 1963), S. 14-17.

7. Über »Sinn und Form« und zu Peter Huchel in der DDR

Abusch, Alexander: *Diskussionsbeitrag auf dem VI. Parteitag der SED.* In: *Protokoll der Verhandlungen des VI. Parteitages der Sozialistischen Einheitspartei Deutschlands. 15. bis 21. Januar 1963 in der Werner-Seelenbinder-Halle zu Berlin.* Bd. III, *Grußschreiben und schriftlich eingereichte Diskussionsbeiträge.* Berlin 1963, S. 22-30.

Anonym: *DDR-Zeitschrift: Zwischen zwei Welten.* In: *Der Spiegel,* Nr. 38, 19. September 1962, S. 86-87.

Anonym: *The Academy of 1696 yields to Ulbricht.* In: *The Times,* 23. Januar 1963.

Anonym: *Schriftsteller. Huchel. Nicht verziehen.* In: *Der Spiegel,* Nr. 46, 11. November 1968, S. 193.

Anonym: *Aus dem Getto entlassen. Peter Huchel durfte in den Westen ausreisen.* In: *Die Welt,* 30. April 1971.

Balluseck, Lothar von: *Huchel, Peter.* In: L. v. B., *Dichter im Dienst. Der sozialistische Realismus in der deutschen Literatur.* Wiesbaden 1956, S. 108-109. Zweite, neu bearbeitete und ergänzte Auflage, Wiesbaden 1963, S. 193-195.

Ders.: *Der Fall Huchel:* In: L. v. B., *Literatur und Ideologie 1963. Zu den literatur-politischen Auseinandersetzungen seit dem VI. Parteitag der SED.* Bad Godesberg 1963, S. 23-24.

Barthel, Kurt (Kuba): *Diskussionsbeitrag auf dem VI. Parteitag der SED.* In: *Protokoll der Verhandlungen des VI. Parteitages...* Bd. II, *4. bis 6. Verhandlungstag,* S. 58-63.

Baukloh, Friedhelm: *Ohne Sinn und Form. Die Gleichschaltung der Ostberliner Kulturzeitschrift.* In: *SBZ-Archiv* 14 (1963), Heft 5, S. 71-73.

Bentzien, Hans: *Diskussionsbeitrag auf dem VI. Parteitag der SED.* In: *Protokoll der Verhandlungen des VI. Parteitages...,* Bd. III, S. 51-57.

Bredel, Willi: »*Unser künstlerisches Schaffen dient sozialistischem Aufbau*«. In: *Neues Deutschland,* 18. Januar 1963 (auch in: *Protokoll der Verhandlungen des VI. Parteitages... Bd. I, 1. bis 3. Verhandlungstag,* S. 456-464).

Günther, Joachim: *Epilog auf »Sinn und Form«.* In: *Frankfurter Allgemeine Zeitung,* 17. September 1962.

Hager, Kurt: *Den Dingen auf den Grund gehen. Aus dem Diskussionsbeitrag des Genossen Kurt Hager* (auf der Kulturkonferenz des ZK der SED). In: *Neues Deutschland,* 26. Oktober 1957.

Ders.: *Aus der Diskussion auf dem VI. Parteitag. Ein leninistisches Programm.* In: *Neues Deutschland,* 19. Januar 1963 (auch in: *Protokoll der Verhandlungen des VI. Parteitages . . .,* Bd. II, S. 5-19).

Ders.: »*Wir freuen uns über jedes gelungene Werk*« – *Aus dem Diskussionsbeitrag (. . .) auf der Delegierten-Konferenz des Deutschen Schriftstellerverbandes.* In: *Neues Deutschland,* 28. Mai 1963 (auch in: *Neue Deutsche Literatur* 11 (1963), Heft 8, S. 61-72 unter dem Titel »*Freude an jedem gelungenen Werk*«. Auszüge in: *SBZ-Archiv* 14 (1963), Heft 12, S. 193.

Ders.: *Parteilichkeit und Volksverbundenheit unserer Literatur und Kunst. Rede (. . .) auf der Beratung des Politbüros des Zentralkomitees und des Präsidiums des Ministerrates mit Schriftstellern und Künstlern am 25. März 1963.* In: *Neues Deutschland,* 30. März 1963 (auch: Beilage zum *Sonntag* (Berlin/DDR), 7. April 1963. Auszüge in: *SBZ-Archiv* 14 (1963), Heft 7, S. 108-111).

Hildebrandt, Dieter: *Angriffe auf Hacks und Huchel. Ulbricht pocht auf den sozialistischen Realismus / Parteitag in Ost-Berlin.* In: *Frankfurter Allgemeine Zeitung,* 22. Januar 1963.

Jokostra, Peter: *Porträt des Zonen-Dichters Peter Huchel. In der Schußlinie der Doktrinäre.* In: *Der Tagesspiegel* (Berlin), 18. Mai 1960.

Kersten, Heinz: *Ostberliner Schriftstellerappell.* In: *SBZ-Archiv* 14 (1963), Heft 7, S. 97-98.

Ders.: *Der Widerspenstigen Zähmung. Vorbereitung und Verlauf der Delegiertenkonferenz des Schriftstellerverbandes.* In: *SBZ-Archiv* 14 (1963), Heft 12, S. 180-182.

Ders.: *Die Defensive der Dogmatiker – Kulturpolitische Auseinandersetzungen vor und auf dem VI. Parteitag der SED.* In: *SBZ-Archiv* 14 (1963), Heft 5, S. 66-71.

*Mayer, Hans: *Erinnerungen eines Mitarbeiters von »Sinn und Form«.* In: *Hommage für Peter Huchel,* S. 60-69.

Reich-Ranicki, Marcel: *Ein anderer Sinn, eine andere Form. Der Dichter und Redakteur Peter Huchel ist in Ungnade gefallen.* In: *Die Zeit,* 4. Januar 1963 (auch in M. R.-R.: *Literarisches Leben in Deutschland. Kommentare und Pamphlete.* München 1965, S. 134 bis 136).

Ders.: *Ohne »Sinn und Form«.* In: *Literarisches Leben in Deutschland,* S. 104-109 (auch in: M. R.-R., *Wer schreibt, provoziert. Pamphlete und Kommentare,* München 1966, dtv 384, S. 46-50).

Ders.: *Das Fähnlein eines Aufrichtigen. Peter Huchel, Lyriker und Chef der mitteldeutschen Zeitschrift »Sinn und Form«.* In: *Sonntagsblatt* (Hamburg), Nr. 21, 1960.

Sander, Hans-Dietrich: *Peter Huchels Exodus.* In: *Deutschland-Archiv* 4 (Köln 1971), S. 451-452.

Verner, Paul: *Diskussionsbeitrag auf dem VI. Parteitag der SED*. In: *Protokoll der Verhandlungen des VI. Parteitages . . .*, Bd. I, S. 446-456.

8. Über »Hommage für Peter Huchel«

Brandt, Sabine: *»Hommage für Peter Huchel«*. In: *Hessischer Rundfunk* (Frankfurt), 20. März 1969.
Dies.: *Festschrift für Peter Huchel*. In: *Deutschland-Archiv* 2 (Köln), Juni 1969, S. 607-608.
Maier, Wolfgang: *Langsam und leise. Über Peter Huchel*. In: *Frankfurter Allgemeine Zeitung*, 25. März 1969.
Ders.: *Peter Huchel – Lyriker hinter einem Vorhang des Schweigens*. In: *Berliner Morgenpost*, 14. März 1969.
Wallmann, Jürgen P.: *Hommage für Peter Huchel*. In: *Süddeutscher Rundfunk* (Stuttgart), 9. April 1969.

9. Arbeiten für und Widmungen an Peter Huchel

*Arendt, Erich: *Orphische Bucht*. In: E. A., *Unter den Hufen des Winds. Ausgewählte Gedichte*. Reinbek bei Hamburg 1966, S. 196 bis 197. – Abgedruckt mit freundlicher Genehmigung des Hinstorff Verlages, Rostock.
Bienek, Horst: *Sagen Schweigen Sagen*. In: *Hommage für Peter Huchel*, S. 34.
*Ders.: *Schattengestalt. Für Peter Huchel*. In: *Hommage für Peter Huchel*, S. 35.
*Biermann, Wolf: *Ermutigung*. In: W. B., *Mit Marx- und Engelszungen*, Berlin 1968 (= Quartheft 31) S. 61.
*Bloch, Ernst: *Ein Essay des Vorbewußten nach vorwärts. Für Peter Huchel*. In: *Hommage für Peter Huchel*, S. 7-14.
*Böll, Heinrich: *für Peter Huchel:* In: *Hommage für Peter Huchel*, S. 24.
Celan, Paul: *(drei Gedichte)*. In: *Hommage für Peter Huchel*, S. 15-17.
Domin, Hilde: *Ich will dich*. In: *Hommage für Peter Huchel*, S. 39-40.
*Eich, Günter: *Nicht geführte Gespräche. Für Peter Huchel*. In: *Die Zeit*, 5. April 1963. Auch in: G. E.: *Zu den Akten*, Frankfurt 1964, S. 8.
*Ders.: *Zeilen an Peter Huchel*. In: *Hommage für Peter Huchel*, S. 18.
Hädecke, Wolfgang: *Echo (für Peter Huchel)*. In: *Manuskripte* 3

(1963) Heft 3, S. 4 (auch in: *Lyrik aus dieser Zeit. 1963/64. 2. Folge.* Hrsg. von Kurt Leonhard und Karl Schwedhelm. München und Esslingen 1963, S. 100).

Jens, Walter: *An taube Ohren der Geschlechter. Rede beim Ostermarsch 1968 in Ulm.* In: *Hommage für Peter Huchel,* S. 19–23.

Kaschnitz, Marie-Luise: *Nicht gesagt.* In: *Hommage für Peter Huchel,* S. 38.

*Dies.: *Für Peter Huchel. Gedicht zu seinem 70sten Geburtstag.* Erstveröffentlichung.

*Koeppen, Wolfgang: *nach potsdam. für Peter Huchel.* In: *Hommage für Peter Huchel,* S. 50-52.

*Krolow, Karl: *Stunden-Gedicht (II). Für Peter Huchel zum 3. April 1968.* In: *Hommage für Peter Huchel,* S. 48-49.

*Kundera, Ludvík: *Im Schneesturm.* In: *Akzente* 15 (1968), S. 203 bis 204.

Kunze, Reiner: *Gebildete Nation.* In: R. K., *Zimmerlautstärke. Gedichte.* Frankfurt 1972, S. 56.

*Ders.: *Zuflucht noch hinter der Zuflucht.* Ibid., S. 62.

Mann, Thomas: *Zwei Briefe an Peter Huchel.* In: *Briefwechsel mit Thomas Mann* (G. Lukács, P. Rilla, Peter Huchel, A. Seghers, S. Hermlin, G. Seitz). In: *Sinn und Form* 7 (1955), S. 672-676.

*Meckel, Christoph: *Gedicht für Peter Huchel.* Erstveröffentlichung.

Reich-Ranicki, Marcel: *Franz Werfel und S. L. Jacubowsky.* In: *Hommage für Peter Huchel,* S. 41-47.

*Sachs, Nelly: *Der Schwan.* In: *Hommage für Peter Huchel,* S. 36-37.

*Schaefer, Oda: *Die Verzauberte. Für Peter Huchel in memoriam ›Die schilfige Nymphe‹.* In: *Hommage für Peter Huchel,* S. 25-26.

*Skácel, Jan: *Znorovy nachts.* In: J. S.: *Fährgeld für Charon.* Hamburg 1967, S. 87 f.

Peter Huchel im Suhrkamp Verlag

Gezählte Tage. *Gedichte*
1972

Ausgewählte Gedichte
Auswahl und Nachwort von Peter Wapnewski
Bibliothek Suhrkamp 345, 1973

In der edition suhrkamp erschienen

»Diese Bände und Bände wie diese könnten dazu beitragen, den Partikularismus der literarischen Diskussion zu überwinden.«

Wolfgang Werth

Bibliothek Suhrkamp

edition suhrkamp

Alphabetisches Verzeichnis der edition suhrkamp